JACOB IS
VAN MIJ

SIMON BECKETT

JACOB IS VAN MIJ

SIJTHOFF

Uitgeverij Sijthoff en Drukkerij HooibergHaasbeek vinden het belangrijk om op milieuvriendelijke en verantwoorde wijze met natuurlijke bronnen om te gaan.

© 1998, 2009 Simon Beckett

All rights reserved

© 2011 Nederlandse vertaling

Uitgeverij Luitingh - Sijthoff B.V., Amsterdam

Alle rechten voorbehouden

Oorspronkelijke titel: *Owning Jacob*

Vertaling: Annoesjka Oostindiër

Omslagontwerp: Peter te Bos

Omslagfotografie: Nikki Smith / Arcangel Images / HH

ISBN 978 90 218 0602 0

NUR 332

www.boekenwereld.com
www.uitgeverijsijthoff.nl
www.watleesjij.nu

NOOT VAN DE AUTEUR

Voordat ik aan de David Hunter-serie begon, heb ik in de jaren negentig van de vorige eeuw vier andere romans geschreven. De boeken met Hunter in de hoofdrol zijn gewone thrillers, mijn eerdere boeken zou ik eerder psychologische thrillers willen noemen, dus 'whydunits' in plaats van 'whodunits'.

Jacob is van mij was de laatste van die vier en kwam voort uit dat hele idee dat je een afgesloten kistje zou vinden. Stel dat je opeens op iets verborgens stuit, waaruit blijkt dat de persoon die je het meest na staat een vreselijk geheim koestert? Dat jullie hele leven samen op een leugen is gebaseerd en dat je zonder het te weten medeplichtig bent geweest aan een groot onrecht?

Dat was het uitgangspunt voor *Jacob is van mij* en dat is ook hoe het boek begint voor de hoofdpersoon: fotograaf Ben Murray. Ondanks het feit dat het een heel ander boek is dan de latere over David Hunter, zijn er wel degelijk overeenkomsten. Net als Hunter heeft Ben iets verschrikkelijks meegemaakt. Net als Hunter wil hij het juiste doen, ook al weet hij soms niet precies wat dat is. En net als ieder mens heeft hij zo zijn tekortkomingen en maakt hij soms verkeerde keuzes. De gebeurtenissen en wendingen in het verhaal werken uiteindelijk toe naar een climax die volgens mij minstens zo spannend – en even onverwacht – is als alles wat ik in mijn latere boeken heb geschreven.

Hoewel ik van de gelegenheid gebruik heb gemaakt om de tekst hier en daar wat te bewerken, en sommige delen daardoor hopelijk ook zijn verbeterd, heb ik niettemin besloten *Jacob is van mij* niet te actualiseren. Met die paar kleine aanpassingen blijft het dus in wezen precies hetzelfde boek als het werk dat destijds is gepubliceerd.

Ik zou je bij dezen dan ook graag veel leesplezier willen toewensen.

Simon Beckett

1

Hij vond het geldkistje op de dag na de begrafenis. Een dag die al verschrikkelijk was, nog voordat hij het had opengemaakt. Maar tot dan toe had hij nog wel iets van een doel gehad, iets om zich overdag op te richten, wat hem de illusie gaf dat het er nog toe deed. Zo kon hij zich verschuilen achter de bureaucratische rituelen die gepaard gaan met het overlijden van een dierbare. De plechtigheid zelf was onwerkelijk geweest, als een pantomime die hij van een afstand half verdoofd had gadegeslagen. Naderhand, toen hij de laatste vrienden en andere rouwenden had uitgezwaaid, was er niets wat het gapende gat kon opvullen dat Sarahs dood geslagen had. Hij had Jacob naar bed gebracht, de televisie aangezet en naar de fles gegrepen, tot de volgende ochtend en al die ochtenden die nog zouden volgen langzaam maar zeker vervaagden in een waas van alcohol.

De volgende morgen was al even koud en onaangenaam als de leegte naast hem in bed. Hij stond op en trok wat kleren aan, alsof hij het besef dat hem op de hielen zat vóór kon zijn, puur door in beweging te blijven. Jacob zei niets toen Ben melk over zijn ontbijtgranen schonk, maar hij keek wel de hele tijd onrustig om zich heen, alsof hij iets zocht. Ben vroeg zich even af of hoeveel de zesjarige precies begreep van wat er gebeurd was.

Hij legde een hand op het hoofd van zijn stiefzoon. 'Tessa brengt je straks naar school, oké?'

Jacob gaf er geen enkel blijk van dat hij hem had gehoord en boog zich voorover naar het bakje om te luisteren naar het knisperen van de gepofte rijst in de melk. Ben probeerde iets te bedenken om tegen hem te zeggen, maar alleen al het formuleren van woorden kostte hem zoveel moeite dat het leek alsof hij twee loodzware gewichten boven zijn hoofd moest optillen. Hij woelde even door het haar van de jongen en liet hem toen maar gewoon met rust.

Tessa kwam zoals altijd stipt op tijd. Ze deed zo geforceerd vrolijk dat het leek alsof de keuken plotseling in vloekende kleuren was overgeschilderd, en de gemaakt enthousiaste manier waarop ze Jacob begroette werkte Ben meteen al op de zenuwen. Het jochie leek haar aanwezigheid niet eens op te merken. Hij was nog volledig gebiologeerd door zijn ontbijt, dat inmiddels zompig en stil in het bakje voor hem lag. Hij had een paar happen genomen en schikte de rest nu in een keurig rijtje op de rand van het schaaltje.

Tessa keek Ben even aan met een blik die een en al bezorgdheid was. 'Gaat het een beetje?'

'Ja, hoor.' Hij draaide zich om en hoopte haar medeleven op die manier voor te zijn. 'Wil je een kop koffie?'

'Nee, dank je. Als Jacob zover is, kunnen we denk ik beter gaan. Ik hoorde op de radio net dat er wegwerkzaamheden zijn, dus het is waarschijnlijk nog drukker dan normaal.'

'Maar je neemt wel echt dezelfde route, hè?'

Haar glimlach haperde even. 'Ja, natuurlijk.'

Ze had Jacob een keer via een andere weg naar school gebracht, waar de jongen totaal overstuur van was geraakt. Ben had zich later omstandig verontschuldigd en uitgelegd dat Jacob slecht tegen dingen kon die afweken van zijn dagelijkse routine. Alleen wisten ze op het moment dat hij het zei allebei donders goed dat zij dat ook best wist. Tessa had haar spijt betuigd, maar nét iets te snel en iets te gedwee om echt oprecht te klinken. Ben had zelfs het idee dat er, wanneer ze nu naar Jacob keek, iets van wantrouwen in haar blik school.

Ze bleef onverstoorbaar babbelen terwijl Ben het jongetje hielp met zijn schoenen en jas. 'Weet je zeker dat ik hem vandaag niet hoef op te halen?' bood ze aan. 'Het is echt geen enkele moeite.'

'Nee nee, dat hoeft niet. Maar toch bedankt.' Hij bleef glimlachen, tot hij zeker wist dat ze zich erbij had neergelegd. Ze omhelsde hem en gaf hem een vluchtige kus op zijn wang. Op de hare zat zo'n dikke laag poeder dat hij onwillekeurig aan suède moest denken. Haar sterke, weeë parfum deed hem denken aan de bloemen op Sarahs doodskist.

'En als ik verder nog iets voor je kan doen, dan bel je me, hè?' Ben knikte, hurkte neer voor Jacob en drukte de jongen even tegen zich aan. 'Tot straks, Jake. En braaf zijn, hè?'

De jongen gaf geen kik. Hij had een plastic speeltje in zijn handen: een soort doolhof met een balletje erin. Zodra hij erin was geslaagd het balletje in het gaatje in het midden te krijgen, schudde hij het even heen en weer en begon weer van voren af aan. Hij keek niet op of om toen Tessa hem naar buiten leidde. Ben bleef in de deuropening staan kijken terwijl ze in de auto stapten bij Scott en Andrew, Tessa's twee zoons, en zwaaide ze uit.

Hij ging naar binnen en trok de voordeur achter zich dicht.

Elk vertrek leek Sarahs afwezigheid alleen maar te benadrukken. Het voelde bijna alsof hij onder vuur lag toen hij naar de keuken terugliep. Hij pakte zijn koffie, maar die was helaas al koud geworden. Toen hij de mok neerzette, klonk zelfs het geluid van het porselein dat de tafel raakte op de een of andere manier onnatuurlijk luid. Het voelde alsof de vertrouwde omgeving van zijn eigen huis op een subtiele manier veranderd was, alsof hij alles vanuit een ander perspectief bezag, vanuit een parallelle dimensie van verdriet. Ben probeerde verwoed aan iets anders te denken, maar zijn verbeelding nam hem meteen wreed te grazen. Hij zag Sarah opeens haarscherp voor zich. Ze neuriede in gedachten verzonken mee met de radio en was druk bezig in de keuken. Ze hield alleen even stil om een slok van haar koffie te nemen. Uit de blauwe mok, haar favoriete. Hij hoorde haar stem zelfs duidelijk in zijn hoofd. Ze praatte tegen Jacob: 'Eet je ontbijt nou maar snel op, Jake. Goed zo.' Ze draaide zich half om naar Ben toen ze voor de spiegel ging staan om haar lichtbruine haren te fatsoeneren. 'O ja, ik was je nog vergeten te vertellen dat ik Imogen heb gesproken. Ik heb gezegd dat we dit weekend misschien iets met zijn viertjes konden afspreken.'

'Dat meen je niet, hè?' hoorde hij zichzelf antwoorden, terwijl zijn lippen geluidloos de woorden herhaalden. 'Neil is zo'n beetje de saaiste man die ik ooit heb ontmoet.'

Ze wierp hem een schalkse blik toe in de spiegel. 'Nou, dan moet jij dus maar gewoon dubbel zo interessant zijn, hè?' Ze draaide haar hoofd en profil om te controleren of haar haar goed zat. 'Ach, laat ook maar, dit kan er wel mee door.'

Toen ze naar de kapstok liep voor haar colbertje maakte haar rokje een zacht ruisend geluid langs haar benen. 'Kom maar, Jake. We moeten nu echt gaan.' Ze ging achter de jongen staan en kietelde hem speels in zijn zij, tot hij op zijn stoel heen en weer kronkelde van plezier. Ben kreeg vanzelf een glimlach op zijn gezicht, net als toen.

Sarah plantte een kus op Jacobs hoofd en ging voor hem zitten om zijn veters te strikken. 'Ben je vanavond laat thuis?' vroeg ze aan Ben.

'Nee, ik denk het niet. Op zijn laatst om zeven uur.'

Hij keek hoe ze de stoel achteruitschoof, zodat Jacob op de grond kon springen. Toen ze overeind kwam, vertrok ze haar gezicht en wreef over haar slapen. 'Ik denk dat ik het gisteravond toch beter wat rustiger aan had kunnen doen.' Ze zag er verzorgd en mooi uit toen ze naar hem toe liep. Hij zag de sproeten op haar wangen en neus, en rook haar parfum. 'Tot later dan.' Ze keek glimlachend in zijn ogen en richtte haar gezicht op voor een zoen. Het beeld was zo levensecht dat hij zich daadwerkelijk vooroverboog en toen snel zijn ogen opendeed.

Hij zag alleen een lege keuken. De ontbijtspullen stonden nog op tafel. Twee bordjes: een van hem, een van Jacob. Hij bedacht nu pas dat hij beter niet had kunnen ingaan op Tessa's aanbod om Jacob naar school te brengen en overwoog even alsnog de deur uit te gaan, om zijn toevlucht te zoeken in een neutrale omgeving waar Sarahs afwezigheid niet op hem af zou komen, zoals de muren hier. Maar dat was alleen maar uitstelgedrag. Hij kon het nu maar beter meteen doen.

Want terug kwam ze niet.

Hij pakte een rol vuilniszakken en liep naar de slaapkamer. Boven kon hij haar helemaal niet meer ontlopen. Hij probeerde vooral niet te denken aan wat hem te doen stond, opende de kastdeur en pakte een stapel kleren. De geur leek een distillaat van verdriet. Hij kon amper bevatten dat ze dit nooit meer zou dragen. Veel verder dan het bed kwam hij dan ook niet, waar hij zich met de kleren tegen zijn borst gedrukt op liet vallen en in snikken uitbarstte.

Het was nu bijna een week geleden dat hij gebeld was. Hij was druk bezig geweest met een fotoshoot in de studio toen zijn assistente Zoe hem onderbrak met de mededeling dat Keith hem wilde spreken. Keith was getrouwd met Tessa, maar eerst en vooral zijn oudste en beste vriend, die toevallig ook als jurist bij dezelfde firma als Sarah werkte. Ben had niet eens opgekeken toen hij zei dat hij later wel zou terugbellen.

'Volgens mij kun je dit beter even aannemen,' had Zoe gezegd. Hij wilde haar net gaan afkatten dat hij het druk had toen hij opkeek en de blik op haar gezicht zag.

De artsen hadden het over een aneurysma gehad. Hij had dat woord wel eens gehoord, maar had geen idee wat het was. Hij kwam er nu pas achter dat het betekende dat een van de bloedvaten in Sarahs hoofd verwijd was en vervolgens was gescheurd. Een minuscuul klein stukje van haar, slechts een fractie van de persoon die hij als zijn echtgenote beschouwde, was daaraan bezweken en ze lag inmiddels op de intensive care. Er was geen enkele waarschuwing vooraf geweest, afgezien van die ene terloopse opmerking die ochtend dat ze een beetje hoofdpijn had. Ben wist dat het foute boel was toen de arts over een ct-scan begon en dat ze misschien met spoed geopereerd moest worden.

Ze lieten hem eerst niet eens bij haar. Zijn verstand zei hem dat het heel ernstig was, maar gevoelsmatig kon hij het allemaal nog niet bevatten. Ze hadden nog geen vierentwintig uur geleden samen staan koken, Jacob naar bed gebracht en een fles wijn opengetrokken. Hoe kon ze dan opeens doodziek zijn? Zelfs toen de arts kwam meedelen dat ze aan de beademing lag en dat ze al het mogelijke hadden gedaan, drong het nog niet tot hem door. Pas toen hij haar doodstil en buiten bewustzijn in het ziekenhuisbed zag liggen, met een kaalgeschoren hoofd en een bleek en beurs gelaat, had hij beseft dat ze op sterven lag.

De apparaten hadden haar drie dagen in leven gehouden. Op de vierde dag waren ze uitgeschakeld. Ben had naast haar bed gezeten met haar hand in de zijne en tegen haar gepraat, tot ze zonder enige ophef – wat bijna als een anticlimax voelde – gewoon was opgehouden met ademen.

Tessa en Keith hadden hem naar huis gebracht. Ook zij kwamen hem onwerkelijk voor. Hij kende Keith nog uit zijn studententijd en had hem, toen hij een keer te veel op had, zelfs geprobeerd ervan te weerhouden Tessa ten huwelijk te vragen. Uiteindelijk had hij schoorvoetend en wel de rol van getuige vervuld. Maar nu hadden ze samen met hem gewacht tot Jacob van school kwam en hem toen alleen gelaten zodat hij de jongen kon proberen uit te leggen dat zijn moeder dood was. Jacob had hem geen moment aangekeken. Het enige wat erop wees dat het misschien toch tot hem was doorgedrongen, was het feit dat hij continu heen en weer had zitten wiegen.

Ben was op dat moment bijna jaloers geweest op het autisme van zijn stiefzoon.

Toen hij eindelijk was uitgehuild legde hij haar kleren voorzichtig op bed en liep terug naar de kast voor een volgende lading. Het waren er nogal wat. Sarah was een hamsteraar en gooide pas iets weg als het echt niet anders kon. Hij had haar daar vaak mee geplaagd en haar liefkozend zijn 'ekstertje' genoemd, waarop zij hem ervan betichtte dat hij aan consumentisme leed. Die herinnering bracht automatisch een glimlach op zijn gezicht. 'Wees gerust, Sarah, Oxfam zal ze evenmin weggooien,' zei hij hardop, maar hij kon niet lachen om zijn eigen galgenhumor.

Toen de kledingkast eindelijk leeg was, ging hij verder met de ladekast. Al snel lag er een tweede stapel naast de eerste, en vervolgens een derde. Hij probeerde niet te kijken naar de spullen die hij op bed legde, wetend dat als hij nu niet sterk was, het hem nooit zou lukken. Het waren gewoon willekeurige stukken stof in plaats van haar lievelingsjurk of het mooie zijden lingeriesetje dat hij haar voor haar laatste verjaardag had gegeven. *Oké, weer een lade leeg.* Hij schoof hem dicht en ging door met de volgende. Toen hij zijn handen erin stak om een nieuw stapeltje kleren te pakken, voelde hij aan de achterkant iets kouds en hards tegen zijn vingertoppen. Hij legde het stapeltje truien op bed en liep terug. Het bleek een gebutst oud geldkistje te zijn. De zwarte verf was er half afgebladderd en de doffe glans van het onderliggende metaal was goed zichtbaar. Het kwam hem totaal niet bekend voor, maar Sarah was dan ook dol geweest op antiekbeurzen en vlooienmarkten en hij was al lang geleden het zicht kwijtgeraakt op alles wat ze daar opduikelde. Wat hij alleen wel een beetje raar vond, was dat ze dit zo te zien doelbewust had verstopt.

Toen hij het kistje opzij kantelde, hoorde hij het geritsel van papier. Het kistje zelf zat op slot. Hij controleerde alle lades of het sleuteltje daar misschien lag en bleef even midden in de kamer staan en probeerde te bedenken waar het zou kunnen liggen. Misschien in het antieke theewagentje waar Sarah haar sieraden bewaarde? Haar trouw- en verlovingsring waren met haar mee het graf in gegaan, maar er waren andere sieraden waarvan hij zich nog niet kon voorstellen dat hij die zomaar zou wegdoen, en dat had niets met de monetaire waarde ervan te maken. Maar daar wilde hij nu niet aan denken, terwijl hij zijn zoektocht naar het sleuteltje vervolgde.

Hij vond het uiteindelijk onder een stapeltje dunne gouden armbanden.

Het sleuteltje paste in het slot. Hij hoorde een zacht klikje toen het dekseltje zonder enige weerstand opensprong. Hij klapte het verder open.

Er zat een stapeltje opgevouwen vergeelde krantenknipsels in, die met een paperclip bij elkaar werden gehouden. Helemaal onderop lag een wat groter velletje. Toen hij het oppakte zag hij dat het Jacobs geboorteakte was. Verder zat er zo te zien niets bijzonders in het kistje. Hij legde het officiële document terzijde en richtte zich op de kranten.

De kop boven het eerste artikel luidde: MOEDER BABY STEVEN DOET TELEVISIEOPROEP. Op de achterkant stond een deel van een advertentie. Hij bladerde door de rest heen. De artikelen lagen zo te zien niet op een bepaalde volgorde, maar gingen wel allemaal over hetzelfde onderwerp: over een baby die van een kraamafdeling was ontvoerd. Ze kwamen zo te zien allemaal uit *The Daily Mail*, wat hem ook verbaasde, want Sarah las naar zijn weten eigenlijk alleen de *Guardian* en de *Evening Standard*.

Heel stom dacht hij echt even: Ik vraag haar straks wel waarom ze dit heeft bewaard, wat onverbiddelijk werd gevolgd door het pijnlijke besef dat dat niet meer kon. Hij legde de knipsels opzij – bij nader inzien was hij eigenlijk helemaal niet zo nieuwsgierig. Het was gewoon een los eindje dat nu nooit meer kon worden opgehelderd. Als hij op dat moment niet het onbestemde gevoel had gehad dat er iets was, had hij de knipsels misschien wel op de kaptafel laten liggen, om ze op een later moment alsnog weg te gooien.

Maar hij pakte de knipsels juist weer op. Het waren er in totaal vijf. De vetste kop luidde: BABY ONTVOERD VAN KRAAMAFDELING. Het minst opvallende artikel besloeg slechts één kolom, waaruit bleek dat het verhaal bij gebrek aan aanknopingspunten en nieuws op de achtergrond was geraakt. Alleen bij het voorpagina-artikel stond een datum, maar voor zover hij kon nagaan waren alle artikelen in een en dezelfde week geschreven: ergens in maart, zes jaar geleden. Weer hoorde hij een zeurend stemmetje in zijn achterhoofd. Hij pakte Jacobs geboorteakte erbij en keek nog een keer naar de datum op de voorpagina van de krant. Drie maart.

Jacobs verjaardag.

Langzaam maar zeker maakte een akelig voorgevoel zich van hem meester, alsof er een steeds groter wordende gasbel in hem vastzat. Hij las de artikelen nog een keer door, ditmaal wat aandachtiger. Het nieuws had betrekking op een pasgeboren baby die in een ziekenhuis in het centrum van Londen op onverklaarbare wijze uit zijn wiegje was verdwenen. De namen van de ouders, John en Jeanette Cole, zeiden hem niets. Cole bleek een korporaal te zijn bij de Royal Engineers. Hij had in Noord-Ierland gediend en in de Golfoorlog gevochten. Het jongetje was hun eerste kind en het hoofdredactioneel commentaar sprak er schande van dat iemand uitgerekend de zoon van een militair had ontvoerd, van 'iemand die zijn land dient'. Daarna volgden de gebruikelijke oproepen van de politie, die op zoek was naar ooggetuigen, maar zich ook rechtstreeks tot de ontvoerder(s) van de baby richtte. Bij een van de artikelen stond een foto van de ouders. De vader stond er niet bijster goed op, maar je zag wel dat hij jong was en zo'n kenmerkend gemillimeterd militair kapsel had. Hij had zijn hoofd half afgewend op de foto, die vlak voor het ziekenhuis leek te zijn genomen. De vrouw naast hem zag er ouder uit dan de drieëntwintig lentes die ze volgens het artikel telde. Maar dat was ook niet zo raar, bedacht Ben toen hij de wanhoop die op hun gezichten stond gegroefd tot zich door liet dringen.

Zijn ongemakkelijke voorgevoel werd helaas steeds sterker en hij betrapte zich opeens op een gevoel van afgrijzen bij het zien van de vergeelde stukjes krantenpapier voor hem. Hij liet ze op de kaptafel vallen, veegde zijn handen af aan zijn spijkerbroek en draaide zich snel om. De aanblik van Sarahs kleren op het bed kwam keihard aan en maakte korte metten met het laatste beetje zelfbeheersing. Hij rende bijna de slaapkamer uit en liep half struikelend de trap af. Beneden in de hal bleef hij even staan uithijgen. Hij merkte dat hij bijna hyperventileerde en probeerde de paniek te bedwingen. *Hou op, hou op.*

Hij liep naar de keuken en plensde koud water over zijn gezicht; het drupte langs zijn hals in het boord van zijn overhemd. Het koude water kalmeerde hem enigszins. Hij zette de kraan uit, plantte zijn ellebogen op het aanrecht en liet het water langs zijn neus en kin omlaag druppen terwijl hij uit het raam staarde. De straat waar hij woonde zag er nog net zo uit als altijd. In de felle middagzon tekenden de contouren van de gevels aan de overkant zich duidelijk af. Aan beide kanten van de weg stonden geparkeerde auto's, twee parallelle strepen in tegengestelde richting. Hij zag een man die zijn hond uitliet even stilhouden bij een lantaarnpaal om hem te laten plassen, alvorens weer uit zijn blikveld te verdwijnen.

Normaal...

Ben liet zijn hoofd hangen en merkte dat hij totaal geen energie meer had door wat er net gebeurd was. Wat had hij in 's hemelsnaam gedacht? Hij schaamde zich voor zijn vermoedens en durfde er amper nog over na te denken. *Doe niet zo raar. Natuurlijk is Jacob Sarahs zoon.* Hij klampte zich vast aan die gedachte, tot die zo sterk was dat de angst die hij net in de slaapkamer had gevoeld onwerkelijk en volkomen irrationeel aandeed.

Op dat moment dacht hij echter terug aan de datum die op het krantenknipsel stond en voelde hij de twijfel weer toenemen.

Hij duwde zich van het aanrecht af en probeerde de angst ook van zich af te zetten, wreef zijn gezicht droog en keek op zijn horloge. Hij moest Jacob al bijna van school halen en hij wilde daarna niet opnieuw geconfronteerd worden met Sarahs kleren die nog in de slaapkamer lagen.

En dus ging hij terug naar boven om de boel verder op te ruimen.

2

Hij had Sarah via Keith leren kennen. Ze hadden later vaak grapjes gemaakt over het feit dat ze misschien wel meerdere keren in dezelfde ruimte waren geweest voor ze elkaar daadwerkelijk ontmoetten, maar als dat al zo was, konden ze zich dat geen van beiden herinneren. Ze hadden elkaar uiteindelijk ontmoet op een feestje ter ere van het feit dat Keith een contract met een grote platenmaatschappij had weten te regelen voor een veelbelovende nieuwe band. Hij leek dat als een soort persoonlijke overwinning te beschouwen en Ben vond hem soms dan ook meer op een gefrustreerde manager dan op een advocaat lijken. En net als iemand die pas bekeerd is tot een nieuw geloof, beschouwde Keith het blijkbaar ook als zijn verantwoordelijkheid om Ben te laten kennismaken met dat woest spannende artiestenwereldje.

'Kom op nou, je moet echt komen! Het wordt een geweldige avond!' bleef hij maar zeggen. 'De platenmaatschappij trekt alle registers open. Volgens mij wordt het een onvergetelijke avond.'

Daar was Ben nog niet zo zeker van. Hij was wel eens eerder naar zo'n feestje geweest om een platendeal te vieren en had er toen ook weinig aan gevonden. Meestal hoorde je daarna ook nooit meer iets van zo'n band en hij ergerde zich bovendien vaak aan de muzikanten, wier naïviteit vaak gepaard ging met een flinke dosis arrogantie. Hij vond dit soort gelegenheden meestal nogal saai. Alleen was die avond inderdaad verre van saai verlopen. Dat wil zeggen, pas nadat hij zijn eigen camera aan diggelen had geslagen op het hoofd van de leadzanger.

Toen hij binnenkwam had hij er al flink de pest in. Zijn relatie met een fotomodel dat hij tijdens een reclameklus had ontmoet, die al met al een halfjaar had geduurd, was kortgeleden op een nogal pijnlijke manier op de klippen gelopen. Dat was waarschijnlijk ook de reden dat Keith hem vanavond had uitgenodigd. En misschien was het ook wel de reden dat hij erop in was gegaan.

Maar zodra hij de club binnenkwam en de keiharde muziek hoorde, had hij er meteen al spijt van. Hij kende het allemaal wel: van de gratis flessen champagne en tequila, de importbiertjes en de Jack Daniels, tot aan de uitgebrande auto die aan kettingen aan het plafond hing. Als Keith hem op dat moment niet had gespot en naar hem had gezwaaid, zou hij zich waarschijnlijk meteen weer uit de voeten hebben gemaakt.

Te midden van de jonge feestgangers viel het donkere advocatenpak van zijn vriend nogal op, als een kraai tussen de grasparkieten. Ben en hij waren tijdens hun studie huisgenoten geweest. De zelfbewuste eerstejaars kunstacademiestudent en de in een gestreken spijkerbroek gestoken derdejaarsstudent rechten hadden de kat uit de boom gekeken en waren er allebei stiekem van overtuigd geweest dat de studentenadministratie zich had vergist. Maar hun gezamenlijke liefde voor voetbal en bier had de veel minder belangrijke verschillen al snel naar de achtergrond verdreven. Ze waren elkaar na hun studie dan ook niet uit het oog verloren, ondanks het feit dat Keith Bens waarschuwingen in de wind sloeg en wel met Tessa was getrouwd toen ze zwanger bleek te zijn. Daarna waren de verschillen tussen hen steeds duidelijker geworden: Bens haar werd steeds langer, Keiths pakken steeds duurder. Tessa had hen een keer omschreven als 'The Odd Couple', voor zover Ben zich kon herinneren was dat zo'n beetje het enige quasigrappige dat hij haar ooit had horen zeggen.

Hij vroeg zich soms wel eens af of Keiths besluit om te gaan werken bij een firma die de juridische beslommeringen van musici en acteurs behartigde een soort tegenreactie was op het burgerlijke gezinsleventje dat hij verder leidde. Hij had hun vriendschap echter nooit op het spel durven zetten door die vraag ook hardop te stellen.

Op weg naar Keiths tafel dwong hij zijn mondhoeken omhoog

in een glimlach. Hij werd voorgesteld aan een paar andere juristen en enkele gehaaide managers van de platenmaatschappij, die Ben amper een blik waardig keurden, wat geheel wederzijds was. Hij verontschuldigde zich zodra hij dat ook maar enigszins kon maken en besloot op zoek te gaan naar de drank.

Dat was de eerste vergissing van de avond. Omdat hij niemand had met wie hij kon praten, was zijn glas telkens heel snel leeg en de zware camera om zijn nek werd almaar zwaarder. Hij bedacht dat hij niet naar Keith had moeten luisteren en het ding beter thuis had kunnen laten.

'Als je een paar mooie foto's schiet, gewoon wat spontane plaatjes van een paar van die gasten, krijg je misschien wel wat opdrachten toegeschoven,' had Keith hem gezegd, hoewel Ben hem herhaaldelijk had gezegd dat hij helemaal geen belangstelling had om met bands in zee te gaan. Hij werkte het liefst met professionele modellen of met mensen die niet doorhadden dat ze gefotografeerd werden, in plaats van met vier of vijf buitengewoon onfotogenieke types, waarvan je er donder op kon zeggen dat een van hen zijn ogen precies dicht zou hebben als je eindelijk op de sluiterknop drukte. En liveconcerten waren voor een fotograaf zo mogelijk nog erger. Ben had dat na zijn afstuderen noodgedwongen wel een tijdje gedaan, omdat hij toen nog geen vaste klanten had, maar hij had het al heel snel opgegeven. En uiteindelijk had hij ook te weinig belangstelling voor de muziek om er echt moeite voor te willen doen.

Hij was net aan zijn vierde of vijfde biertje bezig toen Keith weer naast hem opdook. 'Kom eens mee, ik zal je even aan de band voorstellen,' schreeuwde hij zowat in zijn oor, omdat de muziek nog steeds keihard op hen inbeukte. Ben probeerde een enthousiaste blik op zijn gezicht te toveren terwijl hij zich door de mensenmassa heen wrong en achter Keith aan liep. In een nis achterin waren een paar tafels tegen elkaar aan geschoven, die vol stonden met lege glazen en flessen. Eromheen stonden tweemaal zoveel mensen als waar er ruimte voor was, op een kluitje rond de vier veelbelovende sterren in wording geschaard.

Keith begroette hen alsof hij ze al jaren kende. Mocht hij zich al bewust zijn van de neerbuigende blikken waarmee zowat iedereen hem aankeek, dan liet hij dat niet merken. Hij was nog niet eens dertig, maar door zijn maatpak en keurig geknipte, al dunner wordende lichtbruine haar zag hij er zelfs heel wat jaartjes ouder uit dan Ben, die nota bene twee jaar jonger was. Keith ratelde hun namen op, maar Ben deed geen moeite ze te onthouden. 'Ze gaan het echt helemaal maken! Gaaf joh,' zei Keith tegen hem, wat echter eerder voor de band leek te zijn bedoeld.

Ben zag een paar nogal zelfingenomen grijnslachjes. 'Ja, dat klopt,' antwoordde een van de bandleden. 'Echt gaaf joh.'

Keith leek niet door te hebben dat hij de draak met hem stak en hoorde het bijbehorende gegniffel dat dat opleverde blijkbaar evenmin. Hij klopte Ben even op zijn schouder. 'Nou, Ben is dus fotograaf en hij wil graag een paar foto's van jullie maken.'

Ben werd zich er op een akelige manier van bewust dat alle ogen nu op hem waren gericht en merkte dat hij die neerbuigende gezichtsuitdrukkingen steeds minder goed kon hebben. Wat een arrogant stelletje snotneuzen zeg, dacht hij bij zichzelf en keek onverstoorbaar terug met zijn eigen jullie-kunnen-de-pot-op glimlach. Hij hoorde Keith zeggen: 'Oké Ben, ik zie je straks dan nog wel, hè,' waarna hij hem een kneepje in zijn arm gaf en zich vervolgens uit de voeten maakte.

Ben had hem graag uitgefoeterd. En zichzelf trouwens ook, want Keith dacht waarschijnlijk zelfs dat hij hém hiermee een plezier deed. Hij wilde er net vandoor gaan toen een van de bandleden hem aansprak.

'Dus eh… jij wilt ons fotograferen?'

Het was dezelfde jongen die Keith zojuist voor aap had gezet. Ben wist zich nog net te herinneren dat hij de zanger was. De jongen zat half onderuitgezakt, maar hij was overduidelijk lang en op een slungelige manier ook best aantrekkelijk. Hij droeg een strak zwart T-shirt en had een volle bos donker haar. Ondanks de gedempte verlichting in de club waren zijn pupillen niet meer dan speldenknoppen, een teken dat hij dit platencontract niet uitsluitend met een paar borrels had gevierd.

'Nou nee, eigenlijk niet,' antwoordde Ben.

De zanger wees naar de camera om zijn nek. 'Waarom heb je dat kolereding dan om je nek hangen? Is het soms een ketting of zo?'

Er werd gelachen. 'Ja, inderdaad,' antwoordde Ben en hij draaide zich snel om.

'Hé, kom op, man. Je bent hier toch voor wat foto's, of niet soms? Is het zo beter?' De zanger nam een overdreven bevallige modellenpose aan en tuitte zijn lippen naar hem.

Normaal gesproken zou Ben minzaam hebben geglimlacht en het daarbij hebben gelaten. Alleen hadden de vele biertjes zijn pesthumeur nog verergerd en had hij van tevoren ook niets gegeten, waardoor de drank dus extra hard aankwam.

'Nee, sorry. Ik fotografeer geen eikels,' zei hij.

De stemming aan tafel sloeg abrupt om. De zanger kwam overeind, maar het lachen was hem zo te zien wel vergaan. 'Als ik jou was, zou ik maar een beetje op mijn woorden letten, klootzak. Wie heeft jou eigenlijk uitgenodigd? Je komt vast alleen maar voor de gratis drank, hè?'

Ben zette zijn biertje heel voorzichtig neer. 'Nee, ik kwam juist voor de hoogstaande conversatie.' Dat zou natuurlijk een prachtige gevatte afsluiter zijn geweest, ware het niet dat de zanger nog voor Ben een stap had kunnen zetten een glas had gepakt en de inhoud ervan in zijn gezicht had gesmeten.

Iedereen barstte in lachen uit, maar het enige waar Ben aan kon denken, was het fototoestel, dat zonder enige bescherming losjes om zijn nek hing. Wat er ook in het glas had gezeten, het rook naar zwarte bessen en nu is vocht op zich al funest voor een camera, maar een plakkerige zoetige substantie is helemaal erg.

'Lul! Zakkenwasser!' Hij probeerde het toestel te redden en zag dus niet dat de zanger het op dat moment uit zijn handen probeerde te grissen. Het riempje bleef achter zijn kraag haken, maar helaas verloor de jongen daardoor ook zijn grip op de camera. Ben probeerde de schade te beperken, maar greep zelf vervolgens ook in het luchtledige. Het toestel viel op de rand van de tafel en kletterde keihard op de grond.

'Oeps,' zei de zanger terwijl Ben zich al had gebukt. Zodra hij de lens aanraakte, versplinterde die in zijn handen. Er werd nog wat gegrinnikt, maar de meeste mensen leken wel door te hebben dat dit niet echt grappig meer was. Alleen behoorde de zanger helaas niet tot die laatste categorie.

'O, maar je was toch al niet van plan 'm te gebruiken, hè?' spotte hij, waarop Bens laatste beetje zelfbeheersing hem in de steek liet. Hij smeet de kapotte camera in de richting van de jongen, meer in een reflex dan door iets anders. Voor zover hij er al bij nadacht, nam hij aan dat de zanger de camera wel zou opvangen, maar de jongen had zich helaas net lachend omgedraaid naar het meisje naast hem. Hij stond dus nog na te hinniken toen de camera hem pal in het gezicht trof.

Hij slaakte een kreet en viel achterover, terwijl er meteen ook flink wat bloed uit een diepe snee op zijn voorhoofd opwelde. Ben wist nog net te bedenken dat dit niet helemaal de bedoeling was toen een ander bandlid overeind sprong en naar hem uithaalde. Ben probeerde zijn vuist te ontwijken, maar voelde dat de bovenkant van zijn hoofd werd geraakt. Hij zag plotseling sterretjes, maaide met zijn armen om zich heen, struikelde en ging onderuit. In de paar seconden daarna registreerde hij vaag nog meer mensenlichamen, veel geschreeuw en het geluid van brekend glas. Hij voelde dat hij nog een paar keer werd geslagen, probeerde zijn hoofd ondertussen te beschermen en merkte opeens dat hij overeind werd getrokken door een stel sterke armen. Met het oog dat geen pijn deed zag hij een bezorgde Keith naar hem kijken, die iedereen ogenschijnlijk tot kalmte probeerde te manen, inclusief de uitsmijters die zich er al mee wilden bemoeien. Hij zag de zanger een eindje verderop staan, met een bebloed gezicht en beide handen tegen de wond op zijn voorhoofd gedrukt, terwijl de muzikant die begonnen was met slaan, jammerend met een van zijn armen tegen zijn borst stond geklemd.

'Oké, oké, jongens. Rustig maar,' probeerde Keith iedereen gerust te stellen, wat door de geschokte uitdrukking op zijn eigen gezicht echter niet heel overtuigend overkwam. Hij wierp Ben een blik toe waaruit zowel bezorgdheid als woede sprak en zei vervolgens iets tegen iemand naast Ben. 'Breng hem maar naar buiten.

Ik kom er zo aan, zodra ik de gemoederen hier enigszins heb weten te sussen.'

Ben dacht dat Keith het tegen de uitsmijter had die hem overeind had geholpen, maar het bleek een jonge vrouw te zijn die hij eerder die avond aan Keiths tafeltje had zien zitten. 'Kom maar mee,' zei ze. 'Kun je lopen?'

Ze wisten de uitgang te bereiken.

'Wil je je gezicht misschien even afspoelen?' vroeg ze hem toen ze bij de uitgang stonden. Ze droeg een donker mantelpakje, het vrouwelijke equivalent van Keiths maatpak. Ben schudde zijn hoofd. Hij had nog steeds niets tegen haar durven zeggen. De adrenaline was inmiddels uitgewerkt en hij kon wel door de grond zakken. Hij begon nu pas te beseffen wat een ontzettende stomme actie dat net was geweest.

Ze gingen naar buiten en bleven samen op de stoep staan wachten. Na de rokerige bedompte nachtclub leek de avondlucht wel uit pure zuurstof te bestaan. Het was september en hoewel niet echt koud, was het koel genoeg om hem het gevoel te geven alsof er een ontnuchterend washandje tegen zijn gezicht werd gedrukt. Ben duwde zijn handen in zijn zakken en probeerde ondertussen niet te rillen. Hij ontweek de blik van de jonge vrouw, maar voelde dat ze naar hem keek.

'Wat is er nou precies gebeurd? Ik neem aan dat ze niet wilden dat je foto's nam?'

Ben merkte erg genoeg dat hij door de schok van het hele gebeuren stond te klappertanden. 'Nee, het kwam… eh… Het kwam juist doordat ik geen foto's van hen wilde maken.' Hij voelde dat zijn wangen gloeiden.

'Goh, die ken ik nog niet: een fotograaf die klappen krijgt in een nachtclub omdat hij géén foto's maakt.'

Hij kon het niet laten een flauwe opmerking te maken. 'Ja, maar je moet wel een beetje selectief blijven, hè.'

Op dat moment kwam Keith naar buiten. Dat hij rood aangelopen was, was ook zonder het neonlicht goed te zien. 'Zo, dat heb je mooi gedaan, zeg. Echt geweldig! Wat bezielde je in hemelsnaam, Ben?'

'Wat míj bezielde? Die lui hebben mijn camera vernield!'

'Die camera kan me geen zak schelen. Ik ben een halfjaar bezig geweest met het sluiten van deze deal en uitgerekend op de dag dat het contract wordt ondertekend, heb ik een zanger wiens gezicht gehecht moet worden en een bassist met een gebroken hand! En dat komt verdomme ook nog eens door iemand die ík heb uitgenodigd! Mooie binnenkomer, Ben!'

Hij had Keith nog nooit zo boos gezien, maar merkte dat hij zelf ook kwaad werd omdat hij het niet terecht vond dat hij hier als enige de schuld van kreeg. 'Wat had je dan verwacht? Dat ik je braaf met een glimlach zou bedanken voor deze uitgelezen kans?'

'Was het nou echt te veel moeite om een paar klotefoto's te schieten om de lieve vrede te bewaren, al was het maar voor mij? Ja, hè? Dat was zeker al te veel gevraagd. Nee, jij moet per se ruzie zoeken met de zanger en dat kutding uitgerekend in zijn gezicht smijten! Verdomme, weet je wel dat hun manager een aanklacht tegen je wil indienen?'

Ben had nu pas door dat hij Keith in een heel erg lastig parket had gebracht. 'Ik dacht dat hij hem wel zou vangen,' probeerde hij voorzichtig.

'Tja, maar dat deed hij dus niet, hè.' Keith streek met een hand door zijn dunne haar. 'Hé, ik moet echt weer naar binnen. En jij kunt maar beter zo snel mogelijk wegwezen hier. Ik denk dat ze straks al naar het ziekenhuis gaan en ik heb geen zin in nog meer gedoe als ze jou hier dan zien staan.'

Ben knikte berouwvol. 'Het spijt me.'

Keith keek hem even aan en leek na te denken of hij daar genoegen mee nam. Uiteindelijk slaakte hij een diepe zucht. 'Laat maar. Maak je geen zorgen, ik brei het op de een of andere manier wel weer recht.' Hij glimlachte vermoeid. 'En het had veel erger kunnen zijn. Het is gelukkig de bassist die een gebroken hand heeft en we waren toch al aan het overwegen hem de laan uit te sturen.'

Ben wilde net gaan lachen toen hij zag dat Keith helemaal geen grapje maakte.

Keith wendde zich tot de jonge vrouw die dit alles van een afstandje had gadegeslagen. 'Sarah, kun jij voor een taxi voor hem zorgen? En ga daarna zelf ook maar naar huis. Je kunt hier nu toch niet veel meer betekenen.'

Hij wachtte niet op haar antwoord en haastte zich naar binnen. Er viel een stilte. Ben zou het liefst ergens onder zijn gekropen. 'Zullen we dan maar?' zei Sarah. 'We kunnen verderop wel een taxi aanhouden.'

Ze liepen samen verder over de stoep. 'Ik heb geen taxi nodig, hoor,' zei hij toen ze bij de eerstvolgende kruising kwamen. 'Mijn auto staat een eindje verderop.'

Ze bleef staan en draaide zich naar hem toe. 'Het lijkt me niet zo slim als jij nu achter het stuur gaat zitten.'

'Nee nee, het gaat wel. Zo erg is mijn oog er nu ook weer niet aan toe.' Hij betastte de buil die hij voelde heel voorzichtig.

'Ik had het niet over je oog, maar over de hoeveelheid drank die je op hebt.'

'Ik ben niet dronken,' antwoordde hij kortaf.

'Misschien niet, maar vind je ook niet dat vanavond zo wel spannend genoeg is geweest?'

Ze keek hem nog steeds wat spottend aan. Ze had haar lichtbruine schouderlange haar achter haar oren gestoken en van dichtbij zag hij nu opeens dat haar neus en wangen bespikkeld waren met lichtgekleurde sproetjes. Hij kon in het schijnsel van de straatlantaarns niet goed zien wat voor kleur haar ogen waren, maar hij meende dat ze groenbruin waren. Hij zag nu ook pas dat ze er eigenlijk heel leuk uitzag en de frons op zijn gezicht verdween als vanzelf. 'Ja, misschien heb je daar wel gelijk in.'

Toen ze eenmaal een taxi hadden kunnen aanhouden, zei Ben dat zij deze wel mocht nemen, maar ze sloeg zijn aanbod resoluut af. 'Nee, dank je. Ik moet morgen zeker weten verslag uitbrengen aan Keith en dan wil ik hem wel kunnen zeggen dat ik je veilig in een taxi heb gezet.'

Ze wachtte tot hij was ingestapt. Haar ranke gestalte straalde iets kwetsbaars maar tegelijkertijd afstandelijks uit. Vreemd genoeg voelde hij zich opeens een beetje zenuwachtig. 'Waar moet jij eigenlijk naartoe?' vroeg hij. 'Anders kunnen we de rit toch net zo goed delen?'

Ze bleek in Clapham te wonen. 'Eigenlijk zou ik jou moeten bedanken voor daarnet,' zei ze toen ze eenmaal naast hem zat. 'Ik had anders nog zeker een uur moeten blijven en ik hou er niet van als ik te laat thuis kom voor de oppas.'

'Heb je kinderen?' Hij was verbaasd te merken dat hij teleurgesteld was.

'Een jongetje, ja. Jacob. Hij is bijna twee.'

'Dus je man is vanavond ook weg?'

'Ik ben niet getrouwd.'

Ze zei het zonder enige emotie, gewoon als een mededeling. Ben merkte dat hij op slag weer wat blijer werd. *Ho even, ze heeft een kind. Niet te hard van stapel lopen.*

'Dus je bent ook advocate?' vroeg hij.

'Nee, administratief medewerkster. Maar ik studeer ernaast en als het een beetje meezit, kan ik over een paar jaar examen doen. Het is wel wat omslachtiger, maar zo heb ik in ieder geval ondertussen wel een inkomen.' Ze haalde haar schouders op en zei verder niets over hoe zwaar alleenstaande werkende moeders het hebben. 'En jij? Maak je ook echt wel eens foto's of gebruik je die camera vooral als wapen?'

Hij kreeg een schaapachtige grijns om zijn mond. 'Nee, alleen als iemand me uitdaagt. En als ik het niet te druk heb met iemands gezicht verbouwen met mijn camera, ben ik meestal bezig met fotoshoots voor tijdschriften. Ik werk veel voor reclamebureaus. Dat soort werk.'

'Klinkt spannend.'

'Niet meer of minder spannend dan de muziekindustrie.' Hij betastte zijn gezwollen oogkas even en ze schoten allebei in de lach. Toen de taxi voor haar deur stilhield, kon hij amper geloven dat ze er nu al waren. Ze stapte uit en hij kreeg plotseling het gevoel alsof de tijd drong, een gevoel van urgentie dat hij sinds zijn tienerjaren niet meer zo duidelijk had ervaren.

'Zeg,' zei hij snel, 'als je later deze week toevallig tijd hebt, kunnen we misschien een keer iets afspreken?'

Ze glimlachte en boog zich voorover zodat ze hem kon aankijken. 'Nee, ik denk niet dat dat gaat lukken. Het was al moeilijk genoeg om een oppas te vinden voor vanavond. Maar dank je wel voor het aanbod.'

Laat nou maar. Niet aandringen, ze heeft een kind. Sarah richtte zich weer op en wilde het portier al dichtdoen. 'En lunchen dan?' vroeg hij.

Ze keek hem nu duidelijk verward aan, alsof ze dit totaal niet had verwacht. 'Is goed. Bel me maar een keer op mijn werk.'

Twee jaar later waren ze getrouwd. En twee jaar daarna sprong er een adertje in haar hoofd en was ze dood.

Jacob zat opgekruld in Bens arm op de bank naar de video van *The Lion King* te kijken. Hij was dol op die film en in Jacobs geval wilde dat zeggen dat hij de film gerust van begin tot einde kon zien en dan meteen daarna nog een keer. Hij wist op zijn vierde al hoe je de video moest bedienen, maar als de film halverwege was, deed hij niet de moeite om hem terug te spoelen en begon dan gewoon te kijken op het punt waar de film op dat moment begon. Hij was ook niet geïnteresseerd in het verhaaltje en richtte zich puur op de beelden.

Hij zat nu te gapen. Ben wist dat het allang bedtijd was. De middagen na schooltijd volgden altijd een vast patroon: Jacob waste eerst zijn handen, keek dan een halfuurtje naar wat kinderprogramma's, at iets, waarna hij nog even speelde of samen met zijn ouders televisie keek, dan een bad en uiteindelijk naar bed. Voor Jacob bood die routine veiligheid en vastigheid en hij raakte bijna altijd overstuur zodra er van dat patroon werd afgeweken.

Ben had hem net geholpen een soort auto van lego te maken en het was eigenlijk hoog tijd voor zijn bad. Alleen leek Jacob dat zelf niet door te hebben en Ben wilde hem liever nog niet naar bed brengen. Hij had net zoveel behoefte aan dit gezelschap als Jacob. Misschien zelfs nog wel meer.

De telefoon had die avond onophoudelijk gerinkeld met vrienden en kennissen die even wilden weten hoe het met hem ging. Hij vond het aardig dat ze hem belden, maar was niettemin blij toen de telefoon zich eindelijk stilhield. De meeste van 'hun' vrienden waren trouwens eigenlijk vrienden van Sarah, ouders van klasgenoten van Jacob of mensen die ze kenden van de speciale bijeenkomsten voor ouders van autistische kinderen. Ben had niet het gevoel dat hij veel met hen gemeen had en de gesprekjes benadrukten Sarahs afwezigheid eigenlijk alleen maar. Behalve Jacob had hij niemand meer.

En elke keer dat hij nu naar Jacob keek, moest hij onwillekeurig weer aan die krantenknipsels denken.

Hij kwam in de verleiding om het Keith te vertellen toen die hem eerder die avond had gebeld, maar had daar uiteindelijk toch maar van afgezien. Hij wilde er eerst zelf goed over nadenken en zeker weten dat hij niet paranoïde begon te worden. Het ene moment was hij rotsvast overtuigd van het slechtst denkbare scenario, dan weer wist hij zeker dat er vast en zeker een doodgewone verklaring voor was. Soms wist hij zelfs zó zeker dat dit hele gedoe volkomen idioot was, dat al zijn vermoedens als een lentebriesje werden verdreven. Hij had immers foto's van Sarah gezien van toen ze zwanger was en had het met haar ouders over de geboorte van hun kleinzoon gehad. Hij wist dat ze iets had gehad met de een of andere Miles (wiens naam bij hem steevast tot jaloezie maar ook boosheid leidde), die geen knip voor de neus waard was en haar dus ook dumpte toen hij hoorde dat ze zwanger was. Daarna was ze bij een vriendin ingetrokken. Ben noemde haar altijd 'die vreselijke Jessica', en dat vond hij ook echt, hoewel hij wist dat Sarah liever niet had dat hij daar grapjes over maakte. Maar Jessica mocht dan een vreselijk mens zijn, ze was ook verloskundige en toen Jacob veel te vroeg werd geboren, had zij Sarah dan ook midden in de nacht bijgestaan.

Dat was althans wat hij altijd als waar had aangenomen. En zodra hij daaraan dacht voelde hij zich meteen al een stuk opgelucht. Alleen sijpelde die stelligheid als vanzelf ook weer weg en dan begon het hele interne proces van hoor en wederhoor opnieuw.

Jacob gaapte nog een keer en wreef in zijn ogen. Ben glimlachte onwillekeurig toen hij zag hoe de jongen zijn best deed om wakker te blijven. 'Kom op, jochie. Bedtijd.' Hij droeg hem zoals gewoonlijk op zijn rug de trap op en zette de badkraan aan. Jacob was inmiddels zo moe dat hij alleen nog maar kon gapen, maar hij wilde per se alle vaste handelingen doorlopen. Het schema daarvoor hing op de badkamerdeur. Sarah had die plaatjes zelf getekend, gebaseerd op de pictogrammen die hij van school kende. Het waren eenvoudige afbeeldingen van harkpoppetjes die bijvoorbeeld de wc doortrokken, hun handen wasten en hun tanden poetsten. Bij sommige stond een zonnetje ten teken dat het overdagdingen waren, bij andere een sikkelmaantje. Jacob hield zich heel strak aan de juiste volgorde. Ben was een keer zo stom geweest om de plaatjes weg te halen, omdat hij dacht dat ze niet meer nodig waren, maar toen had Jacob zo'n stampij gemaakt dat hij ze meteen weer had teruggehangen. Nodig of niet, de plaatjes waren op den duur zelf deel gaan uitmaken van de geruststellende orde der dingen.

Ben gaf Jacob een nachtzoentje en zette een stap achteruit toen de jongen de deken tot aan zijn kin optrok, zich omdraaide en bijna onmiddellijk in slaap viel. Hij voelde zich een beetje schuldig dat hij hem zo lang had opgehouden. Aan Jacob zelf had hij niet kunnen merken dat hij doorhad dat zijn moeder dood was, maar de jongen moest wel aangedaan zijn. Ben was er zeker van dat hij op de een of andere manier heel goed wist dat er iets niet klopte. Hij had niet verwacht dat Jacob zou snappen wat een begrafenis was – een doodgewone dag was al verwarrend genoeg voor hem – maar hij had tijdens de dienst naar de kist gestaard en onophoudelijk heen en weer gewiegd, en dat deed hij alleen als hij overstuur was. Tessa had subtiel als altijd geprobeerd Ben ervan te weerhouden de jongen mee te nemen, omdat dat volgens haar geen enkele zin had en alleen maar tot gedoe zou leiden. Maar Ben wist zeker dat Sarah Jacob erbij zou hebben gewild. Ze had er altijd op gestaan hem zo normaal mogelijk te behandelen en deed slechts concessies aan zijn handicap als het echt niet anders kon.

'Het is een slim jochie,' zei ze dan. 'Ik ga hem niet betuttelen alleen maar omdat hij autistisch is. Hij is niet verstandelijk gehandicapt of zo.'

Dat hadden ze echter een tijdlang wel gedacht. Althans, Ben

wel. Hij had het nooit tegenover Sarah durven uitspreken, hoewel hij bijna zeker wist dat die gedachte vast ook wel eens bij haar was opgekomen. Zo was Jacob bijvoorbeeld beduidend later gaan kruipen en lopen dan andere kinderen. Op zijn derde kende hij nog steeds geen enkel woordje en het excuus dat hij gewoon een beetje 'achterliep' was inmiddels een beetje bespottelijk gaan klinken. Maar het kwam vooral door de afwezigheid van enige reactie op zijn omgeving waardoor Ben zeker wist dat er iets mis was met de jongen. Zo leek het Jacob niets uit te maken of je hem nou knuffelde of in een kamer alleen liet. Hij glimlachte maar zelden en als hij iemand aankeek, zelfs Sarah, deed hij dat met dezelfde blik als waarmee hij bijvoorbeeld naar een stoel of een tafel keek. Ben had die onverschilligheid lange tijd zelfs een beetje eng gevonden, maar ook dat had hij nooit hardop durven zeggen.

Uiteindelijk kon ook Sarah niet langer ontkennen dat er iets mis was. Ze had Jacob meegenomen naar een arts voor een gehoortest en Ben had de indruk dat ze stiekem hoopte dat hij doof was en dat het probleem een heel normaal lichamelijk iets zou blijken te zijn. Zelf geloofde hij echter geen moment in die mogelijkheid. Jacob leek het niet te begrijpen wanneer je iets tegen hem zei en herkende zijn eigen naam niet eens, maar hij reageerde wel degelijk op sommige geluiden. Als de deurbel ging, keek hij naar de deur van de kamer waar hij op dat moment was en toen Sarah een keer weg was, had Ben een klein experimentje uitgevoerd door achter hem te gaan staan en een zakje snoep open te trekken. Het jochie had zich onmiddellijk omgedraaid en in plaats van zijn gebruikelijke afwezige blik had hij zich zo te zien echt verheugd op de aanstaande traktatie.

Hij was al bijna vier toen ze te horen kregen dat hij autistisch was. Ben had kort daarna voor zijn werk naar Antigua gemoeten. Op de tweede avond daar had een van de fotomodellen hem proberen te verleiden toen ze op een avond met z'n allen naar een bar waren gegaan. Ze had een prachtig, zongebruind lijf en hij wist dat Sarah er nooit achter zou komen. Bij het zien van die glimlachende belofte van goudbruine, gewillige seks zo vlak voor hem, had hij automatisch meteen moeten denken aan de spanning van de afgelopen paar maanden. Ze waren met Jacob langs talloze specialisten gegaan en daarna telkens weer het frustrerende wachten op de uitslagen. Eindigend met Sarah die voor het eerst sinds hij haar kende huilend in zijn armen lag, zonder dat hij haar kon troosten. Wilde hij echt een verbintenis aangaan met een vrouw met een autistisch kind, dat bovendien niet eens van hem was? Zijn eigen antwoord had hem niet eens verbaasd.

Hij bood het meisje zijn verontschuldigingen aan en ging in zijn eentje terug naar zijn hotelkamer en zodra hij weer terug was in Londen, had hij Sarah ten huwelijk gevraagd.

En nu stond hij daar naast Jacobs bed naar haar zoon te kijken, op zoek naar iets van een gelijkenis, een teken dat alle twijfel over zijn afkomst zou wegnemen. Hij zag alleen niets. De jongen had lichtbruin rossig haar, veel donkerder dan dat van Sarah. Zijn ogen waren licht geelbruin en zijn gelaatstrekken waren veel minder verfijnd dan die van Sarah. Ben had er nog nooit echt bij stilgestaan en gewoon aangenomen dat de jongen blijkbaar meer op zijn vader leek.

En misschien is dat dus ook wel zo.

Hij liep de slaapkamer uit, de trap af. Het was stil in huis. Hij haalde een biertje uit de koelkast en liep door naar de woonkamer. Sarah vond het niet fijn als hij binnen rookte, maar Jacob lag in bed en hij snakte naar een sigaret. Hij nam meteen een flinke trek, liep naar de boekenkast en pakte het geldkistje van de bovenste plank. Hij liep terug naar de bank en spreidde de krantenknipsels op het kussen naast hem uit, waar Jacob net nog had gezeten. Hij keek naar de foto van de ouders van de verdwenen baby. Je kon hierop natuurlijk onmogelijk zien hoe John Cole er precies uitzag en hoewel Jacob niet op Sarah leek, leek hij evenmin op Jeanette Cole. Ben liet het krantenknipsel achteloos boven op de andere vallen. Hij had ze al zo vaak bekeken, zonder een steek wijzer te worden. Een pasgeboren baby'tje dat verdwenen was, toevallig rond dezelfde tijd dat Jacob was geboren. Nou en? Er werden elke dag wel honderden baby's geboren. Dat had heus niet direct iets te betekenen.

Maar waarom had hij die krantenknipsels dan toch bewaard?

En op dat moment vielen al zijn rationele verklaringen en alle pogingen om zichzelf gerust te stellen in duigen. Hij wist best dat het belachelijk was zich door een paar oude krantenartikelen van de wijs te laten brengen, dat die datum gewoon stom toeval was. Waarschijnlijk had Sarah het gelezen op dezelfde dag dat ze zelf moeder was geworden en had ze ze daarom bewaard. En vervolgens was ze, typisch Sarah, vergeten ze weg te gooien.

Natuurlijk. Logisch.

Alleen werkte het niet. Sarah zou inderdaad heel goed een of zelfs meerdere oude kranten kunnen bewaren, maar hij kon zich niet herinneren dat hij haar ooit een artikel uit de krant had zien knippen om te bewaren. Dat had ze gewoon niet in zich, zo netjes was ze niet. En waarom uitgerekend deze artikelen samen met die geboorteakte in een kistje zaten dat op slot zat, snapte hij al helemaal niet.

Of nee, eigenlijk had hij wel degelijk een vermoeden.

Zijn rauwe verdriet werd verder uitgehold door een gevoel van verwarring. Hij streek met een hand door zijn haar. Zelfs dat leverde een pijnlijke steek op, omdat hij zich herinnerde hoe fijn Sarah het vond wanneer zijn haar wat langer was, omdat ze daar dan met haar handen lekker doorheen kon woelen. 'Tjeezus, Sarah,' zei hij hardop tegen zichzelf.

Wat had hij nu graag nog even met haar kunnen praten, haar te kunnen zien en horen. Het was zo'n overweldigend gevoel dat hij er bijna bang van werd. Hij kon er gewoon niet bij dat dat echt nooit meer zou gebeuren. Het was alsof iemand gaten in de wereld had geknipt op de plaats waar zij had moeten zijn. Hij merkte dat zijn keel zich samenkneep en nam snel een laatste trek van zijn sigaret, alsof dat hem nog enig houvast kon bieden. Toen hij de rook weer uitademde kwam het er echter uit als een snik en voor hij er erg in had, stroomden de tranen al over zijn wangen.

Toen hij eindelijk was uitgehuild, was hij volkomen uitgeput, maar hij voelde zich niettemin ietsje beter. Sarah was zijn vrouw geweest en hij hield van haar. Jacob was haar zoon en dat was het enige wat ertoe deed. Hij walgde van zichzelf. Hoe durfde hij aan haar te twijfelen? Hij maakte de sigaret uit en snoot zijn neus. De krantenknipsels lagen nog steeds naast hem uitgespreid op de bank, maar ze hadden hun kracht verloren. Het waren nu gewoon wat velletjes papier. Hij schaamde zich plotseling voor zijn overtrokken reactie. En ergens voelde hij zich ook een beetje dom.

Hij veegde de knipsels op een hoop en wilde ze weggooien, maar net toen hij ze tot een prop verkreukelde, ging de telefoon. Hij snufte en schraapte snel zijn keel in een poging de laatste tranen weg te slikken voor hij opnam. 'Ja. Hallo?'

'Dag, Ben. Met Geoffrey.'

Toen hij zijn schoonvaders stem hoorde, voelde hij zich meteen al schuldig. 'O, sorry, Geoffrey. Ik zou jullie nog bellen, hè?' Dat was het laatste wat hij gistermiddag na afloop van de begrafenis tegen Sarahs ouders had gezegd.

'O, dat is helemaal niet erg, hoor. Je hebt al genoeg aan je hoofd zonder dat je je ook nog eens om ons moet gaan bekommeren. Ik wilde alleen even bellen om te vragen hoe het met je is.'

'Ach… Het gaat wel.' Hij veranderde snel van onderwerp. 'Ging jullie terugrit naar Leicester een beetje voorspoedig?'

'Ja, hoor. Geen probleem.'

'Je had hier echt kunnen blijven slapen, hoor.' Hij wist dat Geoffrey niet van autorijden hield.

'Ja, dat weet ik, maar Alice wilde liever naar huis. Je weet hoe ze is.'

Ja, dat wist Ben inderdaad. Ze had het Sarah nooit vergeven dat ze tot tweemaal toe naar Londen was verhuisd. De eerste keer voor een baan, de tweede keer na de geboorte van Jacob. 'Hoe gaat het nu met haar?'

'Och, 't gaat.' Uit zijn toon bleek eerder het tegendeel. 'Ze ligt al in bed. Je kunt dit soort dingen maar beter stapje voor stapje proberen te verwerken, hè?'

Ben wist niet meer zo goed wat hij moest zeggen. Hij merkte dat de oude man liever niet wilde ophangen, hoewel ze elkaar geen van beiden eigenlijk nog iets te zeggen hadden. Hij wist heel goed hoe aangedaan zijn schoonvader was over Sarahs dood en hij vermoedde dat met haar echtgenoot praten voor Geoffrey een manier was om zijn dochter nog een beetje bij zich te kunnen houden. Het was een schrale troost, maar het was het enige wat hij nog had en het was beter dan de stilte en de eenzaamheid thuis en het verdriet dat hij niet met zijn vrouw kon delen. Om het contact dus wat te verlengen, maar ook om zijn laatste twijfels weg te nemen, zei Ben: 'Ik zat eerder vandaag trouwens nog te denken aan Jacobs geboorte.'

'Oh, dat lijkt nog geen twee minuten geleden. Maar het is al zes jaar, hè.'

'Was het een zware bevalling?' vroeg hij, hoewel hij het antwoord daarop al wist.

'Nee, het was in twee uur gepiept. We hebben daar nog grapjes over gemaakt, dat hij blijkbaar nogal haast had. Die arme Alice was echt de weg kwijt. We waren nog maar twee dagen daarvoor in Londen geweest en als ze had geweten dat de baby zes weken te vroeg zou komen, zou ik haar daar met geen mogelijkheid hebben weg gekregen. Ik was me toch blij dat ze Jessica had.'

'Dus niets wees erop dat Jacob te vroeg geboren zou worden?'

'Nee, niets. Daarom was het ook zo'n verrassing. Sarah had een paar dagen daarvoor al wel last van kramp, daarom wilde Alice ook per se naar Londen. Maar toen wij er waren, voelde ze zich alweer prima. Alice heeft haar nog meegesleept naar de dokter, maar alles leek in orde.'

Hij klonk opeens bezorgd toen hij vroeg: 'Er is toch niets? Met Jacob, bedoel ik?'

Ben voelde dat het laatste beetje twijfel dat hij had gehad langzaam maar zeker wegsijpelde. 'Nee, nee, het gaat prima. Ik was gewoon… nou ja, ik was gewoon benieuwd.'

Haar vader klonk plotseling heel moe en oud, de herinneringen boden blijkbaar slechst kortstondig troost. 'Ik heb me vaak afgevraagd of het feit dat hij te vroeg geboren werd iets te maken heeft met… nou ja, je weet wel. Met zijn autisme.'

'Dat lijkt me sterk.' Er bestonden meerdere verklaringen voor autisme, maar voor zover Ben wist was een premature geboorte er daar niet een van.

'Nee, waarschijnlijk niet nee.' Geoffrey deed zijn best om wat opgewekter te klinken. 'En hij was ook bepaald geen zielig klein ukkie, hè.'

Telkens als Ben later aan die opmerking terugdacht, wenste hij weer dat hij het daarbij had gelaten. Zijn schoonvader had zijn twijfels over Jacobs bevalling immers opgehelderd. Maar hij had het er niet bij gelaten.

'O nee?' Hij floepte het eruit, bijna alsof het antwoord hem niet eens echt interesseerde.

Sarahs vader grinnikte. 'Ja, ook daar maakten we wel eens grapjes over, dat iemand zich had vergist in de datum. Hij woog maar liefst zes pond. Als ik niet beter had geweten, zou ik hebben gezworen dat hij voldragen was.'

3

Jessica woonde op de vierde verdieping van een sociale woningbouwflat in Peckham. De lift deed het, maar toen Ben het nog
niet helemaal opgedroogde plasje kots op de vloer en een deel van
de wand zag, besloot hij toch maar de trap te nemen. Hij was na
drie verdiepingen al buiten adem en nam zichzelf voor de zoveelste keer voor dat hij nodig weer moest gaan voetballen. Of in ieder geval iets aan lichaamsbeweging moest gaan doen. Voor je het
wist kakte je in en was je op je veertigste opeens al veel te zwaar.
Weliswaar duurde dat in zijn geval nog acht jaar, maar hij merkte nu al dat er maar een paar weken nodig waren voor de klad erin kwam en dat het ook steeds moeilijker werd om daaruit te komen.

Hij probeerde zijn eigen gehijg te negeren en sjokte de laatste
twee trappen op. Hij kwam uit op een open galerij, met aan één
zijde een niet al te hoog betonnen muurtje. Dit was de eerste keer
dat hij hier was. Jessica en hij hadden nooit gedaan alsof ze elkaar
aardig vonden. Als ze op bezoek kwam bij Sarah probeerde hij een
andere afspraak buitenshuis te plannen en als ze elkaar echt niet
konden ontlopen, wisten ze amper de moeite op te brengen om
omwille van Sarah nog enigszins beleefd tegen elkaar doen.

Ze hadden elkaar vanaf het begin instinctief al niet gemogen.
Wat Ben betreft vooral omdat hij merkte dat zij hém maar niks
vond. Hoewel hij niet precies wist waardoor dat kwam, had hij
wel een vermoeden waarom ze zo'n hekel aan hem had: omdat hij
met zijn komst roet in het eten had gegooid en het 'gezinnetje'
dat Jessica, Sarah en Jacob hadden gevormd, had verstoord. Soms
meende hij zelfs dat Jessica hen echt als familie van haar be-

schouwde. Toen Sarah na Jacobs geboorte naar een eenkamerflatje was verhuisd, deed Jessica net alsof dat haar tweede huis was. Ze kwam zonder het aan te kondigen eten, bleef vaak ook logeren en nam de telefoon op alsof ze er zelf woonde. Zo was ze toen Sarah en hij net een paar maanden iets hadden, ook een keer zonder even te bellen komen binnenvallen toen hij alleen thuis was en met het eten bezig was.

Ze was zich zowat doorgeschrokken toen ze hem zag. 'Wat doe jij hier?'

Hij grijnsde omdat hij wist dat hij haar dan helemaal op de kast zou jagen. 'Ik ben aan het koken. En wat kom jij doen?'

Ze negeerde zijn vraag. 'Waar is Sarah?'

'Jacob heeft een naar hoestje. Ze is even met hem naar de dokter.'

Jessica was in de deuropening blijven staan, aan de andere kant van het werkblad dat als afscheiding tussen de kamer en het keukentje diende. Hij zag dat ze een blik wierp op de gedekte tafel voor twee personen, waar al een geopende fles op stond. 'Dat heeft ze me helemaal niet verteld.'

'Tja, maar het was ook niet echt gepland, hè.' Toen hij haar daar zo zag staan, zo dik en gewoontjes in haar witte verloskundigenpakje, vond hij zichzelf opeens wel een beetje erg bot. 'Wil je misschien een glaasje wijn? Ik verwacht dat ze elk moment thuis kan komen.'

Ze keek hem weer heel koeltjes aan en vertrok haar mond tot een streepje. 'Nee.' En toen was ze zonder verder nog iets te zeggen doodleuk de deur uitgelopen.

'Die arme Jessica,' had hij op een avond schertsend tegen Sarah gezegd. 'Volgens mij is ze gewoon jaloers op me.'

'Doe niet zo raar. Ze is een beetje verlegen, dat is het enige.'

'In het bijzijn van mannen, bedoel je. Als dat mens nog dieper in haar inbouwkast kon kruipen, zou ze in Narnia uitkomen.'

Sarah had hem een por gegeven. 'Doe niet zo flauw. En bij Narnia was het bovendien geen inbouwkast, maar zo'n ouderwetse garderobekast met poten.'

'Poten, potten, dat maakt niet uit.'

Ze lachte, maar hij zag dat het haar niet helemaal lekker zat.

'Kom op, doe nou niet alsof je dat niet weet,' zei hij plagend, maar ook een tikkeltje geïrriteerd. 'Geef het nou maar gewoon toe, zo erg is het niet.'

'Waarom blijf jij er dan over doorgaan?'

'Dat doe ik helemaal niet. Ik snap alleen niet waarom jij het niet gewoon toegeeft.' En dat snapte hij ook echt niet. Ze hadden allebei wel een paar homo's en lesbiennes in hun vriendenkring, dus hij vond het raar dat Sarah zo moeilijk deed over Jessica's seksuele voorkeur. 'Jullie hebben toch niet een of ander duister geheimpje of zoiets?'

Hij schrok van de blik waarmee Sarah hem aankeek. 'Nee, natuurlijk niet! Doe niet zo stom!' Haar wangen waren behoorlijk rood geworden en haar sproeten vielen daardoor nog meer op.

'Het was maar een grapje, hoor.' Hij was een beetje verbaasd door haar felle reactie.

'Dat weet ik ook wel, maar ik vind het niet leuk als je haar belachelijk maakt.'

'Dat deed ik ook helemaal niet. Nou ja, niet echt.'

Ze was wat minder rood, maar nog steeds boos.

'Maar jullie hebben toch nooit iets gehad? Ik bedoel, niet dat ik daar iets mee te maken heb, maar…' voegde hij er snel aan toe.

'Nou ja, ik wil liever niet dat je overstuur bent terwijl ik niet snap waarom.'

'Ze is gewoon een vriendin van me, oké? Ik denk dat ik soms het gevoel heb dat ik haar moet verdedigen tegenover anderen.'

Ben kon zich niet voorstellen waarom ze dat gevoel zou hebben, omdat Jessica volgens hem heel best haar mannetje kon staan. Nadien probeerde hij zijn mening over Jessica echter voor zich te houden.

Toen ze op een gegeven moment naar Camden verhuisden, had hij wel duidelijk laten merken dat hij liever niet wilde dat Jessica een huissleutel zou krijgen. Die moeite had hij zich echter kunnen besparen, want ze kwam amper nog langs. Waarschijnlijk omdat hij zijn stempel daar te duidelijk op had gedrukt. Sarah had haar de afgelopen paar maanden maar een paar keer gesproken en

Ben merkte dat hij het stiekem wel fijn vond dat de twee vrouwen vanzelf wat minder close leken te worden. En ze mochten dan vriendinnen zijn, het ergerde hem dat Sarah bijna altijd irritant gedwee was zodra Jessica in de buurt was.

Nu hij hier zo voor haar deur stond, besefte hij pas dat ze Sarah allebei kwijt waren.

Hij wachtte even tot hij was uitgehijgd voor hij aanklopte. Toen hij eenmaal doorhad dat het gebonk van zijn hart niet alleen door de inspanning kwam, balde hij zijn vuist en klopte alsnog aan. Er werd niet opengedaan. Hij zag dat er een spionnetje in de deur zat en kreeg opeens het akelige gevoel dat Jessica hem stiekem bekeek. Hij klopte nog een keer, ditmaal wat harder. Nu werd de deur wel al snel opengedaan.

Jessica keek hem volkomen uitdrukkingloos aan. Soms kreeg ze als ze in Sarahs bijzijn was en niet doorhad dat hij het zag, een vluchtige glimlach op haar gezicht en dan zou je haar zelfs bijna aantrekkelijk noemen. Dat kwam echter zelden voor en glimlachen was zo te zien nu wel het laatste waar ze aan dacht. Haar gesteven witte uniform leek wel een soort wapenuitrusting. Haar scheiding zat in het midden en ze had haar haren strak achterovergekamd, in een zwarte plastic clip. Haar blotebillengezicht vertoonde geen spoortje make-up. Ben was een beetje ontdaan te zien dat haar huid er daarentegen smetteloos en jeugdig uitzag. Hij vroeg zich opeens af of die afwezigheid van make-up te maken had met een afkeer van elke vorm van ijdelheid of dat het er juist een teken van was.

'Ik moet over tien minuten naar mijn werk,' zei ze zonder verdere plichtplegingen, maar ze zette wel een stapje achteruit om hem binnen te laten.

Hij liep door het gangetje naar de woonkamer. Er lag geen rommel en hij vond het er bijna ziekelijk smetteloos uitzien. Er stond een keurig bankstel en twee stoelen, waarvan er maar eentje gebruikt leek te worden, en een glanzend stereomeubel waar ook een paar boeken in stonden. Afgezien daarvan was de kamer leeg. Er stond niet eens een plantje.

Hij ging niet zitten en Jessica bood hem ook geen stoel aan. Ze bleef voor de kachel staan, die niet brandde en sloeg haar armen over elkaar. 'En? Je zei dat je me wilde spreken.'

Ze hadden elkaar op de begrafenis amper een blik waardig gekeurd en toen hij haar had gebeld, had ze ronduit vijandig geklonken. Hij had erop gestaan dat het echt belangrijk was, maar nu hij hier stond, wist hij opeens niet waar hij moest beginnen.

'Nou eh... Tja, het gaat over Sarah.'

Ze keek hem aan en wachtte zonder iets te zeggen.

'Hé, ik weet dat we elkaar nooit hebben gemogen, maar jij was wel Sarahs beste vriendin,' ging hij verder. 'Je kende haar al voordat ik haar ontmoette.'

Jessica gaf nog steeds geen kik en bleef hem vorsend aankijken. Ben kon zich niet voorstellen hoe iemand die zo koel en onsympathiek overkwam verloskundige kon zijn en vroeg zich af, overigens niet voor het eerst, hoe ze ooit bij dat vak was gekomen.

Maar daar kwam hij niet voor.

'Ik wilde je iets vragen, over toen jullie samenwoonden. Toen Sarah zwanger was. Ze heeft me wel een paar dingen verteld, maar niet echt veel.'

'Hm-hm. Wat wil je dan weten?'

'Nou, ik weet gewoon heel weinig over dat deel van haar leven.'

Het leek alsof Jessica even glimlachte, maar ze zag er nog steeds verre van aantrekkelijk uit. 'Dus nu wil je me dat ook nog afnemen?'

Ben had niet verwacht dat ze haar afkeer zo openlijk zou uiten. 'Hoezo? Ik wil je helemaal niets afnemen. Dat heb ik ook helemaal nooit gewild.'

Hij zag aan haar blik dat ze hem niet geloofde en voelde zich nu nog ongemakkelijker. 'Maar misschien is dit niet het juiste moment. Misschien kan ik beter later een keer terugkomen.'

'Je bedoelt dat dit voor jou niet het geschikte moment is.' Hij kon er niet meer omheen dat deze vrouw om de een of andere reden een godsgruwelijke hekel aan hem had. 'Ik heb hiermee ingestemd omwille van Sarah. Maar hierna wil ik je ook echt nooit meer zien. Vraag me maar wat je wilt weten en sodemieter dan op.'

'Oké. Nou, de reden dat ik hier ben, heeft met Jacob te maken.' Hij hoopte eigenlijk nu al een reactie bij haar te zien, maar dat was helaas niet zo.

'Ja. Wat is er met hem?'

'Nou, jij hebt hem ter wereld gebracht. Ik wil graag weten hoe dat is gegaan.'

'Hoe bedoel je "hoe dat is gegaan?" Ze kreeg weeën en ik heb haar bijgestaan. Dat was het.'

'Waarom is ze niet naar het ziekenhuis gegaan?'

Haar mond was tot een smal verbeten streepje vertrokken. 'Heeft ze je zelf daar dan niets over verteld?'

'Jawel, maar ik wilde het verhaal graag ook eens van jou horen.'

Ze loerde naar hem en haalde uiteindelijk stug haar schouders op. 'Het was midden in de nacht en daarvoor was het al te laat. Het begon heel plotseling en tegen de tijd dat we doorhadden wat er aan de hand was, was de baby er al bijna.' Ze richtte haar kin een klein beetje op, alsof ze hoopte dat hij zijn ogen zou neerslaan. 'Bovendien was dat ook nergens voor nodig. Ik was er immers.'

'Maar jij was nog in opleiding. Stel dat er complicaties waren opgetreden?'

'Dan had ik iemand gebeld. Maar dat hoefde niet.'

'Je hebt niet eens een arts gebeld?'

'Ik zei je net toch dat dat niet nodig was. We hebben de volgende ochtend een arts gebeld om zeker te weten dat alles goed was. Ik wist toen al meer van bevallingen dan welke huisarts ook. En trouwens ook meer dan haar moeder, hoewel je dat afgaande op haar praatjes niet zou denken.' Ze schudde boos haar hoofd. 'Ze stond erop dat haar dochtertje met hen mee naar huis moest. Alsof ik niet voor alles had kunnen zorgen waar Sarah op dat moment behoefte aan had.'

Ze had haar blik afgewend en was zo te zien weer net zo woedend als ze zes jaar geleden waarschijnlijk was geweest. Ben kreeg bijna medelijden met haar. Hij had ook spijt dat hij hiernaartoe was gekomen, want hij kreeg steeds sterker het gevoel dat dit tijdverspilling was. Maar er was nog één ding dat hij per se wilde weten.

'Sarahs vader vertelde me dat Jacob nogal een flinke baby was. Dat hij meer dan zes pond woog.'

'Zes pond en zestig gram.'

Ze vuurde het bijna op hem af en hij besloot de juistheid daarvan maar niet in twijfel te trekken. 'Hij zei ook dat hij er helemaal niet prematuur uitzag.'

'Ja, nou en?'

'Is dat niet ongewoon?'

Jessica keek hem met een blik van pure walging aan. 'Nee, niet echt. Misschien was hij ook niet eens zo prematuur. Sarahs menstruatie was vrij onregelmatig, dus ze wist ook niet precies hoe ver ze nou was. En sommige baby's zijn nu eenmaal groter dan andere. Dat geldt voor wel meer dingen, hè.' Het klonk alsof ze de spot met hem dreef. 'Wilde je verder nog iets weten?'

Hij was niet eens opgelucht en voelde zich alleen maar heel dom. 'Nee.'

'Mooi zo. Dan kun je nu dus net zo goed gaan.'

Ze ging hem voor naar de deur van de woonkamer. Ben liep met het schaamrood op de kaken langs haar de gang in en zag in het voorbijgaan pas haar keuken, die al net zo kaal en kraakhelder was als de rest van de flat. Er lag één enkele placemat op het keukentafeltje, met een roestvrijstalen peper-en-zoutstel en een azijnflesje ernaast. Zo te zien stonden die daar altijd zo. Er lag ook een keurig opgevouwen krant, met de voorpagina naar boven. Ben liep door, bedacht zich opeens en zette een stap achteruit.

Het was de *Daily Mail.*

'Wat nou weer?' Jessica stond achter hem.

'Ik wist niet dat jij de *Mail* las.'

'Sinds wanneer heb jij daar iets mee te maken, met wat ik wel of niet lees?'

'Ik had je eerlijk gezegd eerder ingeschat als een *Guardian*-lezer.'

'Ja, nou dat had je dan dus mis. Ik heb altijd al de *Mail* gelezen en ik zie niet waarom dat jou iets aangaat.'

Ben draaide zich naar haar om. 'Las je die krant ook al toen Sarah en jij huisgenoten waren?'

Het leek alsof ze even van haar à propos was. 'Ja, dat zou best kunnen. Dat weet ik echt niet meer.'

'Je zei net toch dat je die krant altijd al hebt gelezen?'

'Wat maakt dat nou uit? Hé, sommige mensen kunnen hun werktijden niet zelf bepalen.'

Ze glipte langs hem heen naar de voordeur. Ben bleef staan waar hij stond. 'Ik heb die krantenknipsels gevonden.'

Hij meende haar even te zien haperen toen ze met haar rug naar hem toe bleef stilstaan. Ze draaide zich uiteindelijk met een waakzame blik naar hem om.

'Welke krantenknipsels?'

'De artikelen over die baby die uit het ziekenhuis is meegenomen op dezelfde dag dat Jacob werd geboren.'

'Ik heb geen idee waar je het over hebt.'

'Die had Sarah in een geldkistje verstopt, samen met Jacobs geboorteakte.'

Hij bestudeerde haar gezicht, zoekend naar een reactie. Ze haalde haar schouders op. 'Ja, nou en?'

'Waarom zou ze die kranten hebben bewaard?'

'Ik heb geen flauw idee. Doet dat ertoe? Ze is dood. Of ben je dat soms vergeten?'

'Nee, dat ben ik niet vergeten. Ik snap alleen niet waarom ze die krantenartikelen heeft bewaard.'

Jessica snoof minachtend. 'Is dat de reden dat je me wilde spreken? Omdat je denkt dat ze iemands baby heeft meegenomen? Wat is er met jou? Heb je er nu al genoeg van om voor hem te moeten zorgen?'

'Nee, ik wil alleen maar de waarheid achterhalen, meer niet.'

'De waarheid? De waarheid luidt dat Sarah een autistisch jongetje heeft gekregen en dat ze nu dood is en dat jij besloten hebt dat je die verantwoordelijkheid niet langer wilt dragen. Nou, je bent zelf met haar getrouwd,' beet ze hem toe, 'dus je hebt er maar mee te leven.'

'Dus Jacob is wel van haar?'

'Natuurlijk wel! Ik heb hem zelf ter wereld gebracht! Of ga je mij nu ook nog een leugenaar noemen?'

Ben wist achteraf niet zeker of hij zijn eigen antwoord gepland had of dat het eruit floepte, maar zijn volgende opmerking klonk heel berekenend, alsof hij het zo had ingestudeerd. 'Waarom hebben ze dan op precies dezelfde plek een moedervlek?'

Jessica fronste haar wenkbrauwen. 'Hè, wat?'

'Volgens de krant had het baby'tje dat ontvoerd was een moedervlek op zijn rechterschouder. Jacob heeft daar ook een moedervlek.'

Hij had verwacht dat Jessica zijn doorzichtige leugentje zou weglachen, maar ze keek hem juist een ogenblik lang met een volkomen lege blik aan. Ze wist zich al snel weer te hernemen. 'Ja, maar dat zegt toch helemaal niks? Er zijn zat kinderen met moedervlekken.' Ze had haar antwoord weliswaar paraat, maar had er net iets te lang over moeten nadenken.

De schrik sloeg hem om het hart. 'O, tjeezus,' verzuchtte hij.

'Ik zei net toch al dat dat gewoon toeval is. Dat is nog geen bewijs.'

'Ze heeft het gedaan, hè? Ze heeft die baby meegenomen.'

'Doe niet zo idioot! Alleen maar omdat die twee baby's dezelfde moedervlek hebben, betekent nog...'

'Hij heeft helemaal geen moedervlek!'

Ze knipperde een paar keer met haar ogen en wendde haar blik heel snel af. 'Zeg eh... je moet nu echt gaan. Ik moet naar mijn werk.'

Haar bravoure was echter verdwenen en haar handen trilden zelfs een beetje. Ze liet ze zakken, tot ze slap langs haar zij hingen. Ben merkte dat hij zelf stond te tollen op zijn benen en zijn knieën begaven het bijna toen hij naar de dichtstbijzijnde keukenstoel wankelde en zich erop liet vallen. Ondanks alles had hij het eigenlijk niet kunnen of willen geloven. Hij merkte nu pas dat hij hier helemaal niet naartoe was gegaan omdat hij dit wilde horen; hij had juist gerustgesteld willen worden, willen horen dat er niets aan de hand was.

Jessica stond nog steeds als aan de grond genageld bij de voordeur. Al het bloed was uit haar gezicht getrokken en ze straalde zowel teleurstelling als berusting uit. Haar witte uniform leek opeens eerder een soort verkleedkleding.

'Waarom?' vroeg hij. 'Waarom heeft ze dat in godsnaam gedaan?'

'Omdat ze haar baby verloor.' Jessica's stem klonk levenloos en vlak. 'Toen ik op een avond thuiskwam, trof ik haar hier in het donker aan. Ze had die middag een miskraam gehad. Op een openbaar toilet.'

Ze kwam naar de keukentafel toe en ging ook zitten. Ze zag er onthand en bijna vormloos uit, alsof haar gesteven uniform haar enige houvast was. 'Ik wilde een arts bellen, maar toen ik dat opperde werd ze helemaal hysterisch. Dus dat heb ik toen maar niet gedaan. Ik heb wel gecheckt of ze geen last had van bloedingen of zoiets. En een arts had toch niets voor haar kunnen betekenen. Die zou alleen maar willen weten waar de foetus was gebleven en dan zouden ze de politie hebben moeten inschakelen. En ze had al genoeg ellende meegemaakt sinds die... sinds die klootzak haar in de steek had gelaten toen ze zwanger raakte!' Ze wierp hem een woedende blik toe. 'Wist je dat ze toen een zelfmoordpoging heeft gedaan?'

Ze knikte triomfantelijk toen ze zag dat dat niet zo was. 'Nee, dat dacht ik al. Maar dat heeft ze dus wel geprobeerd. Ze heeft een overdosis genomen toen ze net bij me was ingetrokken. Ik heb haar gevonden en ervoor gezorgd dat ze overgaf voor het te laat was. Ik dacht dat ze toen misschien een miskraam zou krijgen, maar dat gebeurde niet. Ik wilde haar nog meer leed besparen. Ik dacht... Ik dacht dat als ik de baby zou vinden en hem kon meenemen, ik dan kon zeggen dat het thuis was gebeurd. Dan zou er dus geen politie bij hoeven te komen. Geen gedoe en zo.'

Terwijl ze praatte zat ze aan haar jurk te frunniken, waarbij ze telkens een vouw maakte in de stof en die gladstreek, om vervolgens weer een nieuwe vouw te maken.

'Ze wilde in het begin niets zeggen, maar ik wist haar uiteindelijk zover te krijgen me te vertellen dat ze hem in een afvalbak vlak bij het metrostation van Piccadilly Circus had achtergelaten. Ik stopte haar in bed, maar het was inmiddels al heel laat en ik dacht dat ik beter eventjes wat kon slapen. Ik wilde de volgende ochtend heel vroeg alsnog naar Piccadilly gaan. Ze sliep nog toen ik de deur uit ging. Ik wilde ervoor zorgen dat ik weer thuis zou zijn voor ze wakker werd, maar toen ik bij het metrostation aankwam, wist ik niet welke afvalbak het was. Ik controleerde ze allemaal, maar op een gegeven moment werd het steeds drukker en moest ik wel stoppen. Ik ben er nooit achter gekomen welke het nou was. Ik heb ook nooit gehoord dat ze het lijkje hebben gevonden, dus ik neem aan dat ze niets hebben gezien toen ze de afvalbakken leegden. Ik kon niet veel anders doen dan gewoon maar naar huis gaan en toen ik daar aankwam, was Sarah weg. Ik was ten einde raad en ik kon natuurlijk moeilijk de politie bellen, dus ik besloot te wachten en hoopte dat ze uit zichzelf terug zou komen. Maar toen ze uiteindelijk thuiskwam, had ze een baby bij zich.'

Haar mondhoeken krulden een beetje omhoog, maar ze glimlachte niet. 'Ze zag er zo gelukkig uit! Alsof de vorige dag een heel erg nare droom was geweest. Ze zag eruit zoals Sarah eruit hoorde te zien. Ik probeerde erachter te komen hoe ze aan die baby kwam, maar ze leek niet te begrijpen waar ik het over had. Toen ik haar vroeg wiens baby het was, antwoordde ze: 'Hij is mijn baby.' Ik probeerde tot haar door te dringen, haar te dwingen onder ogen te zien wat ze had gedaan, maar daar werd ze alleen maar heel erg verward van. Ik was bang dat ze een terugval zou krijgen en weer apathisch zou worden. Ik wist echt niet wat ik moest doen. En toen opeens wist ik het. Ik hoefde namelijk helemaal niets te doen. Sarah was zwanger geweest en ze had nu een baby. Ja, hij was wel wat groot voor een prematuurtje, maar niet zo groot dat dat tot problemen zou leiden.'

Ben kon het niet langer aanhoren. 'Problemen? Het was niet haar baby! Jezus christus, ze had die baby gestolen!'

Jessica wierp hem een blik vol verachting toe. 'Wat had ik dan moeten doen? Naar de politie moeten gaan?'

'Ja! Inderdaad! Jezus christus! Je had inderdaad naar de politie moeten gaan! Die zouden haar echt niet hebben aangeklaagd, niet voor zoiets! Nee, ze zou eerder psychiatrische hulp of zo hebben gekregen.'

'Je bedoelt dat ze zou zijn opgesloten. Denk je dat ik haar dat zou hebben aangedaan?'

'Dat zou in ieder geval een stuk beter zijn geweest dan wat jij hebt gedaan.' Hij had het gevoel alsof hij in een parallelle werkelijkheid was beland, waar verstand er niet toe deed. 'Wist ze het zelf eigenlijk wel? Ik bedoel, had ze door wat ze had gedaan? Wist ze het naderhand nog?'

Jessica haalde haar schouders gelaten op. 'Ik weet het niet. Misschien wel, ergens diep vanbinnen. Ik had de artikelen uit de krant geknipt en die in een lade verstopt, maar later, toen ze naar haar ouders was, zag ik dat ze weg waren. Ze heeft me nooit verteld dat ze ze heeft gepakt en ik heb het haar ook nooit gevraagd.'

'Jullie hebben het er verder nooit meer over gehad?'

Ze schudde haar hoofd, maar hij zag voor het eerst iets waaruit bleek dat ze wist dat ze fout zat. Ergens begreep hij ook wel waarom Jessica die artikelen had bewaard. En waarom Sarah het niet graag over hun vriendschap had gehad.

Jessica had op die manier geprobeerd Sarah aan haar te binden.

Hij deed geen poging meer om zijn afschuw te verbergen toen hij zei: 'Was je dan niet bang dat iemand erachter zou komen?'

'Wie dan? Ik was een bijna gediplomeerd verloskundige. Niemand zou mijn verklaring in twijfel trekken. En die huisarts heeft haar amper onderzocht toen we een dag later bij hem langs gingen. Als ik nou in dat ziekenhuis had gewerkt waar die baby was verdwenen, misschien dat iemand dan op een gegeven moment wel vragen was gaan stellen, maar dat was niet zo. We liepen geen enkel risico!'

'Geen enkel risico? Ze had de baby van een ander echtpaar meegenomen! Ja, oké, ze was ziek, ze had niet door wat ze had gedaan, maar verdomme, jij was... Jij was verloskundige! Hoe heb je dat in hemelsnaam kunnen doen?'

'Omdat het Sarah was. Ik heb het voor haar gedaan.' Jessica keek hem nu opeens uitdagend en volkomen kalm aan. 'Ik zou overal toe bereid zijn geweest als ik haar daarmee kon hepen.'

'Helpen? Maar je hielp haar helemaal niet! Je zorgde er alleen maar voor dat ze kon ontkennen wat ze had gedaan! En de echte ouders dan? Kon het je dan helemaal niets schelen wat die doormaakten?'

'Waarom zou ik?' bitste ze terug. 'Een zielig legerventje en z'n snol? Waarom zou ik meer om hen moeten geven dan om Sarah? Ik ken dat soort maar al te goed. Ze fokken als konijnen en poepen er de ene blaag na de andere uit! Zij hebben nu waarschijnlijk al drie of vier andere kinderen. Nee, zij zouden het wel verwerken, maar Sarah niet! Hoezo moet ik me om hen bekommeren? Als ze het me had gevraagd, was ik die baby zelf voor haar gaan halen.'

Haar ogen glinsterden van de tranen. 'En? Heb ik je nu helemáál geschokt?' sneerde ze. 'Dat had je niet gedacht, hè? Dat die saaie trut van een Jessica daartoe in staat was. Tjeezus, ik word echt kotsmisselijk van jou, weet je dat? Je bent met haar getrouwd en je neukte d'r, maar je hebt nooit van haar gehouden. Jij weet niet eens wat liefde is.'

Ben kon het niet langer aanhoren en wilde nu alleen nog maar zo snel mogelijk weg daar. Het was vreselijk benauwd in de keuken en de mogelijkheid dat dit op geweld zou uitlopen, hing als een dreiging in de lucht. Hij stond op en schrok van het gepiep van de stoelpoten op het linoleum.

'Ik weet niet goed hoe ik wat jij hebt gedaan zou moeten noemen,' zei hij met verstikte stem, 'maar liefde was het zeker niet.'

Hij liep naar de deur en draaide zich op het laatst nog een keer om. 'Ik kan trouwens niet net doen alsof ik hier niets van weet. Ik kan dit natuurlijk niet zomaar negeren.'

Jessica keek niet op of om. 'Doe wat je niet laten kunt,' luidde haar matte antwoord. 'Het kan me geen moer schelen.'

Ze zat nog steeds wezenloos voor zich uit te staren toen hij de voordeur achter zich dichttrok.

4

Jacob koos een puzzelstukje uit, hield het even in zijn hand, verruilde het voor een ander en legde dat keurig op de juiste plaats. De legpuzzel van Star Wars was al half af en hoewel de doos vlak naast hem lag, had Jacob nog geen enkele keer naar de afbeelding gekeken. Niet dat hij daar iets aan zou hebben, want hij maakte de legpuzzel ondersteboven, met de grijze kant omhoog. Hij had de drie *Star Wars*-films al heel vaak gezien en was elke keer weer compleet gebiologeerd door de flitsende beelden en geluiden die het televisiescherm op hem afvuurde. Maar een statisch beeld zoals dit plaatje, kon hem niet boeien. Ben vermoedde dat de jongen de foto wel herkende en best wist dat er een verband bestond tussen die twee dingen, maar helemaal zeker wist hij het niet. Waarschijnlijk beschouwde Jacob het plaatje puur als een toevallige bijkomstigheid. Het ging hem om het in elkaar passen van de grijze kartonnen stukjes, en de afbeelding die het uiteindelijk opleverde kon hem weinig schelen. Of hij de puzzel nou ondersteboven of op de kop maakte, of schuin of wat dan ook, hij zette hem net zo snel en behendig in elkaar; dat leek voor hem geen enkel verschil te maken.

Ben keek vanaf de andere kant van de kamer toe en zag dat het jochie opkeek van zijn puzzel en even uit het raam staarde. Of misschien staarde hij wel naar het raam zelf. Ben kon zelf niet zien waardoor Jacob was afgeleid, maar hij had wel een vermoeden. Zo kon hij soms eindeloos naar een gebroken ruit zitten staren waar de zon op scheen, of naar een glasscherf of de gebarsten rand van een melkfles. Zolang er maar zonlicht op viel, wat een onverwachte regenboog van kleuren opleverde. Sarah en hij hadden dat pas doorgehad toen ze de jongen een keer met samengeknepen ogen naar de nevel van een tuinsproeier zagen kijken, waarbij hij zijn hoofd bewoog om de vage regenboog die was ontstaan, te kunnen volgen. Soms vroeg Ben zich wel eens af of Jacob iets in dat kleurenprisma zag wat minder gekwetste zielen wellicht ontging.

Maar wát hij nu ook zag, hij raakte er ditmaal al snel op uitgekeken en ging weer door met puzzelen. Je kon niet aan hem merken of hij doorhad dat Ben hem observeerde of dat hij überhaupt besefte dat hij in de kamer was. Normaliter zou Ben de jongen hebben aangemoedigd wat te praten en hem naar zijn schooldag hebben gevraagd, iets om enigerlei vorm van communicatie aan te moedigen, maar Ben merkte dat hij dat nu niet kon opbrengen. Jacob vond dat helemaal niet erg, want die zat zoals altijd toch in zijn eigen wereldje. Soms vroeg Ben zich af of hij daar zelfs niet liever was, in plaats van de confrontatie aan te moeten gaan met een buitenwereld waar hij weinig chocola van kon maken.

Tjeezus, wat moet ik nou?

Jacob stootte met zijn elleboog per ongeluk tegen de stapel puzzelstukjes waardoor er een paar van de tafel gleden. Zijn gezicht betrok toen ze op de grond vielen. Hij keek omlaag naar de grond. Zijn ademhaling versnelde vanzelf omdat hij van slag was, maar hij deed geen poging ze zelf op te rapen. Als buitenstaander was het vaak lastig inschatten waarom en waardoor Jacob overstuur raakte. De jongen was over het algemeen best evenwichtig, maar als hij bang was of iets hem raakte, duurde het soms heel lang voor hij weer gekalmeerd was. Zo had Sarah een keer de fout begaan hem naar de verjaardag van een klasgenootje mee te nemen. Toen er vlak achter zijn rug een ballon knapte, was hij hysterisch geworden en had zo hard gegild en met z'n handen tegen zijn oren geklemd heen en weer gewiegd, dat hij alle andere kinderen daardoor ook had aangestoken. Sarah had er daarna nooit meer op aangedrongen dat hij naar verjaardagspartijtjes ging.

Ben dwong zichzelf niet langer aan Sarah te denken en zag dat Jacob gefrustreerd op zijn stoel heen en weer zat te wippen. Hij liep naar hem toe en pakte de puzzelstukjes van de grond. Het jochie bedaarde enigszins toen hij ze weer teruglegde bij de stukjes op tafel, alsof er niets was voorgevallen. Hij staarde naar Jacobs achterhoofd terwijl de jongen zich weer over de legpuzzel boog. Normaal gesproken zou hij hem even over zijn bol hebben geaaid, of op de een of andere manier contact hebben gemaakt, maar hij raakte hem nu niet aan en liep zonder iets te zeggen terug naar zijn eigen stoel.

Wat moet ik in godsnaam doen?

Jacob schrok op door het geluid van de deurbel. Hij keek met-een in de richting van de hal. 'Mama?'

O nee, hè.

'Nee, Jacob,' zei Ben. Het voelde alsof zijn mond vol as zat. 'Nee, dat is mama niet.'

'Mama.'

Nee, verdomme, nee! Het is je mama niet!

'Nee, Jacob. Het is iemand anders.'

Jacob bleef nog even in dezelfde houding zitten, maar ging al snel gewoon weer door met puzzelen. Toen de deurbel nog een keer ging, leek hij het al niet eens meer te horen en hij keek ook niet op of om toen Ben de kamer uit liep.

Het was Keith, die ondanks zijn losse stropdas zo te zien recht-streeks van zijn werk kwam. 'Sorry dat ik te laat ben. Net toen ik op het punt stond weg te gaan, moest ik nog een brandje blus-sen.' Hij maakte zijn zin wel af, maar staarde Ben totaal geschokt aan. 'Wat is er met je haar gebeurd?'

Ben wist de neiging om even over de stekeltjes op zijn hoofd te strijken, te weerstaan. 'O, ik ben naar de kapper geweest.'

'Ja, dat zie ik ook wel.' Keith probeerde vooral niet te kijken naar zijn kale hoofd toen hij hem op bezorgde toon vroeg: 'Gaat het wel met je?'

'Ja, hoor.' Ben deed de voordeur dicht. 'Vond Tessa het niet erg dat je even hierheen moest?'

'O nee, die is er wel aan gewend dat ik laat thuiskom. Zolang ik er maar ben voor Scott en Andrew naar bed moeten, vindt ze het allang best.' Zijn twee zoons waren ouder dan Jacob en de paar keer dat ze samen hadden 'gespeeld', had hun moeder hun over-duidelijk opgedragen dat ze aardig moesten doen. Meestal eindigden die afspraakjes echter met Jacob die ergens in zijn uppie zat, terwijl de twee broertjes iets samen deden.

'Laten we maar naar de keuken gaan,' zei Ben toen Keith aanstalten maakte om naar de woonkamer te lopen.

Hij keek hem verbaasd aan, maar vroeg niet door. 'Is goed, maar eerst even Jacob gedag zeggen.' Hij probeerde de jongen altijd zo normaal mogelijk te behandelen en hoewel dat er soms iets te dik bovenop lag, was het beter dan die geforceerde, niets-aan-de-hand-opgewektheid van zijn echtgenote.

Hé, dat is niet aardig van je, Ben. Het is hun schuld toch niet.

'Hoi, Jake.' Keith was al halverwege de kamer, maar Jacob keek nog steeds niet op. Ben zag tot zijn schrik zelfs dat de jongen leek te verstijven.

'Wacht even,' zei hij nog, maar Keith had zich al over de jongen heen gebogen. Jacob drukte zijn kin tegen zijn borst en stak zijn armen uit, alsof hij Keith wilde wegduwen.

'Nee! Nee, nee, nee!'

Keith schrok en zette een stapje achteruit. 'Oké, rustig maar, Jacob. Het spijt me.' Hij wierp Ben een vragende blik toe.

Ben schudde zijn hoofd en zei: 'Hij heeft de afgelopen paar dagen gewoon een beetje een kort lontje.' Jacob zat nog steeds totaal verstijfd in zijn stoel, met zijn hoofd omlaag en zijn armen recht voor zich uit gestrekt. 'Rustig maar, Jake. Het is oom Keith maar. Doe niet zo raar, die ken je best.'

De jongen hield zijn armen afwerend voor zich.

'Schei uit, Jacob. Hou nou 's op, ja!' snauwde Ben hem toe.

'Hé, hé, hé. Rustig aan, Ben.' Keith was zichtbaar geschokt.

Ben was ook geschrokken van zijn eigen uitval. Hij probeerde iets te zeggen om Jacob gerust te stellen, maar het voelde alsof hij aan een dood paard stond te trekken. Hij bleef hulpeloos staan en wist echt even niet wat hij moest doen.

Keith stond met een bezorgde blik van de een naar de ander te kijken. Hij zette vervolgens opnieuw een stapje naar Jacob toe en haalde een rolletje Smarties uit zijn zak. 'Kijk 's wat ik voor je heb, Jacob? Snoepjes.' Hij schudde het rolletje heen en weer en legde het voorzichtig op tafel. Jacob wierp er een vluchtige blik op. Het duurde even, maar uiteindelijk liet hij zijn armen zakken en pakte de snoepjes.

Ben voelde dat zijn eigen spanning wegzakte toen hij zag dat Jacob zich ontspande. Het jochie keerde het rolletje een paar keer om. Die beweging en het ratelende geluid van de snoepjes hadden zo te zien een kalmerende uitwerking op hem.

'Vergeet je niet iets, Jacob? Dank je wel…?' souffleerde Ben.

'Laat maar,' zei Keith snel en hij trok Ben aan zijn arm mee naar de keuken. Ben liet de tussendeur openstaan zodat hij Jacob in de gaten kon houden.

Keith was nog niet helemaal bekomen van de schok. 'Wat was dat net?'

'Ik zei toch dat hij de afgelopen paar dagen wat lichtgeraakt is.'

'Ik had het niet over Jacob.'

Ben liep naar de koelkast. 'Wil je een biertje?'

'Als jij er ook eentje neemt.'

Hij reikte Keith een glas en een blikje aan, maar nam zelf meteen een slok uit zijn eigen blikje.

'Ga je me nou nog vertellen wat er aan de hand is?' vroeg Keith.

Ben liep naar een keukenla, pakte de krantenknipsels eruit en liet ze op het aanrecht vallen. 'Hier, lees dit maar. Alleen het bovenste artikel is denk ik al wel genoeg.'

Keith scande het artikel en keek hem vervolgens niet-begrijpend aan. 'Sorry, maar ik snap het niet.'

'Dat is Jacob.'

Het kostte hem moeite het hardop te zeggen en de woorden veroorzaakten een schrijnende pijn in zijn keel.

Keith keek hem fronsend aan. 'Ik volg je niet helemaal, Ben.'

'Die baby, die gestolen is. Dat was Jacob. Sarah heeft hem meegenomen.'

Keith bleef hem aanstaren en wierp vervolgens nog een blik op de kranten voor hem op tafel. Ben zag dat hij zijn best deed om zijn ongeloof te verbergen. 'Ben…'

'Het is geen waanidee of zo. Ik meen het, echt.'

Hij vertelde wat er was gebeurd, vanaf het moment dat hij de krantenknipsels had gevonden tot en met zijn bezoekje aan Jessica. Hij had van tevoren gehoopt dat hij zich beter zou voelen zodra hij het met iemand deelde, maar dat was helaas niet zo. Het werd er juist alleen maar echter door.

Toen hij was uitgepraat, wierp Keith een blik opzij naar de woonkamer, waar Jacob nog steeds zat te spelen. 'Jezus christus.'

Ben glimlachte wrang. 'Ja, dat dacht ik toen ook zo ongeveer.' Hoewel het in de keuken niet koud was, merkte hij dat hij stond te rillen. Hij leegde zijn blikje in een teug en ging zitten.

'Wie weet hier nog meer van?' vroeg Keith.

'Jij bent de eerste aan wie ik het vertel.'

'Verder niemand? Ook je vader niet?'

'Nee.' Bens moeder was overleden toen hij op de universiteit zat en zijn vader was hertrouwd met een tien jaar jongere vrouw, die niet onder stoelen of banken stak dat ze de zoon van haar nieuwe man alleen maar als een concurrent zag. Het maakte niet uit of ze wel of niet fysiek aanwezig was, ze stond tussen hen in en die onzichtbare barrière vertroebelde hun verstandhouding gaandeweg steeds meer. Ze was ook niet naar Sarahs begrafenis gekomen en Ben had ondanks alles bijna medelijden gehad met zijn vader toen die zich daarvoor verontschuldigde. Ze hadden elkaar een jaar niet gezien en een halfjaar geleden voor het laatst gesproken, dus nee, zijn vader was niet direct iemand die hij nog in vertrouwen nam.

'En Sarahs ouders dan?' vroeg Keith. 'Weten zij het?'

'Ik zei je toch net al dat ik het aan niemand heb verteld.'

'Ja, maar dat bedoelde ik niet. Denk je niet dat ze het stiekem hebben geweten of op zijn minst vermoed? Zou Sarah het ze echt niet hebben verteld?'

'Dat lijkt me sterk. Volgens mij heeft ze het al die tijd verdrongen. Niet bewust hoor, overigens. En als haar ouders al iets hadden vermoed, zou ik daar zeker iets van hebben gemerkt.'

Hij zag dat Keith zonder het zelf door te hebben aan zijn onderlip zat te frunniken terwijl hij de informatie analyseerde en ordende alsof het een juridisch vraagstuk van zijn werk betrof. 'Heb je al bedacht wat je eraan wilt doen?'

'Eerlijk gezegd is dat zo'n beetje het enige waar ik nog aan kan denken, maar ik heb echt geen flauw idee.'

Keith trok met een afwezige blik zijn das recht, de advocaat ten voeten uit. Ben bedacht dat hij altijd al jaloers was geweest op de koele, rationele manier waarop Keith problemen benaderde. 'Ik denk niet dat je dat nu al hoeft te beslissen. In deze fase is het vooral belangrijk dat je geen fouten maakt. Je moet nu vooral geen rare bokkensprongen maken. Heb je om te beginnen rekening gehouden met de mogelijkheid dat Jessica liegt?'

'Nee. Want ik weet zeker dat ze niet loog.'

'Dat beweer ik ook niet, alleen is het wel iets waar je rekening mee moet houden. Ik bedoel, wat heb je nou helemaal voor bewijs? Je hebt een paar oude kranten en het verhaal van iemand die, laten we wel wezen, jouw belang niet direct voor ogen heeft. Weet je honderd procent zeker dat ze je niet een loer draait, alleen maar omdat ze het je lastig wilt maken?'

Ben zou dat maar wat graag willen geloven, maar hoe verleidelijk ook, het leek hem sterk dat dat het geval was. 'Nee, dat zou ze niet doen. Daarmee bewijst ze Sarah namelijk ook geen dienst.'

'Weet je dat echt zeker? Misschien denkt ze wel dat je het toch voor je zult houden. Je hebt me zelf verteld dat ze amper nog contact had met Sarah. Misschien heb je haar nu een prachtige kans gegeven om jullie allebei terug te kunnen pakken.'

'Ik snap waar je op doelt, maar ik weiger...'

Keith stak zijn hand op. 'Denk nou even na, Ben. Wat heb je concreet in handen dat haar versie van het verhaal staaft?'

'Niks, maar...'

'Precies, niets. Ben je nagegaan wat er na die eerste week over deze zaak verder nog in de pers is verschenen?'

Ben voelde zijn twijfel toenemen en schudde gelaten zijn hoofd.

'Dus voor zover jij weet kan die kleine Steven Cole net zo goed een paar weken later alsnog boven water zijn gekomen. En misschien dat Sarah die kranten heeft bewaard en het toen gewoon is vergeten. Wat ik hier vooral mee wil zeggen, is dat je het simpelweg niet weet. Als je nu naar de politie of de kinderbescherming gaat, roep je misschien een heleboel onnodig gedoe over jezelf af. Ook voor Jacob, vergeet dat niet. En dat alleen maar op basis van een of ander vaag vermoeden en het verhaal van iemand die een hekel aan je heeft.'

Ben wreef in zijn ogen. De moed zonk hem in de schoenen, maar hij wist dat Keith een punt had. 'Ja, waarschijnlijk heb je daar wel gelijk in.'

'Oké dan. Dus wat we nu allereerst moeten doen, is erachter zien te komen of die Cole-baby ooit is teruggevonden. En of zijn ouders nog leven.' De blik waarmee hij Ben aankeek, was ronduit omzichtig. 'Als dat namelijk niet zo is, wil je misschien eerst nog eens heel goed nadenken wat voor actie je wilt ondernemen. Los van de vraag of hun baby nu wel of niet is teruggevonden.'

Hij wist waar Keith op doelde, maar nog niet precies wat hij daarvan vond. 'Ja, maar hoe pak ik dat aan? Erachter komen of ze nog leven, bedoel ik?'

'Tja, dat zal wel wat graafwerk vergen.' Terwijl hij zelf nadacht, zoog Keith wat lucht tussen zijn tanden door, wat gepaard ging met een zacht fluittoontje. 'Ik denk dat je het beste iemand kunt inhuren die dat voor je doet. Dat gaat je wel wat kosten, maar het is sneller en levert minder gedoe op.'

'Ken jij niet toevallig iemand?'

'Ik zou niet zo snel iemand weten, maar ik kan wel wat rondvragen. Ik weet dat mensen op mijn werk wel eens gebruikmaken van dat soort diensten.' Hij grinnikte schamper. 'Je moest 's weten in wat voor ellende die muziekklui soms verzeild raken.'

Hm, nou niet alleen muziekklui, dacht Ben bij zichzelf. 'Hoe snel kun je me wat meer vertellen?'

'O, waarschijnlijk morgen al.' Keith keek alleen niet al te blij. 'Hé, misschien dat ik nu te hard van stapel loop, maar afhankelijk van wat zo'n privédetective boven water haalt, zou je kunnen overwegen om ook vast op zoek te gaan naar een goede advocaat die gespecialiseerd is in familierecht. Ik heb alleen verstand van het entertainmentwereldje en heb geen flauw idee hoe dat zit qua voogdij en... Nou ja, hoe je er in het ergste geval voor staat.'

Ben knikte. Keith keek hem recht aan. 'Ik ga er althans van uit dat je wilt dat Jacob bij jou blijft.'

Ben bestudeerde zijn blikje bier. 'Laten we eerst maar eens kijken waar die detective mee komt.'

Het leek veel drukker op de weg dan normaal, of misschien was hij zelf gewoon ongeduldiger toen hij Jacob de volgende ochtend naar school bracht. Ze stonden in een lange file, schoven steeds een klein eindje op en kwamen bij elke kruising weer vast te zitten. Het was nog vroeg, maar het junizonnetje was ondanks de sluierbewolking van de paarsige smog toch al behoorlijk warm.

Hij deed geen poging om met Jacob te praten. Gisteravond had hij ook amper iets tegen hem gezegd, zelfs niet tijdens het badderen en toen hij hem naar bed bracht. Elke keer dat hij naar het jochie keek, werd hij weer overspoeld door verwarring en wanhoop en het lukte hem maar niet dat van zich af te zetten. Hij voelde zich echter ook schuldig en wist dat hij het jongetje natuurlijk niets kon verwijten. Maar hoe hij ook probeerde zichzelf wijs te maken dat er niets was veranderd, het hielp geen zier.

Want alles was veranderd.

Toen ze vlak bij school waren, werd het eindelijk wat rustiger op de weg. De school zat in Islington en het was nogal een gedoe om daar vijf dagen per week twee keer per dag helemaal naartoe te rijden. Er zat dichterbij, in Camden, ook een zogenoemde steunpuntschool, maar die richtte zich op allerlei soorten leerproblemen en deze school was een van de weinige waar uitsluitend autistische kinderen op zaten. Sarah en hij hadden op een gegeven moment besloten dat de voordelen van bijzonder onderwijs en de bijbehorende zorg voor Jacob opwogen tegen het ongemak dat de grotere afstand voor hen met zich meebracht. En Sarah wilde hem per se zelf halen en brengen, een regeling waar Jacob al snel niet meer van af had willen wijken. Alleen Tessa mocht dat nog nét af en toe doen, maar het busje waarmee sommige andere kinderen naar en van school gingen, konden ze wel vergeten.

Ze hadden sowieso geluk gehad dat de school hem had toegelaten. Tegen de tijd dat Jacob als autist was gediagnosticeerd, was hij al bijna leerplichtig en het had heel wat brieven, smeekbedes en telefoontjes naar de onderwijsinspectie gekost om hem nog op tijd ingeschreven te krijgen voor het aanstaande schooljaar. Het enige voordeel was dat Sarah – en Ben zelf ook, herinnerde hij zich nu – daardoor wel iets om handen had gehad om de schok van de diagnose ietwat te verzachten.

Als Ben zou moeten zeggen wat de twee dieptepunten van zijn leven waren, dacht hij vooral aan die middag in de spreekkamer van de specialist en aan het overlijden van zijn moeder. Hij had Sarahs hand vastgehouden terwijl de arts hun uitlegde dat Jacob, hoewel hij niet verstandelijk gehandicapt was, wel aan een stoornis leed die de communicatie met de buitenwereld en het aangaan van relaties ernstig zou bemoeilijken. Hij had gezegd dat de symptomen en klachten uiteenliepen en hoewel Jacob er minder ernstig aan toe leek dan sommige andere kinderen, zou hij niet naar een reguliere school kunnen en zouden ze hier ook rekening mee moeten houden bij hoe ze met hem omgingen. Ze hadden als verdoofd aangehoord welke gedragsproblemen hun allemaal te wachten konden staan: van een obsessie met schijnbaar zinloos repetitief gedrag tot aan het feit dat Jacob moeite zou hebben normale menselijke interactie te begrijpen en misschien wel nooit goed zou leren praten. Ben had gevraagd of het te genezen viel. Nee, had de arts geantwoord. Je kon er wel rekening mee houden en de symptomen verminderen, maar genezen… nee. Sarah had naar Jacob zitten kijken, die verderop op de grond met een telraam zat te spelen en de kralen heen en weer schoof alsof hij precies doorhad wat hij aan het doen was.

'Waardoor wordt autisme eigenlijk veroorzaakt?' had ze op een gegeven moment gevraagd. De arts was uitvoerig ingegaan op de ontwikkeling van de hersenen voor, tijdens en na de geboorte en op de mogelijk genetische aanleg en allerlei kinderziektes, maar had uiteindelijk zijn schouders opgehaald en moeten erkennen dat ze dat eigenlijk nog niet goed wisten. Sarah had een tijdje met een ondoorgrondelijke blik naar haar zoon zitten staren en nu Ben daaraan terugdacht, begon hij langzaam te snappen wat er toen door haar heen moest zijn gegaan. Ze had die nacht toen ze in bed lagen en allebei niet konden slapen lang naar het plafond liggen staren en op een gegeven moment gezegd: 'Het heeft gewoon zo moeten zijn. Het is als een vonnis.'

'Hé, hou eens op!' Ben was bezorgd omdat Sarah na die afspraak bij de arts de rest van de middag en avond erg op zichzelf was geweest.

Ze bleef naar het plafond staren. 'Nee, echt. Het is mijn schuld.' De nuchtere toon waarop ze dat had gezegd had hem nog meer verontrust. 'Hoezo jouw schuld?' Ze had niet geantwoord. 'En dat soort gedachten helpen ook geen zier,' had hij haar op het hart gedrukt. 'Ik weet dat het moeilijk is, maar we zullen er gewoon vrede mee moeten zien te krijgen. En je hebt er niets aan om jezelf nu dingen te gaan verwijten.'

Ze was een hele tijd stil gebleven en begon toen stilletjes te huilen. De tranen drupten langs haar wangen in haar oren, en uiteindelijk had ze zich naar hem omgedraaid en in zijn armen liggen snikken, tot ze op een gegeven moment allebei alsnog doodmoe in slaap waren gevallen. De volgende ochtend was Sarah meteen gedecideerd allerlei scholen voor autistische kinderen gaan bellen en de woorden 'vonnis' en 'schuld' had ze nadien nooit meer in de mond genomen.

Ben parkeerde de Volkswagen Golf, die onder het stof zat, voor het hek van de school en dacht terug aan wat ze toen had gezegd. Hij draaide zich om naar Jacob, die een van zijn handen vlak voor zijn gezicht hield en van links naar rechts en weer terug bewoog, terwijl hij door zijn gespreide vingers naar buiten keek.

'We zijn er, Jacob. Doe je zelf je riem af of moet ik het doen?'

De hand haperde even maar Jacob ging al snel weer door, alsof hij hem niet gehoord had. Ben slikte zijn ergernis weg, stapte uit en opende het achterportier. Jacob keek hem door zijn vingers heen aan en bleef dat ook doen terwijl Ben zijn riem losmaakte. De jongen liet zich aan zijn andere hand mee naar school leiden en pas toen hij begon te kermen en aan Bens hand begon te trekken, had Ben door dat hij iets vergeten was.

'Oké, oké, sorry.' Ben liet zich naar de oude brievenbus voeren die laag in de muur van de school zat gemetseld. Hij wachtte tot Jacob op zijn tenen ging staan en beide handen in de gleuf had gestoken, eerst zijn rechter en toen zijn linker. Een van de allereerste keren dat Jacob hier naar school was gegaan, had hij iemand een brief zien posten en sindsdien stond hij erop dat ze elke ochtend voor hij naar binnen ging, ditzelfde riedeltje uitvoerden. Zo wilde hij na schooltijd altijd per se eerst langs de auto lopen en er met zijn linkerhand langs strijken, van achteren helemaal naar voren. Ben had door schade en schande geleerd dat je, hoeveel haast hij ook had, Jacob maar beter dat ritueeltje kon laten uitvoeren en niet moest proberen hem te onderbreken.

Zo te zien was Jacob nu tevreden, want hij pakte Bens hand weer en liep samen met hem naar de ingang van de school.

De Renishaw School stond op het terrein van een vroegere pastorie. Het gebouw zelf was allang gesloopt, maar de tuin was, afgezien van een klein stukje dat geasfalteerd was en als parkeerplaats diende, grotendeels intact gebleven. Achter het anderhalve meter hoge hek vormden de struiken, de bomen en het gras te midden van al het beton en steen eromheen bijna een oase van rust. Het gras was pas gemaaid en door de frisse geur die de benzinedampen van de drukke weg ernaast verdreef, moest Ben opeens aan zijn eigen jeugd denken. De nostalgie wist de barrière die hij had proberen op te trekken even te doorbreken en hij werd overspoeld door een intens gevoel van verlies. Alleen kon hij dat nu echt niet gebruiken en hij probeerde het gevoel dus ook snel van zich af te zetten terwijl hij samen met Jacob naar de prefabgebouwtjes liep waar het grote huis vroeger had gestaan.

Zij moesten naar het tweede gebouwtje, dat op het eerste gezicht een heel normaal klaslokaal leek, met allemaal kindertekeningen en kleurige posters met grote letters aan de wanden. De klas was alleen veel kleiner dan die op een normale school. Afgezien van Jacob waren er slechts acht andere kinderen en op twee na waren het ook allemaal jongetjes. Nog een ander verschil was dat het heel stil was. De kinderen speelden alleen met elkaar als de lerares hen daartoe aanmoedigde en waren eigenlijk het liefst op zichzelf. Ben had die stilte de eerste keren dat hij er kwam zelfs een beetje griezelig gevonden. Nu viel het hem amper nog op.

Mevrouw Wilkinson, Jacobs juf, stond naast een ander jongetje en wierp Ben zonder verder iets te zeggen een warme glimlach toe. Het jochie was midden in een of ander verhaal, maar in plaats van haar aan te kijken, hield hij zijn blik strak gericht op de wielen van het speelgoedautootje in zijn hand, die hij heel snel ronddraaide.

'Terence, heb je even? Jacob komt net binnen met zijn vader,' zei de vrouw terwijl ze naar hen toe kwam. Het jongetje liep doodleuk achter haar aan, zonder zijn verhaal te onderbreken, maar hij bleef naar de wieltjes van het speelgoedautootje kijken.

'Dag,' zei ze tegen Ben, terwijl het jongetje gewoon bleef doorratelen. Ze was in de veertig, aan de dikke kant en beschikte over een engelengeduld waar Ben jaloers op was, maar soms ook een beetje een schuldgevoel van kreeg. 'Terence, ga jij maar even samen met Jacob kijken wat Melissa daar aan het doen is.'

De lerares duwde de kinderen voorzichtig in de richting van het spelende meisje. Ben zette zich automatisch schrap, want hij wist wat er zou komen. 'Wat vreselijk van je vrouw. Gecondoleerd.' Hij kreeg bijna een brok in zijn keel toen hij de medelevende toon in haar stem hoorde.

Hij knikte en draaide zich al half om. 'Ja… Dank je. Zeg, ik heb een vriendin gevraagd of ze Jacob vanmiddag wil ophalen. En eh… ik heb nu eigenlijk ook een beetje haast.'

Hij veinsde een glimlach en was al halverwege de deur voor ze nog iets kon zeggen. Hij kon de begripvolle blik waarmee ze hem nu vast en zeker stond aan te kijken even niet hebben. Hij zag die blik tegenwoordig ook iets te vaak. En dat vond hij vreselijk.

Buiten scheen de zon nog steeds en hij snoof de geur van het pas gemaaide gras op terwijl hij door de vredige tuin liep. Hij had het gevoel alsof hij hier eigenlijk niet thuishoorde en hield zijn blik dan ook op de grond gericht toen hij terugliep naar de auto. Bij het hek aangekomen keek hij op en zag Sarah op hem af komen.

Alleen was het Sarah natuurlijk niet. Hij zag al snel dat hij zich vergiste en dat alleen het kapsel en de kleren van de vrouw iets van Sarah weg hadden. Toch voelde het alsof iemand hem zojuist in zijn maag had gestompt. De vrouw keek hem in het voorbijgaan een tikkeltje achterdochtig aan en hij realiseerde zich nu pas dat hij was blijven stilstaan en haar aangaapte. Hij liep snel door naar de auto en stapte in. Hij pakte het stuur vast en bonkte er een paar keer met zijn hoofd tegenaan.

'Jezus christus, Sarah! Waarom heb je dit gedaan?'

Hij liet zijn hoofd nog een tijdje tegen het stuur rusten, startte vervolgens de auto en reed weg.

De studio zat op de bovenste verdieping van een oude fabriek. Hij had de etage gehuurd toen de drie onderste nog in vervallen staat verkeerden, maar het hele pand was inmiddels gerenoveerd en tegenwoordig zaten er allemaal van die hippe ontwerpbureaus, marketingbedrijfjes en opnamestudio's. Ben betaalde veel minder dan zij, terwijl zijn ruimte minstens tweemaal zo groot was als de krappe bedrijfsunits op de lager gelegen etages.

Hij deed de deur open en zette het alarm uit. De witte muren weerkaatsten het felle zonlicht. Hij had destijds meteen drie grote dakramen laten aanbrengen, ter vervanging van de kozijnen die al goeddeels verrot waren. De op het oosten gelegen wand bestond bijna helemaal uit glas en 's middags viel het licht door de ramen aan de andere kant. Dat was dus ook een van de redenen dat hij voor deze plek had gekozen, omdat hij hier met bijna natuurlijk licht kon werken. Als hij nog meer licht had gewild, zou hij of naar buiten moeten of het hele dak eraf hebben moeten halen.

Het enige nadeel was dat het nu ook al snel aanvoelde als een broeikas. Ben zette de grote ventilator aan het plafond dan ook meteen aan en terwijl de wieken langzaam begonnen te draaien, net als die van een helikopter, liet hij ondertussen de rolluiken voor de ramen zakken. Het zonlicht werd meteen afgezwakt tot een omfloerste gloed.

Hij trok zijn schoenen en sokken uit en genoot van het lekkere gevoel van de gladde houten vloer onder zijn voetzolen. 's Zomers werkte hij het liefst blootsvoets, hoewel Sarah wanneer hij thuiskwam vaak klaagde over zijn vieze poten en erop stond dat hij ze waste voor hij in bed stapte. Maar op de een of andere manier gaf het hem een gevoel van vrijheid. Hij wist dat dat nergens op sloeg, dat hij net als elke andere kantoorslaaf financieel afhankelijk was van zijn werk en het zijn opdrachtgevers ook naar de zin moest maken. Maar door de houten planken onder zijn voetzolen voelde het alsof hij in directer contact stond met zijn omgeving, en hij kon rustig al werkend rondlopen zonder op te hoeven kijken van zijn camera, puur afgaand op de tast.

Hij was net bezig het grote reflectiescherm voor een klus later die dag op de juiste plaats neer te zetten, toen Zoe binnenkwam. Ze smeet haar linnen rugzak op een van de twee grote gecapitonneerde banken.

'Die klotemetro staakte verdomme alweer!'

'Jij ook goeiemorgen, Zoe.'

Ze waaide zich wat koelte toe door het strakke zwarte shirtje een eindje omhoog te trekken, waardoor er wat blote huid boven de band van haar witte spijkerbroek tevoorschijn piepte. 'Het spijt me echt dat ik te laat ben, maar verdomme, de bus heeft volgens mij wel een uur in de file gestaan voor ik erachter kwam dat ik dan net zo goed kon gaan lopen. En nu zweet ik dus als een otter! Mijn god, wat is er met je haar gebeurd?'

'O, ik wilde eens wat anders.'

Zoe boog haar hoofd opzij en nam hem op. Ze was begin twintig en slank, maar zonder dat hoekige dat fotomodellen vaak hebben. Ze had zelf heel kort zwart haar. Dat laatste kon echter zo veranderen, want nog geen week geleden was het blond geweest en daarvoor rood. Een tijdje terug had ze een keer iets te goedkope haarverf gekocht en toen was het groen geworden, waardoor ze dagenlang niet echt aanspreekbaar was geweest.

'Mwah, het staat je eigenlijk best goed.' Ze had haar oordeel geveld en ging meteen verder met haar eigen verhaal. Ben luisterde niet eens. Zoe was geen ochtendmens en in het afgelopen jaar was hij wel gewend geraakt aan de ochtendlijke tirades van zijn assistente. Dat was gewoon haar manier om zich voor te bereiden op een nieuwe dag.

Hij opende een lade en ging op zoek naar een schroevendraaier, terwijl zij door de studio stampvoette. 'O, dat is helemaal fijn, zeg! We hebben ook al geen melk meer!' Ze smeet de deur van de koelkast dicht. 'Hebben ze trouwens nog gebeld om te zeggen hoe laat die kleren er zijn? Hoe laat is het eigenlijk? Halfelf al? Shit, dan hadden die er allang moeten zijn! Verdomme, waar is dat nummer nou?'

De spraakwaterval, met hier en daar een welbespraakte vloek, was eigenlijk best rustgevend en na het verstikkende medeleven van andere mensen was het eigenlijk wel prettig om de schijn op te kunnen houden dat het een heel gewone dag was. Zoe had hem de eerste keer dat hij na Sarahs overlijden was gaan werken wat onhandig gecondoleerd en had vervolgens amper nog geluid durven maken, uit angst dat hij bij het minste of geringste zou instorten en onbedaarlijk zou gaan huilen. Ze had om de paar minuten angstig een blik zijn kant op geworpen, tot hij haar uiteindelijk had gevraagd of ze daar in godsnaam mee kon ophouden. Ze had hem geschokt en diep gekwetst aangekeken en Ben was bang geweest dat zíj nu misschien wel in huilen zou uitbarsten. *Niet doen, alsjeblieft. Dat trek ik niet.* Ze had een blos op haar wangen gekregen, waarna ze de stapel kleren die ze vasthad op de grond had gesmeten en had uitgeroepen: 'Sorry hoor, maar ik moet verdomme ook kunnen ademen, hè!'

Ze had daarna zo'n pesthumeur gehad dat ze vergat dat hij tot dat vreemde ras van de rouwende medemens behoorde en had hem dus ook volkomen normaal behandeld. En ondanks het gevoel dat hij op het randje balanceerde, had dat hem ertoe genoopt zijn zelfbeheersing niet te verliezen.

Ben luisterde nu maar met een half oor naar hoe Zoe tekeerging over de mensen die de kleding voor het fotomodel hadden moeten langsbrengen, schoof de lade dicht en richtte zich op de belichting.

Goddank heb ik in ieder geval dit nog, dacht hij bij zichzelf.

Het was al na zevenen toen hij voor de deur bij Tessa en Keith parkeerde. Ze woonden in een rustige straat in een mooie villawijk niet ver van Portobello Road. De imposante zwarte voordeur boven aan een zestal treetjes was onlangs nog geverfd. Ze woonden er sinds een jaar of drie en Ben vroeg zich onwillekeurig af hoelang het zou duren voor ze aan de volgende sport op de huizenladder toe waren. Gezien Keiths succes in het behartigen van de juridische rechten van popmuzikanten en Tessa's vermogen dat uit te venten, zou dat vast niet lang meer duren.

Ben drukte op de stroeve koperen bel en gaapte, maar niet omdat hij moe was. De shoot was goed gegaan, maar dat tevreden gevoel was in rook opgegaan zodra hij uit het universum trad dat slechts bestond uit hoeken, licht en schaduw, en de echte wereld weer onder ogen moest komen.

Scott deed de deur open en begroette hem met een amper zichtbaar kinbeweginkje, waarna hij zich uit de voeten maakte en hem zelf de honneurs verder liet waarnemen. Hij was pas negen maar hij was nu al een vreselijk pedant en irritant ventje, hoewel Ben het niet in zijn hoofd zou halen dat tegen zijn ouders te zeggen. Hij vermoedde dat Keith het wel doorhad, Tessa was echter blind voor alle eventuele tekortkomingen van haar kroost.

Moet je mij horen, alsof ik zelf geen problemen heb.

Hij liep over het hoogpolige tapijt in de hal en rook de boenwas van de antieke meubels. Hij ving gemompel van Keith op, die zo te horen ergens zat te bellen. Op dat moment kwam Tessa net uit een kamer aan het einde van de gang tevoorschijn. Ze zag er in haar bruine knielange jurk, die een witte kanten kraag had, zoals gewoonlijk uit alsof ze rechtstreeks uit een Laura Ashley-reclame uit de jaren tachtig stapte. Ze schrok zo te zien even van zijn nieuwe kapsel, maar koos er wijselijk voor er niets van te zeggen en bleef met een opgeplakte glimlach strak naar zijn gezicht kijken.

'We dachten al bijna dat je niet meer zou komen.' Ze klonk monter, maar Ben kende haar goed genoeg om te weten dat ze het vervelend vond dat hij zo laat was.

'Sorry. Het liep wat uit.'

'Ja, dat vermoedde ik al.'

Tessa had hem direct na Sarahs overlijden overladen met verzoeken of ze hem niet ergens mee kon helpen, maar blijkbaar zat daar ook een uiterste houdbaarheidsdatum aan. Waarschijnlijk zou hij binnenkort iets anders moeten regelen voor de dagen dat hij het te druk had om Jacob van school te halen. Hij hoopte dat de jongen snel zou wennen aan die noodgedwongen verandering in het vaste patroon en bedacht opeens pas dat hij zich daar over niet al te lange tijd misschien helemaal geen zorgen meer over hoefde te maken.

Maar wat hij daar zelf van vond, wist hij eigenlijk niet zo goed.

'Hij zit hier,' zei Tessa terwijl ze hem voorging naar wat ze 'de televisiekamer' noemde. Jacob zat voor een groot televisiescherm in kleermakerszit op de grond te kijken hoe Tom en Jerry elkaar de hersens insloegen. Scott zat naast zijn broertje, duidelijk een eindje van Jacob af.

'Hoi, Jake. Heb je een fijne dag gehad?' Ben deed zijn best om een beetje vrolijk te klinken. Jacob wierp hem kort een afwezige blik toe en glimlachte zowaar even, alvorens zich weer op de tekenfilm te richten. Ben had met hem te doen.

Op dat moment kwam Keith de kamer binnen, al omgekleed en wel in zijn 'thuiskloffie', dat wil zeggen: in een spijkerbroek en een t-shirt. Toch kon je nog steeds van een kilometer afstand zien dat hij advocaat was; op de een of andere manier stonden gewone kleren hem gewoon niet. 'Ha die Ben, heb je zin in een biertje?'

Ben wilde het aanbod net afslaan toen hij Keiths veelbetekenende blik zag en het discrete hoofdknikje in de richting van de deur. 'O... Ja, doe maar. Dat kan nog wel eventjes.'

Hij merkte dat Tessa het maar niks vond, maar volgde Keith niettemin naar de keuken. Zijn vriend keek even achterom om zeker te weten dat er geen kinderen bij waren en deed de deur daarna snel dicht.

'Ik heb de naam van een privédetective voor je.'

5

Ben kon zijn auto niet kwijt op het adres dat Keith hem had gegeven. De zijweg van Kilburn High Street was opengebroken en er was maar één smalle rijstrook. Het keiharde lawaai van de pneumatische drilboor dreunde na in zijn hoofd toen hij erlangs liep en elke decibel voelde aan als een straf voor het bier, de sigaretten en uiteindelijk de wodka die hij gisteren tot zich had genomen. De straat was een armoedige bedoening van afgeplakte winkelruiten en kleine zelfstandigen die het zo te zien niet hadden gered. Hij vertraagde zijn pas toen hij het juiste nummer naderde. Op de begane grond zat een wat schimmige tweedehandsjuwelier, maar getuige het rijtje deurbellen waren er nog meer bewoners in het pand. De felle zon voelde aan als een van zijn studiolampen en hij kneep zijn ogen tot spleetjes. Hij rilde terwijl hij een nieuwe golf van misselijkheid voelde opkomen en het zweet brak hem uit. Op straat rook het naar uitlaatgassen en allerlei vuiligheid en gruis van de wegwerkzaamheden, maar hij ademde niettemin diep in terwijl hij het trapje naar de deur op liep.

Naast het rijtje deurbellen zaten plastic strookjes met daarop de namen van de bewoners. Die van IQ INVESTIGATIONS zat vlak boven de bel van de juwelier. Ben hoopte maar dat dat betekende dat het op de eerste verdieping was, want hij had niet het idee dat hij meer dan één trap aankon. Hij drukte op de bel en wachtte. Na wat gekraak hoorde hij een vrouwenstem. 'Ja?'

'Ik heb een afspraak met meneer Quilley.' Hij wachtte op een antwoord. Na een paar seconden hoorde hij een zoemgeluid en de deur sprong van het slot. Ben duwde hem verder open en liep naar binnen.

In de gang hing een flikkerende tl-buis, die sowieso overbodig was omdat er zonlicht door het trapgat en de ramen achterin scheen, wat het gebonk in zijn hoofd geen goed deed. Hij zag stofnesten in de hoeken van de treden waar zeil op lag en de leuning voelde ook niet al te stevig aan. De overloop op de eerste verdieping was verre van groot en er was maar één deur. Iemand had met een sjabloon van witte letters QUILLEY INVESTIGATIONS op het glas aangebracht, blijkbaar voordat iemand anders op het briljante idee kwam het tot IQ af te korten. Ben tikte op de ruit en hoorde iemand 'binnen' roepen.

Het kantoortje was een soort donkere pijpenla. In een nisje aan de zijkant zag hij een meisje achter een bureau zitten, met een computerscherm en een oude fax, die zo te zien al geruime tijd waren afgeschreven. Ze keek zonder te glimlachen naar hem op.

'Dag,' zei Ben. Zijn hoofd bonkte nog steeds. 'Ik ben Ben Murray. Ik heb meneer Quilley gisteren gebeld en...'

Een deur waarvan Ben had aangenomen dat het een kastdeur was, werd opengedaan en een man stak zijn hoofd om de hoek. 'Kom maar binnen, meneer Murray.'

Het hoofd verdween. Het meisje ging door met typen. Ben liep naar het andere vertrek. De man bleek achter een oud onderwijzersbureau te zitten. Hij was in de vijftig en had zijn donkere haar strak achterovergekamd. Hij was niet kaal, maar had op zijn voorhoofd wel twee diepe inhammen en zijn haar glansde van de Brylcreem. Met een hand waar een half opgerookte sigaret in bungelde, gebaarde hij Ben naar de stoel tegenover hem en ging rustig door met schrijven.

Ben ging zitten en keek behoedzaam om zich heen. Het vertrek was kleiner en lichter dan het intrieste kamertje waar de secretaresse zat en had een groot schuifraam aan de straatkant. Dat was dicht, waardoor het geratel van de drilboor werd gedempt, maar wat helaas ook betekende dat de broodnodige frisse lucht ontbrak. Het rook er zurig en muf. Ben keek naar het sliertje rook dat opsteeg vanuit de peuk die tussen de geelbruin uitgeslagen vingers van de man zat geklemd en voelde weer een wat wee gevoel in zijn maag.

De detective was blijkbaar klaar, want hij zette een overdreven duidelijke punt op het schrijfblok en wendde zich vervolgens met een allervriendelijkste blik tot Ben. 'Sorry, hoor.' Hij had een zuidelijk Iers accent. Zijn tanden waren aan de kleine kant en hadden dezelfde morsige kleur als zijn vingers. Hij richtte zich half op vanuit zijn stoel en stak hem over het bureaublad heen de sigaretloze hand toe. Hij was langer dan Ben had verwacht en zijn forse lijf bestond zo te zien vooral uit zitvlees. Zijn handdruk was warm en klam. 'U vindt het toch niet erg als ik rook?' Hij zwaaide de sigaret even heen en weer, duidelijk niet van plan hem uit te maken.

'Nee, nee. Ga uw gang.'

Zijn vraag was inderdaad slechts als beleefdheid bedoeld want Quilley had nog voor Ben zijn zin had afgemaakt alweer een flinke trek genomen. Hij zoog zijn wangen naar binnen terwijl de gloeiende vuurkegel rap zijn vingertoppen naderde. Hij drukte de sigaret uit in een opvallend elegante glazen asbak, die al iets te vol zat, en liet de rook langs zijn neus en mond uitwaaieren.

'Zo, meneer Murray,' zei hij, 'wat kan ik voor u betekenen?'

Ben moest moeite doen om niet te blijven kijken naar de twee rookpluimpjes die uit de neusgaten van de man kwamen. 'Ik eh… Ik wil graag dat u iemand voor me opspoort.'

De detective pakte een blanco formulier uit een lade. Het zag eruit als iets wat hij zelf had getikt en vervolgens onder de kopieermachine had gelegd. 'En hoe heet die persoon?'

'Personen. Cole. John en Jeanette Cole.'

'Man en vrouw of broer en zus?'

'Ze zijn getrouwd. Althans, destijds was dat zo.'

'En hoe lang geleden is "destijds"?'

'Zes jaar.'

De detective bleef zonder op te kijken van het formulier doorschrijven. 'En hebt u misschien nog meer gegevens voor me?'

Ben vertelde hem alles wat hij uit de krantenknipsels had kunnen opmaken. Quilley onderbrak hem niet en stopte alleen even met schrijven om een nieuwe sigaret op te steken. Hij liet de lucifer in de asbak vallen en pakte de ballpoint weer op.

'En waarom wilt u dit echtpaar opsporen?'

'Waarom…?' Zijn stem haperde. Quilley keek op. Hij leek standaard een grijnslachje op zijn gezicht te hebben, alsof hij een binnenpretje had waar hij steeds weer even om moest lachen.

'Dat hoeft u me natuurlijk niet te vertellen, maar soms maakt dat mijn werk er wel een stuk gemakkelijker op. Ik hou er niet van om ergens bij betrokken te raken zonder dat ik weet wat de achterliggende reden is.'

Ben had zich uiteraard op die vraag voorbereid en had dus een smoesje paraat, maar hij had niettemin gehoopt dat de man er niet naar zou vragen. 'Ik ben een boek aan het schrijven, over de Golfoorlog. John Cole heeft daar gediend en ik wilde hem graag… Ik wil hem graag interviewen.'

Hij had besloten dat hij beter niets kon zeggen over het feit dat het echtpaar Cole ook een zoon had gehad. Hij was niet erg goed in liegen en wilde anderen liever niet op ideeën brengen over de ware reden van zijn verzoek. En als deze man ook maar een beetje verstand van zijn vak had, zou hij zelf op die ontvoering stuiten. Misschien dat hij Ben dan zelfs zou kunnen vertellen of de baby wel of niet was teruggevonden, zonder dat hij daar expliciet naar hoefde te vragen.

Quilley nam hem met zijn grijze ogen zorgvuldig op. 'Hebt u dan al contact opgenomen met Mindef?'

'Met wie?'

'Het ministerie van Defensie.'

'O… Nee. Daar ben ik nog niet aan toegekomen.'

Hij had de indruk dat de andere man hem nu al doorzag, maar de detective maakte alleen maar een aantekening op het formulier. 'En als ik de familie Cole eenmaal heb gevonden, wilt u dan dat ik contact met hen opneem?'

'Nee, alleen… Ik wil alleen graag weten waar ze wonen en wat ze tegenwoordig doen. Dat soort dingen, zeg maar.' Hij hoopte dat het als een doodgewoon verzoek klonk. 'Ik wil het eerste contact liever zelf leggen.'

Quilley nam nog een flinke trek van zijn sigaret en boog zich weer over het formulier. De rook kringelde door zijn haren omhoog naar het plafond. 'Wie gaat het uitgeven?'

'Pardon?'

'Uw boek.' De detective keek hem weer aan. 'Wie is uw uitgever? U zei net toch dat dat de reden is dat u de familie Cole wilt opsporen.'

'O ja. Ja, natuurlijk.' Ben probeerde verwoed iets te bedenken en hij was zich heel erg bewust van het feit dat de man hem zat aan te kijken. 'Dat weet ik alleen nog niet.'

Quilley knikte en er verscheen een flauw glimlachje om zijn mond.

'Daar is het eh… nog wat te vroeg voor,' ging Ben snel verder. *Hou je mond nou.*

De detective bleef hem aankijken, nog steeds met die grijs van hem, en vroeg uiteindelijk naar Bens contactgegevens. Daarna legde hij zijn pen neer. 'Nou, ik denk dat ik voorlopig zo wel genoeg heb. Ik kan niet precies inschatten hoe lang het gaat duren, maar ik denk dat ik eind van de week wel iets voor u heb. Wilt u verder nog iets van mij weten?'

'Nee, ik dacht het niet.' Ben wilde nu alleen maar zo snel mogelijk weg uit dit bedompte kantoortje. Helemaal omdat hij het gevoel had alsof de leugens op zijn voorhoofd stonden gegrift.

De detective haalde zijn wenkbrauwen op. 'U wilt niet eens weten hoeveel dit u gaat kosten?'

Ben voelde zich nu helemaal alsof hij met één-nul achterstond. Quilley vertelde hem zijn dagvergoeding, een bedrag dat hem als verbazingwekkend laag voorkwam. Hij stemde ermee in, duwde zijn stoel achteruit en wilde opstaan.

'O ja, nog één ding,' zei de ander, met zijn pen in de aanslag. 'Wat doet u eigenlijk voor werk?'

'Ik ben fotograaf.'

'O, werkelijk?' *Weer dat grijnslachje.* 'Goh, dat hoor je niet vaak. Een fotograaf die een boek schrijft.'

Wat een gluiperige eikel. Ben staarde koeltjes terug. 'O, maar er komen ook veel foto's in te staan.'

'Aha.'

'Wilt u soms referenties van me?'

Quilley grinnikte en keek hem volkomen stoïcijns aan. 'O nee,

nee. Helemaal niet. Ik vind het alleen fijn als ik ook wat weet over de persoon die me inhuurt.' Hij kwam achter zijn bureau vandaan en opende de deur voor hem. 'Laat u het verder maar aan mij over, meneer Murray. U hoort nog van me.' Hij schudde hem nog een keer de hand. Nu hij dichtbij stond, kon Ben de stank van de koffie en sigaretten nog beter ruiken. Toen hij de deur uit liep had hij door het gniffelende lachje van de detective geen idee wat de man op dat moment dacht.

'En succes met dat boek, hè.'

Door de zoeker van de camera leek de wereld altijd zoveel puurder en simpeler. Door de lens en het filter, de sluitertijd en de zoeker was alles anders en werd de werkelijkheid gereduceerd tot kleine behapbare brokjes, beheersbare flarden, onmetelijk kleine momenten in de tijd die er door het klikje van de sluiter werden uitgelicht. Ben vond het fijn de wereld op die manier buiten te kunnen sluiten en tot dat ene rechthoekige stukje licht te beperken, met niets dan een zwart kader eromheen. Dit kon hij tenminste manipuleren en zelf naar eigen inzicht vormen: voor, tijdens en zelfs nadat hij het beeld had weten te vangen.

Het was een geruststellende gedachte dat hij nog ergens controle over had.

Toen hij zich voor het eerst begon te interesseren voor fotografie, tijdens het tweede jaar van zijn opleiding, was het vooral de objectiviteit ervan die hem had aangetrokken. Hij had de camera gezien als een medium dat het oog verbond met het voorwerp ervoor, maar zonder het mogelijk vertroebelende filter van de perceptie van de kunstenaar zelf. Hij had aanvankelijk gemeend dat dat authentiekere en meer valide beelden opleverde dan je ooit met een kwast en een schildersdoek zou kunnen bewerkstelligen. Toen hij eenmaal op zoek ging naar commerciële klussen en die ook vond, praatte hij dat goed door te zeggen dat dat echt heel anders lag, dat het financieel noodzakelijk was en totaal losstond van de dingen die hij voor zichzelf probeerde te creëren.

Hij raakte pas gedesillusioneerd toen hij besefte dat hij voor beide zaken echter dezelfde technieken begon te gebruiken en dat hij niet meer probeerde het moment vast te leggen, maar het wilde verbeteren, zoals je dat ook bij het uiterlijk van een fotomodel kon doen. Hij was geschokt door zijn eigen verraad en toen hij eens goed keek naar alles wat hij tot dan toe had geproduceerd, kwam hij erachter dat het net zo subjectief was als welk schilderij ook. Wat hij als objectief had beschouwd, was niet meer of minder en gewoon een andere manier om dingen te manipuleren. Er was helemaal niets inherent waars of authentieks aan. Zijn foto's legden niets bloot, zoals hij in het begin wel had gehoopt, maar vertroebelden de werkelijkheid alleen maar op een iets subtielere manier.

Die ontdekking vervulde Ben met zoveel weerzin dat hij op het punt stond al zijn werk weg te gooien, maar uiteindelijk had hij dat maar niet gedaan. Hij had ook niet veel tijd gehad om stil te staan bij zijn eigen falen, want ironisch genoeg trokken de commerciële opdrachten juist op dat moment aan. Hij nam die, en het bijbehorende geld, dankbaar aan en probeerde het op cynische wijze goed te praten door tegen zichzelf te zeggen dat als zijn werk dan toch waardeloos was, het dan ook niet meer uitmaakte wat voor foto's hij maakte.

Soms stond hij echter opeens alsnog versteld van zichzelf.

Zo had hij een foto van Jacob waarvan hij, als hij daar nu naar keek, nog steeds dacht dat het hem bijna was gelukt. Het totale gebrek aan zelfbewustzijn maakte de jongen een ideaal model. Zolang Ben geen flits gebruikte en de sluiter niet al te veel geluid maakte, ging Jacob namelijk rustig door met wat hij aan het doen was en had hij niet eens door dat hij gefotografeerd werd. Hij had deze foto een paar weken voor die bewuste doktersafspraak gemaakt. Jacob had televisie zitten kijken terwijl hij zijn vingers vlak voor zijn ogen had gespreid en een stroboscoopeffect creëerde door zijn hand te bewegen. Jacob was dol op licht en beweging en hoewel Ben het pijn aan zijn ogen vond doen toen hij het zelf ook een keer had geprobeerd, leek Jacob er nooit genoeg van te krijgen.

Ben had al bijna een heel rolletje volgeschoten en met verschillende sluitertijden geëxperimenteerd om die bewegende vingers precies goed te krijgen. Het fijne aan foto's maken van Jacob was dat je nooit haast hoefde te maken. Hij stelde scherp, zoomde in en precies toen hij op het knopje drukte, keek Jacob hem opeens recht aan. Hij had zijn blik bijna meteen ook weer afgewend en was doorgegaan met televisiekijken, maar in dat ene moment dat hij had weten vast te leggen, had het jochie op een bijna verontrustende manier teruggestaard. Ben had het fototoestel laten zakken en voelde zich vreemd genoeg bijna betrapt.

Pas toen hij de foto's had ontwikkeld, wist hij dat hij inderdaad precies op het juiste moment had afgedrukt. Op vijfendertig van de in totaal zesendertig foto's keek Jacob niet in de camera, maar op die ene keek hij echt recht in de lens. De gouden spikkeltjes in zijn ogen waren achter de wazige handen op de voorgrond prachtig scherp en Ben voelde op dat moment weer diezelfde schok door zich heen gaan als toen hij de foto had gemaakt.

Jaren geleden had hij ook eens zo'n gevoel gehad, tijdens een afstudeerproject. Hij had een kroegeigenaar zo gek gekregen dat hij vanuit een donker achterkamertje stiekem foto's mocht maken van de clientèle. Hij was compleet opgegaan in het heimelijke, fascinerende gevoel dat hij rustig en ongestraft foto's kon maken van de nietsvermoedende klanten, tot een man zich op een avond opeens naar hem had omgedraaid en hem recht had aangekeken. Ben durfde zich niet te bewegen, maar de man draaide zich al snel weer om en had hem waarschijnlijk niet eens opgemerkt. Ben had het daarna voor gezien gehouden en was nooit meer teruggegaan. Omdat hij zich niet meer gerust voelde op de plek waar hij zich veilig had gewaand. Hij had zich kwetsbaar gevoeld. Betrapt.

En die ene foto van Jacob gaf hem datzelfde gevoel. Niet dat het een fijn gevoel was, maar daarom was de foto juist ook zo goed. Toen hij die later aan Sarah had laten zien, had ze er even naar gekeken en hem toen heel snel teruggegeven.

'Wat een afschuwelijke foto.'

Hij probeerde zijn teleurstelling te verbergen. Ze had snel een glimlach geveinsd, maar hij had ook iets donkers in haar blik gezien.

'Sorry, dat kwam er iets te cru uit. Ik bedoel, het is een heel goede foto, maar...' Ze had haar armen om haar middel geslagen.

'Hij ziet er gewoon zo… Zo anders uit, snap je wat ik bedoel? Zo kil. En dat hij zo door zijn vingers kijkt… Het is net alsof hij in een kooi zit.'

Ben zei maar niet dat dat nu juist de reden was dat hij zelf zo ingenomen was met de foto en dat die zo goed was juist omdat je in dat ene beeld zag in wat voor isolement het jochie leefde en hoe anders hij was. Hij had de foto weggestopt en Sarah er later eentje laten zien waarvan hij wist dat ze die wel mooi zou vinden, eentje waarop Jacob glimlachte. Hij had de andere foto echter wel gehouden en hoewel hij hem niet in de studio had opgehangen, omdat hij niet wilde dat Sarah hem zou zien en er overstuur van zou raken, had hij hem wel een ereplaatsje in zijn portfolio gegeven. Als hij terugdacht aan wat hij oorspronkelijk met zijn fotografie had beoogd, had hij dat met die foto het dichtst weten te benaderen.

De foto's die hij tegenwoordig maakte gaven hem bij lange na niet zo'n goed gevoel, maar dat wilde niet zeggen dat hij geen plezier had in zijn werk en hij was er ook echt goed in. In afwachting van het telefoontje van de detective stortte hij zich daar dan ook op en probeerde door vooral druk bezig te blijven alle andere gedachten uit zijn hoofd te bannen. Quilley had gezegd dat hij hem waarschijnlijk aan het eind van de week zou bellen en naarmate die dag dichterbij kwam, merkte Ben dat zijn spanning ook toenam, tot zijn zenuwen net zoals de snaren van een harp bij het minste of geringste al strakgespannen waren.

Die vrijdagochtend moest hij de deur uit om een mogelijke locatie voor een spijkerbroekenreclame te bekijken. Hij nam zijn mobieltje natuurlijk mee, maar de detective belde niet. Het was al halverwege de middag voor hij weer in de studio terugkwam. De radio stond keihard en het rode waarschuwingslampje van de doka brandde. Als hij er niet was, had Zoe meestal niet al te veel te doen, maar ze maakte zelf ook foto's en ontwikkelde en drukte die graag af. Ze was twee jaar geleden afgestudeerd en had ongeveer hetzelfde pad gevolgd als Ben destijds. Ze beschouwde dit assistentenbaantje als een soort stage en hij wist dat ze hem als een rolmodel zag. Soms voelde hij zich daardoor best een beetje gevleid, op andere momenten vond hij het vooral een deprimerende gedachte.

Ze kwam naar buiten toen hij net de stapel post stond door te nemen. 'Sorry, ik had je echt niet gehoord.' Ze liep naar het koffieapparaat. 'Je had wel even op de deur mogen kloppen, hoor. Dan was ik eerder naar buiten gekomen.' Zoe voelde zich vaak een beetje schuldig dat ze zijn doka gebruikte, hoewel hij al diverse keren had gezegd dat hij het helemaal niet erg vond.

'O, maar ik ben net binnen.' Hij schudde zijn hoofd toen ze een mok naar hem ophield. Ze schonk voor zichzelf een koffie in en ging op de leuning van de bank zitten. Ze droeg een zwarte spijkerbroek en een geel giletje, dat zich om haar pronte borsten spande. Door haar zwarte haar moest hij onwillekeurig aan een bij denken toen ze hem van over de rand van de dampende mok aankeek.

'Gaat het? Je ziet er nogal afgepeigerd uit.'

'Ja, hoor. Ik ben gewoon een beetje moe.' Hij stak de twee cheques die bij de post zaten in zijn zak en bladerde snel door de andere enveloppen. 'Heeft er nog iemand gebeld?'

'Ja, de fotoredacteur van *Esquire* vroeg of je hem terug wilde bellen, maar hij zei niet waarover. En je moet Helen even bellen over die shoot van volgende week. O ja en er was nog iemand, maar die wilde zijn naam niet geven. Iemand met een Iers accent, dacht ik.'

Ben wilde net een envelop openscheuren en liet die nu als vanzelf zakken. 'En hij zei verder ook niet waarover het ging?'

'Nee, hij vroeg alleen of "de heer Murray" hier ook werkte.' Ze keek hem een tikkeltje schuldbewust aan en alleen al door de gedachte dat ze misschien iets fout had gedaan, brokkelde haar harde pantser even af. 'Hoezo? Denk je dat het belangrijk was?'

'Nee, nee, nee. Vast niet.' Hij had de detective zijn vaste en mobiele nummer gegeven, dus het kon onmogelijk Quilley zijn... Ben merkte dat hij op zijn onderlip stond te bijten. Hij gooide de rest van de ongeopende post op de versleten houten tafel naast het aanrecht en zei: 'Goh, ik zie net dat ik Jacob nodig van school moet halen.'

Hij belde de detective zodra hij in de auto zat. Het nummer was in gesprek. Hij probeerde het nog een paar keer en wierp de telefoon uiteindelijk geïrriteerd op de passagiersstoel. *Ik lijk wel paranoïde. Als die man me iets te vertellen had, had hij me echt wel gebeld.*

Tenzij hij natuurlijk iets heeft ingesproken op het antwoordapparaat thuis...

Ben was er plotseling vast van overtuigd dat Quilley dat inderdaad had gedaan en vervloekte zichzelf dat hij zo'n ouderwets ding had dat je niet vanaf een ander toestel kon afluisteren. Toen hij optrok en de weg op reed, wist een koerier op een brommer hem maar net te ontwijken. De jongen stak zijn middelvinger tegen hem op. 'Krijg zelf de klere!' riep Ben terug.

Elke keer dat hij moest afremmen of stilstond vanwege het drukke verkeer, kreeg hij het zowat op zijn heupen en hij had nu al spijt dat hij Tessa had gezegd dat hij vrij had en Jacob die middag zelf wel kon ophalen. Tegen de tijd dat hij voor de school parkeerde had hij dan ook een ontzettend pesthumeur. Hij groette juf Wilkinson kortaf en ging er, zonder dat het al te onbeleefd was, zo snel mogelijk weer vandoor en sleurde Jacob half mee naar de auto. Hij vergat vervolgens om hem met zijn hand langs de zijkant te laten gaan en moest het portier dus eerst weer dichtdoen en daarop wachten.

Toen hij eindelijk kon instappen, keek hij de jongen amper aan toen hij de veiligheidsriem vastklikte.

Gelukkig kon hij thuis voor de verandering eens vlak voor de deur parkeren. Hij liep binnen linea recta door naar het antwoordapparaat in de hal, dat op een oud kersenhouten kastje stond. Het lampje knipperde. Hij drukte op PLAY.

Het was Tessa, of hij zin had om zondag te komen lunchen.

Hij luisterde naar het terugspoelen van het bandje en griste de hoorn op. *Ze kunnen allemaal de pot op.* Hij toetste het nummer van de detective in en kon de spanning die door zijn lijf gierde bijna proeven: een zure, metalige smaak die hem aan bloed deed denken. De telefoon ging vier keer over en schakelde toen over naar het antwoordapparaat. Ben keek stomverbaasd op zijn horloge. Het was even na vijven. Hij wachtte in de hoop dat iemand de telefoon alsnog zou opnemen, maar dat gebeurde niet.

Hij smeet de hoorn op de haak. 'Ja, hoor! Dat heb ik dus weer.' Hij beukte met zijn vuist tegen de muur. 'Vijf over vijf en ze zijn al naar huis! Tuurlijk, joh! Shit, shit, shit! Helemaal geweldig!'

Hij beukte nog een keer tegen de muur aan, ditmaal wat harder, en schopte vervolgens tegen de deur ernaast, die met een harde klap dichtviel. Ben draaide zich om, op zoek naar een ander object om zijn frustratie op te kunnen botvieren en zag dat Jacob nog op exact dezelfde plek stond als waar hij zijn hand net had losgelaten.

Het jongetje stond heen en weer te wiegen, met zijn handen tegen zijn oren gedrukt. *O nee, ook dat nog.* 'Rustig maar, Jacob. Het is al goed. Ik doe alleen maar een beetje gek.'

'Geen lawaai! Geen lawaai!'

Ben streek over de stekeltjes op zijn eigen hoofd. Het raspende geluidje verbaasde hem nog steeds. 'Oké, oké, geen lawaai. Ik ben al gestopt.'

'Geen lawaai!'

'Ik zei toch al oké!?'

Hij schreeuwde blijkbaar zo hard dat hij een pijnscheut in zijn borstkas voelde. Hij zag nu pas dat hij zijn vuisten had gebald en dwong zich wat te ontspannen. Jacob zei niets, maar het op en neer wiegen was verergerd. Hij had zijn hoofd gebogen, maar Ben zag hoe getroebleerd zijn blik was.

Zijn boosheid verdween op slag. 'O, tjeezus… Het spijt me, Jacob.' Hij ging op zijn knieën voor hem op de grond zitten. 'Rustig maar, het is al goed, niet bang zijn.'

Jacob schudde heel hard met zijn hoofd. 'Niet jij,' jammerde hij. 'Niet jij, niet jij, niet jij.'

Ben stak zijn hand uit, maar Jacob duwde hem weg. 'Mama, mama.'

O nee… 'Mama kan nu niet komen, Jacob. Mama is er niet.'

'Mama. Mama!' Hij stond inmiddels luid te snikken en Ben wist dat dat niet goed was, omdat het jochie niet begreep wat tranen waren en daar vaak vooral bang van werd. Ben merkte dat hij zelf ook op het randje balanceerde. Ondanks het tegenstribbelen klemde hij het frêle lijfje dicht tegen zich aan en hij liet zijn eigen tranen ook de vrije loop. Jacobs shirt was aan de achterkant al helemaal nat. Hij drukte zijn ogen stijf dicht en probeerde zich in te houden. 'Het komt goed, het komt goed, het komt goed, het komt goed,' dreunde hij als een mantra op, hoewel hij wist dat hij dat helemaal niet kon beloven, maar hij bleef het herhalen, tot hij voelde dat het jochie zijn verzet staakte.

Hij bleef hem nog even vasthouden, veegde zijn tranen weg en leunde op zijn hurken achterover. Jacobs gezicht was vuurrood en zijn lange wimpers glinsterden van de tranen. Hij had zijn kin nog steeds tegen zijn borst gedrukt, maar Ben wist dat het ergste achter de rug was. Hij streek met zijn vinger over de wangen van het jochie en probeerde de natte sporen weg te vegen.

'Goed zo. Dat is al beter, hè. Zie je nou wel?'

Jacob keek naar hem op. Hij stak zijn hand uit en raakte eerst Bens en vervolgens zijn eigen wang voorzichtig aan. Hij keek naar zijn vingers. 'Nat.'

Ben lachte, hoewel hij zijn mondhoeken nog niet helemaal onder controle had. 'Ja, dat klopt. We zijn allebei nat.' Hij tilde Jacob en stond op. 'Kom maar mee, dan gaan we samen een kop thee zetten.'

Ben had de rest van het weekend het gevoel alsof hij in een soort luchtbel van rust was beland. Het was vergelijkbaar met de uitputting die je na een ernstige koortsaanval kunt voelen, een wat breekbaar maar tegelijkertijd vredig gevoel. Dat hij niets van de detective had gehoord, knaagde niet langer aan hem. Niet dat hij valse hoop koesterde, maar opeens wist hij gewoon dat hij op een later moment voldoende tijd zou hebben om de gevolgen ervan onder ogen te zien. Het weekeinde leek een soort eilandje in de tijd te zijn en hij liet de luwte dankbaar over zich heen komen, temeer omdat hij wist dat het slechts een kort respijt was.

De pijn door het verlies van Sarah was nog heel erg aanwezig, maar die werd niet meer vertroebeld door gevoelens van boosheid en wrok. En pas toen hij dat niet meer voelde, realiseerde hij zich dat hij daar überhaupt last van had gehad. Hoewel het verdriet nog net zo schrijnend was, had hij dat honderd keer liever dan die gekmakende, verwarrende woede waardoor hij alles wat Sarah en hij hadden gehad ook even helemaal leek te zijn vergeten. Wat ze ook had gedaan, hij hield nog steeds van haar en miste haar en het was een opluchting dat hij dat nu weer kon voelen.

Op zaterdag ging hij samen met Jacob naar het zwembad. Het was altijd lastig te voorspellen waar het jochie lol in had en wat hem onverschillig liet, of erger, waar hij niets mee kon en juist overstuur van raakte. Zwemmen was verrassend genoeg echter vanaf het begin al een doorslaand succes geweest. Sarah was aanvankelijk bang geweest dat hij het hele concept niet zou snappen en dat hij onder water zou proberen te ademen of op de een of andere bizarre manier bijna zou verdrinken, maar die vrees bleek ongegrond. Jacob poedelde net zo lief als elk ander kind van zijn leeftijd rond in het water en hoewel hij niet kon zwemmen, kon hem met die zwembandjes om ook niets gebeuren. In zijn zwembroekje zag hij er graatmager uit en Ben voelde de acute behoefte hem te beschermen. 'Hij is net zozeer van mij als van Sarah,' dacht hij bij zichzelf, en vervolgens: 'We zijn een gezin. We hebben alleen elkaar nog.'

Maar dat waren sombere gedachten die hoorden bij de week die zou komen, niet bij het heden. Ben zette die gedachten snel van zich af en nam Jacob mee naar de minst enge glijbaan, waarvoor hij met een stralende glimlach werd beloond. En toen diende het volgende probleem zich al snel aan: Jacob zien te overtuigen dat ze moesten ophouden vóór hun benen en achterwerken beurs waren en zowat aan flarden geschaafd.

Ze lunchten op een terras bij een cafeetje en terwijl Jacob voorzichtig zijn papieren servetje in reepjes scheurde, bedacht Ben dat de jongen door zijn autisme in ieder geval niet gevoelig was voor de aantrekkingskracht van McDonald's. Alles heeft een zonzijde, bedacht hij wrang.

Nog voor ze thuis waren zat Jacob al te gapen. Ben wist dat hij vroeg naar bed zou willen, maar toen het baddertijd was weigerde Jacob erin te gaan. 'Oranje. Oranje!' bleef hij maar herhalen, maar weigerde het sinaasappelsap en het fruit dat Ben hem gaf resoluut. Ben snapte er niets van, tot hij eindelijk het verband legde met het water. En zo stapte Jacob even later dolblij met zijn feloranje zwembandjes in bad en liet zich braaf wassen.

Ben had met angst en beven uitgekeken naar weer een zaterdagavond in zijn eentje, met niets behalve de keiharde waarheid dat Sarah er niet meer was om die met hem door te brengen. De buffer van rust die hem de hele dag al had gesterkt, liet hem nu gelukkig ook niet in de steek. Hij voelde zich natuurlijk wel terneergeslagen en verdrietig, maar de uren gingen best snel voorbij en de wijn en een paar sigaretten hielpen ook, tot hij merkte dat het al heel laat was en hij op de bank bij een horrorfilm zat te knikkebollen en zichzelf naar boven dwong te gaan.

Tessa was nogal gepikeerd geweest toen hij haar aanbod om te komen lunchen had afgeslagen, maar hij wilde Jacob die zondag per se meenemen naar de rivier in de buurt van Henley. Dat was een van Sarahs favoriete picknickplekjes geweest en hij vroeg zich even af of hij er inderdaad goed aan deed daarnaartoe te gaan. Maar uiteindelijk besloot hij gehoor te geven aan wat zijn hart hem ingaf.

En zo liepen ze samen langs de rivier, met Jacobs warme handje in de zijne. Het jochie neuriede toonloos voor zich uit, wat betekende dat hij het naar zijn zin had. Hij hield op toen ze bij het bekende plekje kwamen, waar de takken van een paar wilgen half over de rivier hingen. Zijn ogen stonden groot en ernstig toen hij een blik wierp op de twee stellen die er al zaten. Ben merkte dat het hem naar de keel greep toen Jacob zich omdraaide en naar het pad achter hen keek, alsof hij stiekem hoopte, of verwachtte, dat er nog iemand zou komen.

Ik had hem hier niet mee naartoe moeten nemen.

Maar de jongen bleef niet lang stil en tegen de tijd dat Ben het picknickkleed op de grond had uitgespreid, zat Jacob alweer zachtjes voor zich uit te hummen, terwijl hij de zaadjes van een paar hoge grassprieten keurig op een rijtje op zijn blote been rangschikte. Ben had hardgekookte eieren en boterhammen met ham en tomaat gemaakt die hij in smalle reepjes had gesneden, precies zoals Jacob het graag wilde. Nadat ze hadden gegeten pakte hij een voetbal, maar daar bleek Jacob geen zin in te hebben. Soms wilde hij wel met de bal spelen, soms niet en daar viel geen peil op te trekken. Nu had hij bijvoorbeeld meer belangstelling voor de golfjes die zijn hand in het langzaam stromende water maakte. Ben zag dat hij zijn hoofd opzijboog om de lichtschittering op te vangen en haalde snel zijn Nikon uit de tas.

Nu vast zo veel mogelijk herinneringen verzamelen. De gedachte kwam vanzelf in hem op. Hij liet de camera zakken en voelde hoe het precaire evenwicht dat hij het hele weekend had weten vol te houden langzaam maar zeker in duigen viel. Zijn plotselinge beweging had Jacobs aandacht getrokken en hij rolde met een glimlach op zijn rug, maar bleef ondertussen door zijn gespreide vingers omhoogkijken. Ben beantwoordde zijn glimlach en was alsnog blij dat ze hiernaartoe waren gegaan.

Ze bleven zitten tot het te koud werd en de andere mensen al hun boeltje hadden gepakt. Jacob was in slaap gevallen en Ben moest hem wakker maken toen het tijd was om op te stappen. Thuis, toen Jacob eenmaal schoon en wel in bed lag, pakte Ben een stoel en zette die in de kleine achtertuin om de zon langzaam achter de grote plataan achter in de tuin te zien ondergaan.

Als ik dit kan vasthouden, red ik het wel, dacht hij bij zichzelf. Het zal echt niet altijd even leuk zijn, maar dit trek ik wel.

Alleen wist hij tegelijk ook donders goed dat hij zich nu zo voelde omdat het weekend was en dat het geen lang leven beschoren was. Toen hij de volgende ochtend wakker werd lag de zwaarmoedigheid inderdaad al op de loer, als een vieze spijkerbroek die je zo weer aan kunt trekken. Hij probeerde het serene gevoel van de dag ervoor weer op te roepen, maar het was even snel vervlogen als de zomervakantie voor een kind.

Hij bracht Jacob naar school en ging naar zijn werk. En om elf uur belde Quilley dat hij de familie Cole had gevonden.

6

Het meisje zag er net zo moe uit als de vorige keer en haar begroeting was er ook niet vriendelijker op geworden. 'Loop maar door, hoor.'

Hij klopte op de deur van het kantoortje en hoorde Quilley 'binnen' roepen.

De man zat weer achter zijn bureau en het kantoor stonk nog steeds naar muffe sigaretten. Gelukkig hield de drilboor buiten op straat zich ditmaal stil. Quilley gebaarde hem weer dat hij kon gaan zitten, zonder op te kijken van het papier waar hij iets op noteerde. 'Neem plaats, meneer Murray. Ik ben zo klaar.'

Ben ging zitten en staarde naar het hoofd van de detective terwijl hij zich afvroeg of hij ditzelfde riedeltje bij elke cliënt opvoerde. Zonder dat hij precies begreep waarom kreeg hij opeens een vreselijke hekel aan de man die daar tegenover hem zat.

Quilley legde zijn pen neer. 'Oké...' Hij leunde achterover. 'En? Hoe gaat het met u?'

'Prima.' *Zeg het nou maar gewoon, man.*

'Het was wat lastiger dan ik had verwacht om het echtpaar Cole op te sporen. Het vergde... Tja, hoe zal ik dat nou zeggen... wat meer graafwerk dan ik had gedacht.'

Zijn glimlach was zo vlak als maar kon.

Hij klapte een kartonnen dossiermap open. 'Goed, 's even kijken. John Cole. Hij woont momenteel met zijn echtgenote in Tunford, een klein plaatsje halverwege Northampton en Bedford. Hij komt oorspronkelijk ook uit die streek. Ik weet niet of u dat weet, maar hij heeft als klein jochie in een weeshuis gezeten. Nadat hij vier jaar geleden is afgezwaaid, is hij weer in Tunford gaan wonen. Hij heeft eervol ontslag gekregen, nadat hij gewond was geraakt bij een grensincident in Noord-Ierland. Een schot in zijn been. Dat is na de dood van zijn eerste vrouw gebeurd, dus misschien...'

'Zijn eerste vrouw is dood?'

'Ja, sorry, had ik dat dan nog niet verteld? Ja, dan heb ik het dus over Jeanette, maar dat wist u al. Ze is zes jaar geleden omgekomen bij een verkeersongeluk. Echt heel tragisch.'

Zes jaar geleden. Ben besefte de lading daarvan maar al te goed. Quilley zat hem weer met dat grijnslachje van hem op te nemen. 'Gaat het, meneer Murray? U ziet opeens zo bleek.'

'Ja, ja. Ga door.'

'Oké, waar was ik gebleven? O ja. John Cole is zo'n beetje in dezelfde tijd dat hij naar Tunford verhuisde hertrouwd. Zijn tweede vrouw heet Sandra. Hij heeft haar in Aldershot leren kennen, nadat hij gewond was geraakt en vlak voor zijn ontslag.' De detective kreeg een bedenkelijke blik op zijn gezicht. 'Eerlijk gezegd – en ik hoop dat u hier geen aanstoot aan neemt, maar ze is niet direct... Tja, hoe zal ik het zeggen, geen lot uit de loterij, meneer Murray. Ze werkt in de plaatselijke kroeg. Cole werkt zelf op een autokerkhof in een dorp verderop. Van wat ik zo heb opgevangen, mag iedereen hem graag. Je zou hem zelfs de plaatselijke held kunnen noemen. U kent het wel: de jongen uit de buurt die gaat vechten voor zijn land, zijn vrouw overlijdt en hij komt gewond en wel terug. Vreselijk, toch?'

Hij keek Ben even aan, alsof hij een reactie van zijn kant verwachtte. Ben bedacht dat dit het moment was voor de vraag die hij eigenlijk niet wilde stellen.

'Hebben ze ook kinderen?'

Hij meende een verandering in Quilleys houding te bespeuren, bijna alsof hij zich op die vraag had verheugd. 'Nee, en dat is ook een deel van de tragiek van dit hele verhaal. Cole had een kind met zijn eerste vrouw, een klein jongetje, maar naar het schijnt is dat kind kort na de geboorte uit het ziekenhuis verdwenen. Jeanette Cole zat destijds tijdelijk bij haar ouders in Londen en ze hebben nooit weten te achterhalen wat er nou precies met de baby is gebeurd.' Hij schudde zijn hoofd en zuchtte. 'Je zou je bijna gaan afvragen of alles wat er daarna is gebeurd daarmee te maken heeft. Dan bedoel ik dus haar dood, dat hij gewond raakte... Bijna alsof alles voor hem daarna alleen nog maar bergafwaarts kon gaan.' Hij had nog steeds een glimlach op zijn gezicht, maar zijn blik was nu ronduit argwanend. 'Maar ja, het spreekwoord luidt ook niet voor niets dat al het slechte altijd in drieën komt, hè?'

Ben probeerde zichzelf wijs te maken dat hij het zich inbeeldde, dat de detective zich helemaal niet raar gedroeg en vroeg snel: 'Hebben ze op de een of andere manier gemerkt dat u inlichtingen over hen inwon?'

'Nee, maakt u zich daar maar geen zorgen over. Dan zou ik ook niet goed zijn in mijn werk, hè, als mensen doorhadden dat ik hun gangen naging.'

Bens verlangen om zo snel mogelijk de benen te nemen, werd steeds sterker. 'En dat is het?' Hij merkte dat hij heel erg hoopte dat het antwoord 'ja' zou zijn.

'Dit is lijkt me wel zo ongeveer wat u wilde weten, toch?'

Ben merkte dat hij als vanzelf knikte. 'Hoeveel krijgt u van me?'

Hij kon de glimlach van de detective met geen mogelijkheid nog onverschillig noemen toen hij achteroverleunde in zijn stoel en zijn handen op zijn buik legde. 'Tja, ik vrees eerlijk gezegd dat dat nogal een teer punt is.'

Ben had zijn hand al halverwege zijn zak voor zijn chequeboekje. 'Sorry, maar hoe bedoelt u dat precies? We hadden toch al een tarief afgesproken?'

'Ja, ja, dat klopt. Maar dat was voordat ik... Tja, hoe zal ik dat nou zeggen? Voor ik op de hoogte was van de precieze aard van uw verzoek.' Hij knikte alsof hij wel ingenomen was met zijn eigen woordkeus. 'Weet u, meneer Murray, de reden dat ik zo goed ben in mijn werk heeft te maken met het feit dat ik een groot voorstander ben van grondigheid en volledigheid. Ik hou er niet van om dingen half te doen, begrijpt u wel? En als ik dan op iets stuit wat ik niet helemaal snap... Nou, dan ga ik dus door tot ik de onderste steen boven heb, als u begrijpt wat ik bedoel. Hoe gaat het trouwens met uw boek?'

Het voelde alsof de muren van het kantoor op Ben af kwamen. 'Prima.'

'Mooi, mooi. Want ik zat dus te denken dat het best opvallend is dat een schrijver – of een fotograaf, zoals u – een privédetective inhuurt om iemand op te sporen die hij alleen maar wil interviewen voor een boek. En dan heb ik het nog niet eens over de kosten die daaraan verbonden zijn. Dus iemand die zoiets doet, wil diegene dan dus blijkbaar wel erg graag interviewen. Want anders...' Zijn glimlach werd zo mogelijk nog breder. 'Tja, want anders heeft die persoon daar blijkbaar zo zijn redenen voor, hè. Nu zou u kunnen zeggen dat die redenen mij natuurlijk helemaal niet aangaan en misschien is dat ook wel zo. Maar zoals ik u tijdens onze vorige afspraak al heb verteld, vind ik het ook fijn om het een en ander te weten over degene die mij inhuurt. En dus heb ik de vrijheid genomen om, laten we zeggen, wat extracurriculair onderzoek uit te voeren.'

Ben moest opeens denken aan het telefoontje naar de studio. De detective was zijn gangen dus ook nagegaan. *O, nee hè. Wat heb ik gedaan?*

'Ik wil u bij dezen dan ook graag alsnog condoleren met de dood van uw vrouw.' Quilley schudde langzaam zijn hoofd. 'Vreselijk als dat op zo'n jonge leeftijd gebeurt. Heel treurig. En u staat er nu dus alleen voor, met de zorg voor een klein kind. Een gehandicapt jongetje nog wel. Dat zal niet gemakkelijk zijn. Vooral niet als hij, sorry dat ik het zo plompverloren zeg, maar vooral niet als het niet uw eigen kind is.'

'Hoe bedoelt u?'

'Ik doel uiteraard op het feit dat het uw stiefzoon is, wat zou ik anders kunnen bedoelen?'

Ben voelde de scherpe rand van de stoelzitting in zijn handen snijden. 'Als u me nog iets wilt zeggen, zeg het dan maar gewoon, hoor.'

'U hoeft niet in de verdediging te schieten, meneer Murray. Ik geef louter commentaar op de feiten. En ik weet zeker dat wanneer u meneer Cole uiteindelijk voor uw boek interviewt, het u zal helpen te weten dat jullie zoveel gemeen hebben. Een buitengewoon onwaarschijnlijke samenloop van omstandigheden... Zijn eerste vrouw is eveneens op jonge leeftijd gestorven en u hebt allebei ook een zoon – nou ja, in uw geval een stiefzoon – die nota bene bijna op exact dezelfde dag geboren zijn. Alleen weet meneer Cole dus helaas niet waar zijn zoon is.'

Ben wist niet zeker welke behoefte sterker was, die om ervandoor te gaan of de man tegen de vlakte te slaan. 'Ik snap werkelijk niet waarom dat ertoe doet. Of waarom u daar iets mee te maken zou hebben.'

De detective grinnikte alsof Ben een grapje had gemaakt. 'Ik hoor heel goed wat u zegt, meneer Murray. Natuurlijk heb ik daar ook niets mee te maken. Helemaal niets, nee. En het spijt me echt als ik een teer punt heb geraakt. U bent ongetwijfeld dol op de jongen. En na al die tijd beschouwt u hem vast en zeker zelfs gewoon als uw eigen zoon.'

Ben merkte dat zijn coördinatie niet helemaal je dat was toen hij zijn chequeboekje alsnog pakte. 'Ik heb u net gevraagd hoeveel u van me krijgt.'

'Ja, ja, dat hebt u inderdaad gedaan. En zoals ik al zei, ligt dat dus wat lastig. Kijk, we hebben hier in feite met twee verschillende kwesties te maken. Aan de ene kant met de vergoeding voor mijn tijd en de door mij gemaakte onkosten: dat is allemaal vrij rechttoe rechtaan. Maar dan zitten we ook nog met die kwestie van... Tja, hoe zal ik het zeggen? De waarde van die informatie. En ik denk dat u zelf wel begrijpt dat dat een stuk lastiger te kwantificeren is. Wat voor de een een bepaalde waarde heeft, kan voor een ander nog veel waardevoller zijn, hè. Tja, en hoe beoordeel je zoiets dan...' Zijn glimlach was buitengewoon inschikkelijk. 'Ik weet zeker dat u ook begrijpt hoe netelig zo'n kwestie kan zijn.'

De pen in Bens hand voelde zwaar aan toen hij een cheque uitschreef. 'Ik ga uit van zes dagen werk. Ik zal u het voordeel van de twijfel geven en zaterdag ook meerekenen, tegen dezelfde dagvergoeding. En dan nog eens vijftig pond voor uw onkosten.' Hij scheurde de cheque los en liet hem op het bureau vallen. Hij stond op. 'Het rapport neem ik uiteraard graag mee naar huis.'

Quilleys glimlach was iets minder hartelijk geworden, maar hij had nog steeds een aimabele blik op zijn gezicht toen hij hem de kartonnen dossiermap overhandigde. 'Zoals u wilt, meneer Murray. Zoals u wilt.'

Het begon erop te lijken dat de bodem van Tessa's welwillendheid nu toch in zicht kwam. Ze stond met een wat vage glimlach lasagne op te scheppen. Ben zat naast Jacob, tegenover Scott en Andrew, die zaten te fluisteren en af en toe grinnikend hun kant op keken. Keith was nog steeds niet thuis. Hij had gebeld dat het laat zou worden en Tessa had na het telefoontje iedereen meteen naar de eettafel gedirigeerd.

'Hij zei dat het echt niet anders kon, dus dat moet dan maar, hè? Nou ja, zo erg is het nou ook weer niet. We kunnen best zonder hem eten, hè? En als zijn eten straks aangebrand is tegen de tijd dat hij thuiskomt, tja... dat is dan jammer voor hem. Als dit hem niet zint, kan hij altijd zijn intrek nemen in een ander hotel.'

Ben zweeg. Was hij nou maar niet op Keiths uitnodiging ingegaan. Hij had hem op zijn werk gebeld zodra hij bij het kantoor van de detective was weggereden. Zijn secretaresse had gezegd dat Keith in een vergadering zat, maar Ben had erop gestaan dat het dringend was.

Keith had naar zijn tirade geluisterd en alleen maar gevloekt en sorry gezegd, maar dat hij op dat moment echt niet weg kon. Hij kon zelfs niet lang praten, want zijn werkkamer zat vol met platenbonzen en nijdige bandleden en als hij niet snel terugging, zouden ze de boel misschien wel kort en klein slaan. 'Kom anders vanavond bij ons eten. Dan kunnen we het er dan over hebben.'

Maar toen Ben en Jacob aanbelden, zag hij meteen dat Tessa er niets van wist. Ze stond als een soort martelares met een tandpastareclame-glimlach het eten op te scheppen. 'Ik hoop maar dat het genoeg is. Het zou natuurlijk wel zo fijn zijn geweest als Keith me even had verteld dat we gasten hadden, maar dat is misschien te veel gevraagd, hè? Want daar ben ik toch immers voor? Ik heb de hele dag niets beters te doen dan een beetje thuiszitten, terwijl hij die bands fêteert.'

Omdat het gros van Keiths cliënten muzikant was, leek Tessa echt te denken dat zijn werk vooral bestond uit allerlei gezellige uitjes. Ben had haar echter nooit horen klagen over het geld dat haar man daarmee verdiende.

'O, maar ik kan anders wel later eten, hoor,' zei hij snel.

'Nee, geen sprake van. Als het op is, vindt Keith gewoon de hond in de pot. Misschien dat hij dan voortaan ook iets beter zijn best doet om op tijd thuis te zijn als ik de moeite heb genomen om iets lekkers te bereiden.' Ze stootte met de opscheplepel tegen de porseleinen rand van de schaal. 'Scott, het is niet netjes om aan tafel tegen je broertje te zitten fluisteren.'

Scott negeerde haar, hield zijn hand voor zijn mond en ging doodleuk verder met smiespelen. Hoewel Ben hen niet kon verstaan, kon hij aan hun blikken wel raden dat ze het over Jacob hadden, die druk bezig was stukjes ui op de rand van zijn bord te leggen. Andrew giechelde toen zijn broer zijn hand uiteindelijk liet zakken. Scott wierp met een meesmuilend lachje om zijn mond een ongeïnteresseerde blik op Ben. Ben staarde terug en probeerde niet te denken aan hoe graag hij de steel van zijn vork in de neus van dat ettertje had geramd. *Hou op, het is nog maar een kind. Een beetje minder aangebrand, Ben!*

Hij wendde zich tot Jacob. 'Eet nou maar gewoon je eten op, Jake.'

Jacob keek even op toen hij zijn stem hoorde, maar ging al snel weer door met het ontleden van de lasagne.

Tessa was klaar met opscheppen en ging zitten. Afgezien van het gekletter van bestek bleef het even stil.

'Lekker, hoor,' zei Ben beleefd. Tessa kon ook echt goed koken.

'Dank je wel. Fijn dat tenminste iemand hier het op prijs stelt.'

O god... Scott en Andrew zaten weer te ginnegappen en porden elkaar in de zij. 'Als jullie twee niet dooreten, krijg je straks geen toetje.' Tessa probeerde het speels te laten klinken, maar slaagde daar niet in.

'Alsof ik dat erg vind. Ik wil niet eens een toetje,' zei Scott.

'Nou, misschien dat je dan meteen de hele week geen toetje meer krijgt. Oké?' Ze had een brede glimlach op haar gezicht, maar het zag er even overtuigend uit als een bankrover met een feestmasker.

'Is goed.'

Tessa's mondhoeken trilden en Ben hoopte even dat ze haar toevlucht zou nemen tot het slaan van haar oudste zoon. Ze rukte haar blik echter los en zag dat Jacob nog steeds alleen maar bezig was met het schikken van zijn uitjes.

'Neem maar een hapje, Jacob. Je moet niet met je eten spelen als tante Tessa zo lief is geweest lasagne voor je te maken.'

Jacob keek niet eens op. 'Heb je tante Tessa wel gehoord, Jacob?' drong ze aan. 'Doe nou gewoon braaf wat ik zeg.'

Ja, want die ettertjes van jou luisteren duidelijk niet naar je. Ben omklemde zijn mes en vork. Hij kende dit gedrag van Tessa. Meestal merkte Jacob het niet eens en sloeg Ben er zelf ook amper acht op. Maar die tactiek werkte nu helaas niet.

'Hij neemt zo echt wel een hapje. Laat hem gewoon maar even.' Hij probeerde het zo nonchalant mogelijk te zeggen. 'Je moet hem vooral niet onder druk zetten.'

Tessa's glimlach haperde even. 'Deed ik dat dan? O, sorry hoor, dat was helemaal niet mijn bedoeling. Het is alleen een beetje vervelend als iets waar je zo je best op hebt gedaan, nodeloos verpietert.'

Scott en Andrew hadden de plotselinge spanning tussen de twee volwassenen blijkbaar opgepikt, want ze waren heel stil en waren ook gestopt met eten. Alleen Jacob leek nog steeds niets door te hebben. Ben vermaande zichzelf stilletjes dat hij het niet op de spits moest drijven. Een scène schoppen had geen enkele zin en Tessa was heel behulpzaam geweest nadat…

Nadat Sarah was overleden. Door die gedachte verdween zijn woede op slag. 'O, maar het verpietert niet. In het ergste geval eet ík het straks wel op.' Hij probeerde een oprechte glimlach op zijn gezicht te toveren. Tessa besloot ook een stapje terug te doen. Of daar had het althans alle schijn van.

90

Het bleef even stil terwijl ze wat sla op haar bord schepte. En toen vroeg ze opeens: 'Heb je enig idee wat je met Jacob gaat doen?'

Ben merkte dat de lasagne aan zijn gehemelte bleef plakken. Hij nam snel een slok water. 'Hoe bedoel je?'

'Met zijn school. Niet dat ik het erg vind om hem steeds te halen en te brengen.' Weer trakteerde ze hem op die mierzoete glimlach. 'Hij is een schatje, maar handig is anders en ik nam aan dat je iets... nou ja, dat je op den duur toch iets vasters wilt regelen, dat is het enige.'

Zijn opluchting maakte plaats voor ergernis. Oké, daar gaan we, dacht hij bij zichzelf. Voor wat hoort wat, hè. 'Ja, dat klopt.' Hij wist meteen dat hij haar nooit meer zou vragen Jacob te halen of te brengen, hoe lastig dat ook zou zijn.

'Ik wil absoluut niet de indruk wekken dat het wat mij betreft haast heeft, hoor,' ging ze verder in een poging haar woorden te verzachten, maar het kwaad was al geschied. 'Maar het lijkt me bepaald niet makkelijk voor je en ik vroeg me gewoon af of je al hebt kunnen nadenken over eventuele andere opties.'

'Wat voor opties?' Maar hij kon wel raden waar ze op doelde.

'Nou ja, ik weet het niet... Misschien iets... Een soort...' Ze wierp een blik op haar twee zoons, die totaal niet meer geïnteresseerd waren in het gesprek, maar begon niettemin op samenzweerderige toon wat zachter te praten. 'Een internaat of zo. Het is maar een idee, hoor. Ik heb geen idee waar je zelf aan zit te denken, maar doordat Jacob een... tja, een "speciaal" jongetje is en jij het best druk hebt en zo...' Haar glimlach verstarde omdat hij niet reageerde. 'Ik hoop niet dat je het erg vindt dat ik dat zeg?'

'Nee, hoezo?' Hij stond op. 'Sorry, ik ben zo terug.'

Hij wist dat het niet netjes was om tijdens het eten van tafel te gaan, maar het was minder onbeleefd dan wat hij anders misschien zou antwoorden. Het gastentoilet zat boven aan de trap bij de voordeur. Ben deed de deur op slot. Hij hoefde helemaal niet te plassen, maar nu hij er toch was, kon hij dat net zo goed wel doen. Misschien dat de woede die hij voelde op die manier ook zou wegvloeien. Hij klapte de roze gemarmerde wc-bril omlaag en drukte op de goudkleurige spoelknop. De kraan van het fonteintje was ronduit protserig: twee gestileerde dolfijnen die vaag Japans aandeden. Toen hij zijn handen afdroogde aan het roze handdoekje moest hij opeens denken aan hoe Keiths studentenkamer eruit had gezien: een paar posters aan de muur en een vloer die bezaaid was met lege flesjes Newcastle Brown. Je hoefde geen licht te zijn om te bedenken wie er verantwoordelijk was voor de inrichting van dit huis.

Hij ging terug naar beneden en voelde zich inderdaad een stuk beter. Al was het maar omwille van Keith, het was het niet waard om ruzie te gaan maken met Tessa. Bovendien had ze hem de afgelopen drie weken wel degelijk geholpen met Jacob, dus eigenlijk was het ook haar goed recht dat ze nu naar zijn plannen vroeg.

En het was niet haar schuld dat hij helemaal geen plan had.

Zijn voetstappen werden gedempt door het dikke oosterse tapijt en hij hoorde ze dan ook al praten vóór hij bij de deur van de eetkamer was.

'… maar het is toch waar?' hoorde hij Scott zeggen. 'En waarom moet hij altijd hier komen?'

'Het kan me niks schelen of het waar is of niet, ik wil niet dat je hem zo noemt waar hij bij is!' bitste Tessa terug, terwijl ze zo te horen overduidelijk haar best deed haar stem niet te verheffen.

'Waarom niet? Hij snapt 't toch niet.'

'Daar gaat het niet om! Het is gewoon niet aardig om zoiets te zeggen!'

'Wat maakt het nou uit? Hij is toch een mongool? En jij vindt het ook niet fijn als hij er is. Dat heb ik je laatst zelf tegen papa horen zeggen.'

'Dat was niet voor jouw oren bestemd! Ik ga het je niet nog een keer zeggen…!' Ze maakte haar zin niet af, omdat ze op dat moment Ben in de deuropening zag staan. 'O.' Ze probeerde een glimlach op haar gezicht te toveren. 'We… eh… We hadden het…'

'Ja, ik heb het gehoord.' Hij liep naar Jacob toe. De jongen zat met zijn kin tegen de borst gedrukt strak naar zijn bord te kijken. Bens kaakspieren schoten in een kramp bij de gedachte dat ze het in zijn bijzijn op deze manier over hem hadden gehad. 'Kom maar mee, Jacob. We gaan naar huis.' Hij pakte zijn hand. Hij wierp Scott, die stuurs omlaag zat te kijken, een woedende blik toe. 'Dank je wel voor het eten, Tessa. Zou je Keith willen zeggen dat ik hem later nog wel bel?'

'Ben, dat is toch nergens voor nodig... Ik bedoel, ik wil niet dat je denkt dat...'

'Blijf maar zitten, hoor. Ik kom er zelf wel uit.'

Ze liep niettemin met een schuldbewuste blik achter hen aan de trap op. 'Weet je zeker dat je niet wilt blijven voor het toetje?'

'Nee, het lijkt me beter van niet.'

Nog voor ze iets kon zeggen, had hij de voordeur al open en was naar buiten gelopen. Zijn Golf stond een eindje verderop. Het was niet ver, maar hij droeg Jacob er niettemin op de arm naartoe. Het huilen stond hem nader dan het lachen, maar toen hij aan Tessa dacht, werd hij op slag weer woedend.

Hij zette Jacob even neer toen ze bij de auto waren en had net het portier open toen hij iemand zijn naam hoorde roepen. Hij draaide zich om en zag dat Keith uit zijn BMW stapte en gehaast zijn kant op kwam. Tessa was in geen velden of wegen te bekennen.

'Waar ga je naartoe?' vroeg Keith hijgend.

'Jacob is moe. We gaan naar huis.'

'Naar huis? Ik dacht dat je me wilde spreken.' Hij pakte Ben bij de arm. 'Kom nou even mee. Eén borrel kan toch nog wel?'

'Nee, laat maar. Ik bel je nog wel.'

Keith liet zijn arm los. 'Wat is er?'

'Niks. Ik wil Jacob alleen maar naar huis brengen, meer niet.'

Ze keken elkaar aan. Keith wierp een blik over zijn schouder en zag er eventjes heel moedeloos uit, maar hij rechtte zijn rug al snel weer. 'Als je haast hebt, kunnen we toch even in de auto praten?'

Jacob speelde achterin met een puzzelspeeltje terwijl zij praatten. Ben vertelde hem over de afspraak met Quilley. Toen hij klaar was, zag hij dat Keith in gedachten verzonken over zijn neus zat te wrijven. Zijn gezicht was een beetje bleek en pafferig en je kon zijn schedel door zijn dunner wordende haar zien schemeren. Wat ziet hij er oud uit, bedacht Ben met een schok.

'Tjeezus, het spijt me echt, Ben. Als ik ook maar iets had vermoed, had ik je zijn naam natuurlijk nooit gegeven.'

'Dat kon jij toch niet weten?' Toch voelde hij, terecht of niet, wel iets van wrok.

'Ik weet dat jij er niets meer aan hebt, maar ik zal in ieder geval zorgen dat hij nooit meer werk krijgt via ons kantoor. En ik zal het hier en daar nog wel rondbazuinen. Jammer dat je hem niet hebt gezegd dat je via ons aan zijn naam kwam. Ik denk dat hij het dan wel uit zijn hoofd had gelaten.'

'Ik maak me nu eerlijk gezegd meer zorgen over wat ik moet gaan doen, dan over wat ik hád moeten doen.'

'Wil je dat ik hem bel? Ik kan zeggen dat ik jouw zaakwaarnemer ben, misschien dat hij zich dan bedenkt.'

'Weet je zeker dat je je werk er niet buiten wilt houden?'

Keith zei niets, maar Ben zag dat hij twijfelde. 'Ik heb ook niet echt een keus, hè?' ging Ben verder. 'Ik neem aan dat het nu hoe dan ook bekend zal worden.'

'Je weet niet eens zeker of er iets bekend valt te maken.'

'Kom op, Keith, dat geloof jij toch net zomin als ik?'

Keith wierp een blik over zijn schouder naar Jacob, die nog steeds rustig op de achterbank zat te spelen. 'Tja... Ik denk dat je nu inderdaad vooral juridisch advies moet inwinnen. Ik kan wel even rondvragen of iemand een goede advocaat kent, met verstand van familierecht. Gezien het aantal echtscheidingen van onze clientèle zou dat niet al te moeilijk moeten zijn.' Hij keek Ben met een schaapachtige grijns aan. 'En ja, ditmaal zal ik zorgen dat het ook echt een betrouwbaar iemand is.'

Het was nog niet donker, maar de straatlantaarns waren net aangefloept. Ben staarde in gedachten verzonken een tijdje naar het zwakke schijnsel ervan. 'Denk je niet dat ik beter meteen naar de politie kan stappen?'

'Nee, natuurlijk niet! Als je dat doet, laten ze je niet meer gaan.

Straks arresteren ze je nog voor ontvoering of medeplichtigheid daaraan, en wordt Jacob voor je er iets aan kunt doen naar een pleeggezin of zoiets gestuurd. Nee, je moet nu eerst en vooral weten waar je aan toe bent. Juridisch gezien, bedoel ik.' Hij wachtte even. 'Het hele voogdijgedoe is denk ik al ingewikkeld genoeg.'

Ben merkte dat Keith hem van opzij aankeek en zijn reactie probeerde te peilen. Toen hij in de achteruitkijkspiegel keek, zag hij dat Jacob zich nog steeds van geen kwaad bewust was. Hij had het jochie graag even in zijn armen genomen.

'Weet je wat ik steeds maar niet uit mijn hoofd krijg?' zei hij met onvaste stem. 'Hoe die ander zich wel niet moet voelen. Je snapt wel over wie ik het heb, hè. Het is al meer dan zes jaar geleden. Wij zitten hier nu rustig te praten over wat ík zou moeten doen, terwijl hij niet eens weet of zijn zoon nog leeft. Ik moet steeds denken aan wat hij moet hebben doorgemaakt, en dat zijn vrouw dan ook nog... God, ik weet het echt even niet meer.'

Hij staarde zwijgend uit het zijraampje. Keith liet hem eventjes tot zichzelf komen.

'Je moet nu vooral aan jezelf denken, Ben,' zei hij zacht. 'En aan Jacob. Ik vind het ook heel naar voor die ander, maar hoe je het ook wendt of keert, jij bevindt je in een verdomd kwetsbare positie. Stel dat dit bekend wordt, dan zul je toch moeten kunnen bewijzen dat je hier tot nu echt niets van wist. Je hebt niet veel tijd om te beslissen hoe je het wilt aanpakken en daarvoor heb je nu vooral de mening van een deskundige nodig.'

'Ja, ik weet het.' Ben schraapte zijn keel en knikte. 'Ik weet dat je gelijk hebt en dat zal ik ook heus doen, maar...' Hij besefte nu pas dat hij allang wist wat hem te doen stond. 'Ik zou hem eerst graag willen zien, weet je.'

'Hé Ben, luister nou even...!'

'Ik bedoel niet dat ik met hem wil praten, ik wil alleen maar zien waar hij woont, hoe hij eruitziet. Een indruk krijgen van wat voor man hij is. Pas als ik dat weet, kan ik een beslissing nemen.'

Hij had verwacht dat Keith op hem in zou proberen te praten, maar hij hield zijn mond. 'Wanneer dan?' was het enige wat hij vroeg.

'Dat weet ik niet.' Nee, zover was hij nog niet. 'Misschien morgenochtend meteen maar.'

Keith wreef met zijn hand over zijn gezicht en schudde zijn hoofd, maar als hij al zijn bedenkingen had, hield hij die voor zich. 'Dan ga ik met je mee,' zei hij.

7

Ze deden er net zo lang over om de stad uit te komen als over de rest van de rit naar Tunford. Het metropersoneel staakte weer en de wegen waren compleet verstopt met eindeloze rijen van zich langzaam voortbewegende voertuigen. De stank van uitlaatgassen was bijna niet te harden. Het was een benauwde, drukkende ochtend, maar ze besloten de autoraampjes dicht te houden. Dan maar liever stikken van de hitte.

Ze waren met Bens Golf gegaan, hoewel Keith eigenlijk niet in dat 'koekblik op wielen' wilde, alleen had hij ook wel ingezien dat een zwarte BMW op een autokerkhof misschien iets te veel zou opvallen. Ben vermoedde dat hij er vooral mee had ingestemd door de gedachte aan wat er daar eventueel met zijn auto kon gebeuren.

Toen ze eenmaal op de MI zaten kon Ben gelukkig goed doorrijden. Nadat ze de snelweg hadden verlaten werd de omgeving al snel veel landelijker, maar te midden van al het groen was er nog genoeg bedrijvigheid en andere door de mens vervaardigde kankergezwellen van beton en staal. Op sommige velden zag je de gele resten van koolzaad en toen werden ze opeens omringd door bruingrijze gebouwen en kwamen ze tot de ontdekking dat ze al in Tunford waren.

Het stadje was niet oud en dateerde zo te zien uit de jaren vijftig. De gebouwen die na de oorlog manhaftig uit de grond waren gestampt, boden nu juist een vervallen en deprimerende aanblik. Ze reden door de hoofdstraat met vooral lage bebouwing en wat onopvallende winkelpanden. Voor ze het goed en wel doorhadden bleken ze het stadje opeens alweer achter zich te hebben gelaten. Ben gebruikte een parkeerhaven die vol lag met allerlei blikjes en plastic flessen om te keren en reed terug.

'Wat is het adres ook alweer?'

Keith opende de map die Ben van de detective had gekregen. 'Primrose Lane, nummer 41.'

Ze waren weer terug bij de winkels, met aan de overkant ervan een rijtje twee-onder-een-kapwoningen die zo uit een bouwpakket leken te zijn gekomen. 'Denk je dat er hier ergens nog van die vrolijk stemmende teunisbloemen staan?' vroeg Ben, verwijzend naar de naam van de straat, in een poging zijn zenuwen de baas te blijven.

'Als dat al zo is, dan wel onder het asfalt. Zullen we de volgende zijstraat maar gewoon proberen?'

Aangezien ze niet wisten waar Primrose Lane was, konden ze dat inderdaad net zo goed doen. Ze hadden geen plattegrond en wilden niet de aandacht trekken door iemand de weg te vragen. Niet dat er veel mensen op straat liepen. Ze zwegen allebei terwijl ze lukraak door de verlaten straten reden. Op een gegeven moment zagen ze een zwerfhond die op de stoep zijn behoefte deed.

'Nou... Welkom in Tunford,' zei Keith.

Primrose Lane bleek uiteindelijk aan de rand van het plaatsje te liggen, tegenover een weiland. Ze reden er langzaam doorheen en telden ondertussen de nummers van de huizen. Keith wees het huis aan. 'Dat daar, denk ik.'

Voor het huis stond een gaashek van ruim een meter hoog met betonnen paaltjes ertussen. De huizen ernaast zagen er ook slecht onderhouden uit, met verwaarloosde bloemperkjes en gazons die nodig gemaaid moesten worden. De voortuin van nummer 41 lag vol verroest schrootafval. Ben zag dat het een ratjetoe aan spatborden, bumpers, autoportieren en motoronderdelen was. Het geheel was overwoekerd door hoog gras en welig tierend onkruid.

'Hm, zo te zien een man die werk en privé niet strikt gescheiden houdt.'

Ben reageerde niet op Keiths grapje. Hij reed langzaam langs het huis en nam de afbladderende verf op de deur en de kozijnen in zich op. Opeens verscheen er een vrouw achter een van de ramen op de bovenverdieping. In een flits zag hij iets van blond haar en geëpileerde wenkbrauwen en toen waren ze er al voorbij.

Keith draaide zich om, om nog een kijkje te nemen. 'Was dat zijn vrouw?'

'Dat lijkt me wel, ja.'

Ze zwegen allebei toen ze terugreden naar de hoofdstraat. 'Misschien is het minder erg dan het eruitziet,' zei Keith na een tijdje. 'Dat het geen *Eigen huis & tuin*-stijl is, wil nog niet zeggen dat ze niet aardig zijn.'

'Nee.'

'En dat weet je ook nooit hè, of je eerste indruk wel klopt.'

'Laat nou maar, Keith.'

Hij reed het stadje weer uit via dezelfde weg als waar ze eerder waren omgedraaid. Quilley had gezegd dat Cole bij een autokerkhof zo'n vijf kilometer verderop werkte, vlak voor het volgende dorp. Ze reden al snel weer door velden en weilanden, maar aan het afval in de berm te zien was de bewoonde wereld nooit echt ver weg. Ze passeerden een slordig uitziend boerenerf en vervolgens een garage. Het volgende terrein bleek het autokerkhof te zijn.

Ben zette de auto een flink eind voor de ingang in de berm. Het terrein was omgeven door een hoge stenen muur met erbovenop zelfs nog prikkeldraad en glasscherven. De hoog opgestapelde autowrakken en diverse auto-onderdelen staken er nog net bovenuit. Op een gehavend bord boven de oprit stond: ROBERTSHAW'S SLOOPWERKEN. Het hek bij de ingang, eveneens met scherpe punten aan de bovenkant, bood een intimiderende aanblik, maar stond wel open.

Keith veerde op. 'Weet je zeker dat je dit wilt doen?'

Nee, niet echt. Maar dat zei hij maar niet hardop. Zo te zien waren ze op het terrein met zwaar materieel in de weer. Een hijskraan. 'Hé, wat zochten we nou ook alweer?'

'Reserveonderdelen voor een MG. Maar laat dat maar aan mij over. Geef jij je ogen nou maar gewoon goed de kost.'

In Quilleys rapport had een summiere beschrijving van de man gestaan, maar niet zo duidelijk dat Ben nu ook wist naar wat voor type ze moesten uitkijken. Het hele reserveonderdelenverhaal was Keiths idee geweest, een smoes zodat ze wat konden rondneuzen en er hopelijk zelf achter konden komen wie Cole was.

'Zullen we dan maar?' vroeg Keith.

Ben startte de auto weer en reed door het hek het terrein op. Eenmaal binnen zagen ze pas dat het behoorlijk groot was, veel groter dan je van de buitenkant zou denken. De oprit slingerde door de ene na de andere toren van opgestapelde autowrakken. Ze kwamen uiteindelijk uit bij een gebouw van één verdieping hoog, met een schuin golfplaat dak. Ervoor was een open plek waar twee duidelijk nog bruikbare auto's stonden. Ben parkeerde erachter. Ze stapten uit.

Het rook buiten naar aarde, roest en smeerolie. Ergens achter het gebouw blafte een hond tweemaal, maar die hield daar net zo abrupt ook weer mee op. Ze hoorden een geluid dat van een groot log voertuig leek te komen, maar konden niet zien waar het vandaan kwam. Er kwam niemand naar buiten. Toen ze door het stoffige raampje op de begane grond keken, leek dat een soort kantoorruimte te zijn.

'Laten we het binnen maar eens proberen.'

De deur kwam uit op een korte gang. Aan het einde ervan zat een betonnen trap die vermoedelijk naar de eerste verdieping leidde. Vanuit het kantoortje kwam het schelle geluid van een radio. Keith klopte op de deur en duwde hem al snel open toen het stil bleef. Er was ook inderdaad niemand. Er stond een slordig uitziend bureau met een presse-papier boven op een smoezelige stapel papieren. Aan de wanden hingen een paar naaktkalenders, met meisjes die zich met hun grote borsten over glanzende autokappen heen bogen en schrijlings op blinkende motoren zaten, waarbij ze zo te zien vooral bepaalde lichaamsdelen aan de camera wilden tonen.

'Hallo?' riep Keith.

Ze hoorden iemand de trap afkomen. Ben zette zich schrap, maar de man die in de deuropening verscheen was te oud om Cole te kunnen zijn. Hij was in de vijftig en zwaargebouwd, zowel wat spieren als wat vet betrof. Onder zijn gleufhoed staken wat vieze haarpieken uit, donkerder grijs dan de zilverkleurige stoppeltjes op zijn kin.

Hij veegde zijn vieze handen af aan een doek. 'Goedemorgen, heren. Wat kan ik voor u doen?'

Hij had een hese stem en er zat zo te horen ook wat vastzittend slijm in zijn keel. Ben keek opzij naar Keith omdat hij even niet meer wist wat ze nou precies hadden afgesproken, maar Keith vertrok geen spier.

'We zijn op zoek naar wat reserveonderdelen voor een MG uit 1985.'

Ben zag dat de man Keiths dunne wollen kostuum en de zijden stropdas opnam. Had hij hem nou toch maar gezegd dat hij niet zijn werkpak moest aantrekken. Hij wist echter dat Keith om twaalf uur een vergadering had, dus het kon helaas niet anders.

De andere man stond ondertussen over zijn kin te wrijven. 'Een MG zei u?' Hij had er zo te horen weinig fiducie in. 'Wat voor onderdelen precies?'

'Hangt ervan af wat u hebt. Ik ben bezig om er eentje min of meer van niks op te kalefateren, dus ik heb eigenlijk zo'n beetje alles nodig. Als het tenminste in redelijke staat is.'

'Ik dacht niet dat we iets van een MG hadden,' mompelde de man half bij zichzelf. Hij liet zijn vingers weer over zijn stoppels gaan.

'Zouden we zelf even mogen rondkijken?'

De man hoorde hem niet en wierp nog een blik op Keiths kostuum. 'Maar misschien dat ik wel iets voor u heb.' Het was duidelijk dat hij deze rijke potentiële klant niet door de vingers wilde laten glippen. 'Loopt u maar even mee.'

'Dat lijkt me niet...' begon Keith, maar de man stond al zowat buiten, dus ze moesten wel achter hem aan lopen. Hij ging hun voor naar de achterkant van het gebouw. Het gonzende lawaai werd steeds luider en bleek afkomstig te zijn van een kleine hijskraan op rupsbanden. In de cabine zat een man die de hendels bediende van een platte magneet die aan dikke kabels hing, waar op dit moment een uitgebrande Ford aan bungelde, het dak tegen de onderkant van de magneet geplakt. De man droeg een leren petje zonder klep en zag er tot Bens grote opluchting ook te oud uit om Cole te kunnen zijn.

De autohandelaar riep iets naar hem en vroeg: 'Heb jij Johnny nog ergens gezien?'

De man in de kraan hield een hand bij zijn oor en de handelaar herhaalde zijn vraag, ditmaal iets luider. De ander gebaarde met zijn hoofd naar achteren. 'Die is met iemand bij de shredder.'

De autohandelaar liep weer door. 'Ik zal het even aan een van mijn mannetjes vragen,' zei hij terwijl ze weer achter hem aan liepen. 'Die weet precies wat we hier allemaal wel en niet hebben. En als we inderdaad iets geschikts voor u hebben, weet hij het te vinden.'

Ben wierp een bezorgde blik op Keith, die met een hulpeloos gebaar zijn schouders ophaalde. Ze hadden allebei donders goed door dat die 'Johnny' wel eens hun man kon zijn. Ben bedacht nu pas dat Cole van een afstandje zien al heel wat was, maar om de man ook echt te ontmoeten was misschien niet zo'n heel goed idee.

De autohandelaar liep langs een hoge stapel van platgeperste auto's die gereduceerd waren tot kleurige, dunne reepjes in alle kleuren van de regenboog. Erachter zagen ze een hoekig gevaarte opdoemen, waarschijnlijk die zogenoemde shredder.

'Johnny!' riep de autohandelaar. 'Ik heb hier een klant!'

Aan de achterkant van de machine bewoog iets en meteen daarna kwam Jacobs vader de hoek om zetten. Er was geen twijfel over mogelijk. John Cole had zijn gelaatstrekken bijna stuk voor stuk aan zijn zoon doorgegeven, iets wat ondanks het leeftijdsverschil zonneklaar was. Ze hadden dezelfde teint en jukbeenderen, dezelfde rechte neus en ferme kin en mond. Zelfs zijn diepliggende ogen, die zich nu op Ben richtten, kwamen hem zo schokkend bekend voor dat hij er stom genoeg even vast van overtuigd was dat de man dus ook wist wie hij was. Cole wendde zijn blik echter vrijwel meteen nogal ongeïnteresseerd af.

De handelaar gebaarde met zijn duim naar Keith. 'John, deze man hier is op zoek naar onderdelen voor een MG. Hebben we daar nog spullen van?'

'Nee.' Hij aarzelde geen moment en hoefde er schijnbaar niet eens over na te denken.

De oudere man krabde aan de kraag van zijn vieze shirt. 'Weet je het zeker? Ik dacht dat we misschien...'

'We hadden een Midget. Maar die is weg.' Zijn stem was hoog noch laag en vooral heel vlak. Hij leek al bijna te zijn vergeten dat Ben en Keith daar nog stonden. Hij was niet lang en zeker een kop kleiner dan Bens een meter tachtig, maar hij straalde iets uit waardoor het leek alsof hij elk moment in actie kon komen. Met zijn gespierde bovenarmen zag hij er in zijn met olie besmeurde shirt en spijkerbroek heel sterk en bijzonder fit uit.

Het was duidelijk dat de autohandelaar teleurgesteld was, maar hij vroeg niet door. 'Nou... Sorry, heren. Als Johnny zegt dat we het niet hebben, hebben we het echt niet. Jammer dat ik niks voor jullie kan betekenen.'

Ben kon zijn blik echter niet losscheuren van Cole, die star en stijf naast zijn baas stond. Waarschijnlijk voelde de man dat, want op een gegeven moment keek hij Ben recht aan, met een heel directe en resolute blik, zoals sommige dieren dat ook kunnen. *Jezus, hij staart je zelfs aan met zo'n zelfde blik als Jacob.*

Ben dwong zichzelf zijn blik af te wenden, terwijl Keith op een niet al te overtuigende manier zijn schouders ophaalde. 'Dat is inderdaad jammer, maar evengoed bedankt.'

Ze draaiden zich om en Ben wilde opeens als de wiedeweerga hier weg om na te kunnen denken. Hij vroeg zich af of Keith het vervelend zou vinden als hij straks in de auto een sigaret zou opsteken. Op dat moment hoorde hij achter hen een andere stem.

'Goh, wat een toeval dat ik u nou net hier tref, meneer Murray.'

Hij keek om en verstijfde van schrik toen hij Quilley vanachter de zware machine tevoorschijn zag komen.

Het glimlachje van de detective was nog spottender dan hij zich herinnerde. 'Maar ja, als je het over de duivel hebt... We hadden het er net over, hè, meneer Cole? O sorry, jullie kennen elkaar natuurlijk nog niet,' zei hij toen hij zag dat Cole zijn wenkbrauwen fronste. 'Meneer Cole, dit is nou Ben Murray. Hij is de fotograaf over wie ik u net vertelde. De man die uw zoon misschien heeft.'

O nee, hè. O, mijn god!

'Wacht eens even,' begon Keith. Cole negeerde hem echter en richtte zijn vorsende Jacob-achtige blik weer op Ben.

'Is dat zo?' Zijn gezicht was totaal uitdrukkingsloos, maar zijn blik was heel intens. 'Jij hebt mijn zoon?'

'Zo simpel is het niet, het ligt anders dan je...' stamelde Ben.

'Oké, genoeg. We gaan nu weg,' zei Keith en hij nam Ben bij de arm.

Maar Cole had al een stap naar hen toe gezet. Zo te zien kon hij een van zijn benen niet goed buigen en Ben herinnerde zich dat Quilley hem had verteld dat hij bij de oorlog in Noord-Ierland gewond was geraakt.

Keith stapte ook naar voren. 'Oké, oké. Laten we allemaal nou even rustig...'

Cole keek hem amper aan toen hij uithaalde met zijn vuist en hem vol in het gezicht trof. Er volgde een doffe harde klap van vlees op bot. Keith struikelde door de kracht van de dreun en viel bijna achterover. Ben wilde hem te hulp schieten, maar merkte opeens dat hij zelf op de ruwe betonnen ondergrond lag. Hij hoorde kabaal naast zich en draaide zijn hoofd om. De beweging veroorzaakte een helse pijn in zijn nek, een voorteken van een nog veel ergere pijnscheut die al snel door zijn hele lichaam trok. Een paar meter verderop zag hij twee paar laarzen heen en weer schuifelen. Toen hij zijn blik naar boven liet glijden, zag hij dat de autohandelaar Cole probeerde tegen te houden. Die laatste had nog steeds alleen maar oog voor Ben en hoewel de andere man zijn volle gewicht in de schaal had gegooid, werd hij langzaam maar zeker toch naar achteren geduwd.

'Wegwezen, jullie. Verdomme, ga nou weg,' beet hij hun toe. Ben voelde een hand onder zijn arm en begreep dat Keith hem op de been wilde helpen. Zijn mond en kin glansden van het bloed.

'Schiet op, meekomen jij.' Keiths stem klonk raar gesmoord en opvallend nasaal. Ben probeerde overeind te krabbelen, maar de wereld was op een rare manier gekanteld. Hij ging bijna over zijn nek.

'Waar is mijn zoon?' Cole verhief zijn stem niet, maar het klonk niettemin als een bevel. Ben wilde eigenlijk nog een poging wagen om het recht te zetten en opnieuw te beginnen, maar Keith trok hem al achteruit. Quilley stond het hele gebeuren rustig gade te slaan. Zijn glimlach was verdwenen en hij deed geen enkele poging om tussenbeide te komen.

'Laat ze nou gewoon gaan, John!' wist de autohandelaar hijgend uit te brengen, terwijl hij op de been probeerde te blijven omdat Cole hem achteruit duwde.

'Aan de kant. Nu,' zei Cole.

Het klonk als een laatste waarschuwing. De autohandelaar zei nog: 'Laat het nou, John. In godsnaam!' Maar hij liet zijn armen wel zakken en Cole duwde hem aan de kant. Ben wist dat de man niet voor rede vatbaar was en probeerde Keiths aansporingen dat hij harder moest rennen op te volgen, maar hij struikelde meteen al toen hij het op een lopen wilde zetten. Hij had geen idee wat Cole net had gedaan, maar het voelde alsof hij van het ene op het andere moment in een onbekend, door helse pijnen geteisterd lichaam was beland. Toen ze langs de geplette autostapels strompelden, keek hij nog snel een keer achterom en zag dat de ex-soldaat met een gedecideerde blik achter hen aan hobbelde. Hij kon hen door zijn kreupele knie alleen niet goed bijhouden. Bij de hijskraan gekomen, negeerden ze de verbaasde blik van de operator en snelden langs hem.

Ze waren nu bijna bij het kantoorgebouw en dus vlak bij de auto. 'Snel, de sleutels,' hijgde Keith. Ben had ze net uit zijn zak gehaald toen hij iemand keihard en schel hoorde fluiten.

Hij keek nog een keer om. Cole had twee vingers in zijn mond en terwijl hij bleef rennen, floot hij nog een keer hard en kort. En op dat moment zag hij een bruine gestalte vanachter de autowrakken tevoorschijn schieten. Cole zei niets en hoefde alleen maar met zijn vingers in hun richting te knippen of de hond racete al hun kant op.

'O, shit,' wist Ben nog net uit te brengen en hij probeerde nog harder te rennen dan hij al deed. Hij zag de Golf staan en rende er met Keith vlak naast hem naartoe. Het geluid van hondenpoten op beton werd steeds luider. En het kwam ook heel rap steeds dichterbij. 'Op de motorkap! Snel!'

Ze sprongen allebei precies tegelijk op de auto. De hond schoot door en gleed uit toen hij stopte met rennen en een scherpe draai probeerde te maken. Het was een staffordshire-bulterriër, met een grote vierkante kop en een lijf dat alleen uit spiermassa leek te bestaan. Ben liet zich een eindje omlaag glijden en stak de sleutel in het slot. Hij wist zich in de auto te manoeuvreren en het portier net op tijd dicht te trekken. Hij hoorde een luide bons, waarna de hele auto even heen en weer schudde. Ben stak meteen daarop zijn arm uit en opende het portier naast hem. Keith was boven op het dak van de auto geklauterd en liet zich op de passagiersstoel glijden, terwijl Ben ondertussen met het contactslot worstelde. De hond wierp zich tegen het raampje naast hem. Hij hoorde Keith vloeken en toen hij opkeek zag hij dat Cole bij het kantoorgebouw stond en hun kant op kwam. Een paar centimeter van zijn gezicht vandaan hoorde hij de hond grommend en kwijlend tegen het raam beuken, terwijl hij de auto in zijn achteruit wist te krijgen en keihard naar het hek terugreed. De auto schoot erdoorheen, de weg op. Hij trapte op de rem, zette de auto hardhandig in de eerste versnelling en gaf meteen weer plankgas. Ze lieten het autokerkhof al snel ver achter zich.

Ben nam willekeurig een paar zijstraten en reed vervolgens nog een heel eind kriskras door het stadje, tot hij bijna zeker wist dat Cole ze onmogelijk gevolgd kon zijn. Pas daarna durfde hij de auto op een beschutte parkeerhaven aan de kant te zetten. Het was opeens doodstil. Ben hield zijn handen om het stuur geklemd. Hij keek opzij en zag Keith naast hem met zitten, met een vuurrood zakdoekje tegen zijn neus gedrukt. Zijn overhemd zat onder het bloed.

'Gaat het?' vroeg Ben.

'Ik geloof niet dat-ie gebroken is.' Zijn stem klonk nog steeds raar gesmoord. 'En jij?'

Ben keek omlaag om de schade op te nemen. Hij bloedde zo te zien niet, maar het kwam ook niet door de lichamelijke pijn dat hij geen antwoord gaf. Wat er net was gebeurd, was zo verschrikkelijk dat hij het nog niet kon bevatten. Het voelde alsof iemand hem had doorboord. Hij wist heel goed hoe ernstig het was, maar was nog te geschokt om de schade in te kunnen schatten. Hij had geen flauw idee wat de gevolgen hiervan zouden zijn.

Hij draaide het sleuteltje om in het contact. 'Volgens mij is het hoog tijd voor een goeie advocaat.'

8

De zon was bijna achter de daken verdwenen en de tuin lag al half in de schaduw. Het oranje met donkerblauwe vlak van de avondlucht werd doorbroken door een paar krijtwitte condensatiesporen van vliegtuigen, die langzaam oplosten tot een soort petrochemische imitaties van windveren. Ben blies zijn eigen kleine bijdrage ook de lucht in en drukte de sigaret vervolgens uit op de zool van zijn sandaal. Hij liet de peuk in het lege bierflesje vallen en leunde weer achterover tegen de muur. De stenen waren nog een beetje warm van de zon, maar dat was dan ook het enige fijne dat het meedogenloos ruwe oppervlak te bieden had. Een eindje verderop stonden twee prima houten tuinstoelen en er was dan ook geen enkele reden waarom Ben de keiharde grond verkoos. Hij zat alleen net niet oncomfortabel genoeg om de moeite te nemen om op te staan.

Het gekraak van de schommel vormde een bijna metronomisch contrapunt voor het rommelige, vrolijke vogelgekwetter in de bomen. Zodra de vaart eruit was, duwde Ben met zijn been nog een keer zachtjes tegen de schommel aan. Het lege stoeltje zwiepte loom op en neer. Jacob kon urenlang schommelen en ging dan helemaal op in het gras dat onder hem door flitste. Ben had daar wel eens foto's van gemaakt, met gebruik van een snelle sluitertijd en het juiste filmrolletje, zodat hij die beweging kon vastleggen zonder dat het beeld wazig werd. Er lag nu ook een fototoestel naast hem op de grond. Hij had hem net nog scherpgesteld op de lege schommel, maar had hem zonder de ontspanner in te drukken weer weggelegd. Het zou een veel te wrang beeld hebben opgeleverd.

Hij zag nog een vliegtuig in de lucht, of althans, de witte krijt-streep erachter. Ben pakte het fototoestel en nam een paar foto's van het geometrische patroon boven zijn hoofd. Hij wist dat het de verkeerde camera was en niet het juiste fotorolletje en dat hij ook niet in de stemming was om er iets moois van te maken, maar net zoals het te veel moeite was om op te staan en in een stoel te gaan zitten, kon hij ook geen goede reden verzinnen om niet ge-woon wat film te verspillen als hij daar zin in had. Niets had im-mers nog zin.

Hij was nog steeds verbaasd over hoe snel alles compleet naar de mallemoer kon gaan.

Het bezoekje aan het autokerkhof had feitelijk nog geen drie maanden geleden plaatsgehad, maar er was sindsdien zoveel ge-beurd dat het in zijn eigen, subjectieve tijdsbesef oneindig veel lan-ger leek. Toen hij de dag na die confrontatie met Cole naar een advocaat was gegaan, had hij nog geen benul gehad van wat hem te wachten stond. Ann Usherwood was een lange, tengere vrouw van achter in de veertig, met grijs haar en een streng mantelpak-je. Haar kantoor was chic maar zonder poeha en zo praktisch in-gericht dat het bijna spartaans aandeed. Ze had hem op een pro-fessioneel botte manier gezegd dat hij er niet bijster sterk voorstond. 'Juridisch gesproken kan een stiefouder geen enkele aanspraak maken op de kinderen van zijn partner. U had na de dood van uw echtgenote beter direct een voorwaardelijk verzoek voor het ouderlijk gezag bij de rechtbank kunnen indienen, zodat Jacob in ieder geval voorlopig bij u kon blijven wonen.'

'Maar kan Cole Jacob dan niet sowieso opeisen?' had hij haar daarop gevraagd.

'Nee, zo werkt het niet. Hoewel er, als ik uw verhaal althans mag geloven, geen enkele twijfel bestaat over het feit dat John Cole zijn biologische vader is, gaat het eerst en vooral om het welzijn van het kind. Het belang van het kind staat altijd voorop. Nie-mand zal Jacob zomaar uit een vertrouwde thuissituatie willen ha-len en aan een volslagen onbekende overdragen, los van of die per-soon wel of niet zijn echte vader is. De heer Cole zal zelf een zogenoemd wijzigingsverzoek voor het ouderlijk gezag moeten indienen, tenzij u vrijwillig instemt Jacob aan hem toe te wijzen. Het feit dat Jacob, eh...'

'... gestolen is,' vulde Ben haar zonder verdere omhaal van woorden aan.

'Nou, ik wilde eigenlijk zeggen: op onrechtmatige wijze door uw echtgenote is meegenomen, maar het maakt eigenlijk niet uit hoe je het noemt, want een kind is geen ding of materieel bezit dat je gewoon aan de rechtmatige eigenaar kunt teruggeven. Dat neemt niet weg dat hem meenemen een onrechtmatige daad was en ik ga er dan ook van uit dat ze de rol van de verloskundige ook nader zullen onderzoeken. Misschien dat ze haar ook aanklagen.' Ze laste een korte pauze in. 'U zult de politie ervan moeten zien te overtuigen dat u, tot u die krantenartikelen vond, geen weet had van wat uw echtgenote gedaan had. Dat u pogingen in het werk hebt gesteld de vader van de jongen op te sporen is in uw voordeel, hoewel ze evengoed kunnen stellen dat u in plaats van naar dat autokerkhof beter meteen naar de politie had kunnen gaan.'

'Ik wilde Cole alleen maar een keer zien.'

'Laten we hopen dat de politie er ook zo tegenaan kijkt. U zult hoe dan ook moeten beslissen welke stappen u nu wilt ondernemen. Er is een gerede kans dat John Cole een voogdijverzoek zal indienen; de vraag aan u is of u daartegen in beroep wilt gaan.'

Ben wreef over zijn slapen. 'Wat gebeurt er als ik dat doe?'

'Dan zal de rechtbank een raadsonderzoeker aanstellen. In dit geval zal dat waarschijnlijk een maatschappelijk werker zijn. Die beoordeelt het verzoek van de heer Cole en komt met een advies. Uiteindelijk beslist de rechtbank dan waar Jacob gaat wonen. Ze zullen daarbij rekening houden met zijn wensen en gevoelens, maar dat is in dit geval, gezien het communicatieprobleem, natuurlijk wel wat lastig. Normaal gesproken zou ik zeggen dat u een goede kans hebt om de jongen te kunnen houden.'

Hij was te moe om er goed over na te kunnen denken. 'En als ik geen bezwaar aanteken?'

'Dan zal Jacob, na een bepaalde onderzoeks- en adviesperiode, waarschijnlijk aan zijn biologische vader worden toegewezen.'

'Mag ik hem dan nog wel zien?'

'Waarschijnlijk zal er een omgangsregeling worden vastgelegd, maar ik kan u niet zeggen wat die zal inhouden. Dat hangt ervan af wat ze in het belang van het kind achten.'

Het belang van het kind? Ben dacht even terug aan het deprimerende plaatsje en het huis met die voortuin die vol verroest schroot lag. Hij vond het een vreselijk idee dat Jacob misschien op zo'n plek zou komen te wonen. Hij wilde hem helemaal niet laten gaan en hij kon zich eigenlijk evenmin een voorstelling maken van hoe het zou voelen als dat wel zou moeten. De gedachte aan wat Sarah ervan zou vinden, zorgde er helemaal voor dat zijn maag zich zowat omkeerde. Even daargelaten hoe Sarah hem zich had toegeëigend, Jacob was wel haar zoon. Ze had van hem gehouden en voor hem gezorgd. En Ben ook. Hoe zou hij Jacob zomaar kunnen afstaan?

Daartegenover stond echter de herinnering aan Cole, die hinkend op hem af liep, met zes jaar opgekropt verdriet in zijn kielzog. *Waar is mijn zoon?*

Hij schrok op uit zijn overpeinzingen en besefte dat de advocate op zijn antwoord wachtte. Hij moest nu wel iets zeggen.

De eerste keer dat John Cole zijn zoon zag, was in het smoezelige kantoorgebouw van beton en veel glas waar zowel de kinderbescherming als maatschappelijk werk zat. Ben hield Jacobs hand vast terwijl ze met Ann Usherwood naar de kamer liepen waar de ontmoeting zou plaatsvinden. Carlisle, de maatschappelijk werker die op de zaak was gezet, was een paar jaar ouder dan Ben, had een stoppelbaardje, droeg een keurige katoenen broek en had de neiging je met enig dedain aan te kijken. John Cole en zijn vrouw waren er al. Hij droeg een veel te dik donkergroen pak, zij een kort roze jurkje zonder mouwen. Ben merkte dat hij zich automatisch schrap zette toen Cole opstond. De man merkte hem echter amper op en had alleen maar oog voor Jacob.

Iedereen in de kamer voelde hoe beladen dit moment was. Cole hinkte naar zijn zoon toe en bleef voor hem staan, zonder verder nog op of om te kijken. Net als op het autokerkhof kon Ben weer niets uit zijn gezichtsuitdrukking aflezen, maar hij meende iets van behoedzaamheid te zien. Cole liet zich voor de jongen op één knie zakken en bleef hem strak aankijken, zonder een woord te zeggen. Ben had verwacht dat Jacob zijn wegduwgebaar zou maken, maar dat deed hij niet.

'Dag, Steven,' zei Cole. 'Ik ben je vader.'

Jacob had hem nog niet aangekeken, maar uiteindelijk richtte hij na een poosje voorzichtig zijn gezicht op naar de man die voor hem zat gehurkt. Ben bedacht hoe onwerkelijk het was, omdat de twee zo ontzettend veel op elkaar leken.

Op dat moment richtte Cole zijn starre blik opeens op hem. 'Wat heb je met hem gedaan?'

Dit leek de maatschappelijk werker blijkbaar het juiste moment om in te grijpen. 'Ik denk dat we beter allemaal even kunnen gaan zitten. Dit is al moeilijk genoeg en het is belangrijk dat we rustig blijven en niet vergeten dat we hier nu samen zijn om het te hebben over wat voor Jacob het best is.'

'Steven,' zei Cole. Hij keek beurtelings van Ben naar de maatschappelijk werker en weer terug. 'Hij heet Steven.'

Carlisle aarzelde even, maar wist zich te hernemen. 'Het spijt me, meneer Cole, maar als u het niet nóg verwarrender wilt maken voor hem, en dan zou hij overstuur kunnen raken, denk ik dat het beter is als u de jongen vanaf nu als Jacob aanspreekt. Dat is de naam die hij kent en waarmee hij is opgegroeid en als u dat nu opeens gaat veranderen, zou dat wel eens lastig voor hem kunnen zijn.'

Ben zag dat Cole zijn kaakspieren spande terwijl hij zijn blik weer naar Jacob verplaatste. Carlisle probeerde zonder iets te zeggen een stille smeekbede te richten aan de bebrilde, gezette man met de dikke snor die naast Sandra Cole zat. Gezien de roos op zijn schouders en het attachékoffertje op de grond, was dat waarschijnlijk hun advocaat. De man kwam schoorvoetend overeind. 'Gaat u nu maar zitten, meneer Cole.'

Cole negeerde hem. Hij viste zo te zien een klein pakje uit zijn zak. 'Alsjeblieft.' Hij bood het Jacob aan. De jongen keek ernaar, maar deed niets. Cole haalde het papier er voor hem af. Ben zag dat zijn handen heel lomp waren, met korte worstvingers vol eeltknobbels. Het bleek een puzzelspeeltje te zijn: een doorzichtig plastic blokje met een paar zilverkleurige balletjes erin. Het leek op de speeltjes die hij thuis ook had. Cole schudde het ding even heen en weer, de kogeltjes erin maakten een ratelend geluid. De jongen besloot het speeltje aan te nemen en schudde het net als Cole heen en weer. En vervolgens was hij in opperste concentratie bezig om te proberen de balletjes in de daartoe bestemde gaatjes te krijgen.

Cole streek hem even over zijn bol voor hij ging zitten. Alsof ze daarop hadden gewacht, namen alle anderen ook plaats aan de lage rechthoekige tafel in het midden van de kamer. De informele setting veranderde echter niets aan de sfeer in het vertrek.

'Voor we verdergaan, wil ik graag nogmaals benadrukken dat met elkaar samenwerken nu het best is,' merkte de maatschappelijk werker op. Hij zorgde ervoor dat hij terwijl hij dat zei iedereen aankeek, en niet alleen Cole. 'Het is voor iedereen emotioneel erg zwaar, maar we moeten niet vergeten dat Jacobs welzijn vooropstaat en dat we dus niet eh... onze persoonlijke meningsverschillen gaan ventileren.'

'Ik wil mijn zoon,' zei Cole. Hij zat wat voorovergebogen op het puntje van zijn stoel nog steeds naar de jongen te kijken. Naast hem zat zijn vrouw met een rood gestifte mond op een kauwgompje te kauwen, terwijl ze met een schichtige blik beurtelings van haar man naar haar stiefzoon keek. Ze had haar wenkbrauwen tot dunne donkere lijntjes geëpileerd. Ze had scherpe gelaatstrekken en de uitgroei van haar stroblonde haar was donkerbruin, maar die sluwe, verlopen look van haar had ook iets aantrekkelijks. Ben zag een wit bh-bandje op een van haar schouders en net op dat moment keek ze hem aan en zag dat Ben haar opnam. Hij wendde snel zijn blik af.

Carlisle knikte met een sussend gebaar. 'Dat weet ik, meneer Cole, daarom zijn we hier ook. Maar u moet wel begrijpen dat het niet zo eenvoudig is, dat u Jacob nu niet gewoon mee naar huis kunt nemen. We moeten daarbij bepaalde procedures volgen.'

'Je bedoelt dat je in ons verleden aan het wroeten bent.' Dit was de eerste bijdrage van Coles echtgenote. Het viel Ben op dat ze een wat hese rookstem had.

'We zijn niet in uw verleden "aan het wroeten" – en dat zijn uw woorden, mevrouw Cole – maar we kunnen een kind natuurlijk niet zomaar aan iemand toewijzen zonder eerst te kijken of het kind daarbij wel gebaat is.'

'Ik ben zijn vader,' zei Cole. Ben zag dat hij zijn vuisten afwisselend balde en vervolgens weer ontspande en dat er een bepaalde regelmaat in die beweging zat. De aderen in zijn onderarm zwollen langzaam op. 'Hij heeft geen enkel recht op hem.' Hij maakte met zijn kin een gebaar in Bens richting. 'Hij heeft hem al die tijd bij mij weggehouden. Nu is het mijn beurt.'

Ann Usherwood verschoof heel subtiel iets naar voren op haar stoel. 'Meneer Murray zal niet in bezwaar gaan tegen uw wijzigingsverzoek met betrekking tot het ouderlijk gezag, mochten de daartoe bevoegde instanties het erover eens zijn dat het inderdaad in Jacobs belang is dat hij bij u en uw echtgenote gaat wonen, meneer Cole. En mag ik daarbij ook meteen aantekenen dat mijn cliënt geen enkele blaam treft over wat er met de jongen is gebeurd. De politie is ervan overtuigd dat hij in de veronderstelling verkeerde dat de jongen de rechtmatige zoon van zijn echtgenote was en dat hij pas na haar dood heeft ontdekt dat dat niet het geval was. Als hij daar nadien niet naar had gehandeld, zouden we hier nu geen van allen zitten.'

Sandra Cole snoof minzaam. 'Ja, geef 'm maar gelijk een medaille, joh.'

Ze had een sigaret gepakt, maar toen ze die in haar mond wilde steken zei de maatschappelijk werker: 'Sorry, er mag hier niet gerookt worden.'

Ze keek hem aan en stak de sigaret alsnog tussen haar lippen. 'Ga je me nou vertellen dat ik niet eens een sjekkie mag opsteken?'

Carlisle kreeg een heel erg ongemakkelijke blik op zijn gezicht. 'Ja, helaas. Het spijt me.'

'Doe 's weg,' zei Cole tegen zijn vrouw, zonder haar aan te kijken. Ze wierp hem een woedende blik toe en griste de sigaret uit haar mond. Toen ze hem terugstopte in haar tas zag Ben dat haar rode lippenstift een vlek op het filter had achtergelaten.

De maatschappelijk werker bleef haar nog even aankijken alvorens zijn blik af te wenden. 'Zoals mevrouw Usherwood net al zei, meneer Cole, wil niemand hier uw voogdijverzoek aanvechten. Er gaat altijd wat tijd overheen, maar lopende het onderzoek mag u de jongen uiteraard geregeld zien. Toch is het voorlopig het best voor Jacob als hij zolang bij meneer Murray...'

'Nee.'

'Ik snap heus hoe moeilijk dit voor u moet zijn, maar...'

Hij stopte omdat Cole plotseling was opgestaan en naar de andere kant van de tafel liep. Ben verstijfde.

'Eh... Meneer Cole...?'

Cole negeerde de maatschappelijk werker echter volkomen en liep linea recta naar Jacob toe. Net als zo-even ging hij weer op één knie op de grond voor hem zitten. 'Steven?'

'Meneer Cole, ik moet u echt met klem verzoeken...'

'Kijk me 's aan, Steven.'

Jacob bleef onverstoorbaar met het puzzeltje spelen alsof hij Coles aanwezigheid niet eens opmerkte. De man stak zijn hand uit en duwde de puzzel langzaam een eindje naar beneden. Jacob reageerde met een geïrriteerd gemurmel en probeerde weg te draaien.

'Dat vindt hij niet fijn,' zei Ben. Cole leek hem niet te horen.

'Steven.'

Hij pakte de kin van de jongen vast en tilde zijn gezicht heel voorzichtig op. 'Dat kun je...' begon Ben, maar hij slikte de rest in toen hij zag dat Jacob wel degelijk oplette.

'Ik ben je vader. Zeg maar tegen ze dat je met mij mee naar huis wilt. Zeg het maar.'

Niemand zei iets. Vader en zoon bleven elkaar aanstaren en Ben dacht heel even dat Jacob echt iets zou antwoorden. Maar de jongen richtte zich weer op het nieuwe speeltje en de stilte werd doorbroken door het geratel van de zilverkleurige balletjes.

'Daar kan hij niets aan doen,' had Ben in een plotselinge opwelling van medelijden nog tegen Cole gezegd. Ergens was hij ook wel een beetje opgelucht, maar die verwarring werd meteen verdrongen doordat de andere man hem met een volkomen ondoorgrondelijke blik had aangekeken. Die blik was zó leeg dat het bijna eng was. *Je hebt geen idee wat er door hem heen gaat, of hoe hij zal reageren. Hij lijkt wel een verrekte rottweiler.*

Cole liep terug naar zijn stoel en zei tijdens de rest van de bijeenkomst helemaal niets meer.

De dagen erna waren een aaneenschakeling geweest van naargeestige kantoren en mensen met strenge ambtelijke gezichtsuitdrukkingen. Ben was een paar keer naar het politiebureau geweest en had de krantenknipsels ook moeten overhandigen. Niet dat dat hem iets kon schelen. En als hij al behoefte had gehad aan kranten, dan kon hij zijn lol op. De media hadden zich met ongekende gretigheid gestort op het hele verhaal over 'Baby Steven is terug'. Het aantal 'exclusieve' interviews dat Quilley gaf, deed Ben vermoeden dat de detective eindelijk de juiste markt voor zijn diensten had aangeboord.

Nou, wat hem betreft mocht Quilley daar gerust in stikken.

Omdat hij niet wilde dat Sarahs ouders het via de media zouden horen, had hij hen gebeld voordat het in het nieuws kwam. Hij had haar vader kort gesproken en kwam daarbij zo slecht uit zijn woorden dat hij telkens bijna weer overnieuw moest beginnen, opdat de andere man er nog enigszins wijs uit kon worden.

'Ik snap het niet helemaal,' had Geoffrey naderhand echter gezegd. Hij klonk opeens stokoud.

'Ik had het jullie liever niet op deze manier willen vertellen, maar de pers heeft er helaas lucht van gekregen en het is... Nou ja, kort gezegd ziet het er niet best uit.'

'O nee! Nee!'

'Het spijt me echt heel erg.'

Zijn schoonvader leek hem niet te hebben gehoord. 'En wat moet ik Alice nou zeggen?' had hij Ben gevraagd. Hij was nog over een antwoord aan het nadenken toen hij hoorde dat de hoorn aan de andere kant heel zacht werd neergelegd.

Zijn schoonmoeder belde hem diezelfde avond zelf terug, vermoedelijk nadat ze het op het journaal hadden gezien. 'En? Ben je nu tevreden?' had ze hem toegebeten. 'Je kon het niet laten, hè? Was Sarahs dood nog niet erg genoeg? Moest je nou ook nog per se het kleine beetje dat we nog hadden kapotmaken?'

'Alice...'

'We hebben het over onze kleinzoon, hoor! Hij is niet van jou! Hij is het enige wat we nog hebben en jij geeft hem gewoon weg! Mijn god, ik haat je! Ik haat je echt!'

Ben kon haar helaas geen ongelijk geven en voelde zich op dat moment ook niet bijster goed over wat hij had gedaan.

De tuin lag inmiddels bijna volledig in de schaduw. De schommel was uitgezwiept en piepte alleen nog zachtjes na. Ben gaf hem nog een laatste schop en stond op. Onder het dunne witte T-shirt voelde zijn huid bijna broos aan door het kippenvel. Hij liep het huis in, naar de woonkamer, die op het westen lag en dus ook nog zonnig was. Het zonlicht wierp een ruitvormige vlek van het raam op het kleed. Ben ging dan ook precies daar zitten, met zijn ogen dicht en zijn gezicht omhooggericht om de laatste zonnestralen van de dag op te vangen.

Zijn hele wereld kleurde rood. Rood op rood, met een rode achtergrond; alles was gehuld in een rode waas. Hij gaf zich eraan over. Het was vrijdagavond, maar hij wilde niet stilstaan bij de vraag wat hij dat weekend zou doen. En ook niet aan de vele weekenden die daarna nog zouden volgen. Alle weekenden die hij ooit met Sarah en Jacob had gehad, waren met een rooskleurige gloed omgeven. Hij wist dat hij het idealiseerde en mooier maakte dan het was, maar hij was te moe om zich daar nu tegen te verzetten. Ook daar wilde hij liever even niet aan denken. Het was veel gemakkelijker om zijn hoofd leeg te maken en zich te richten op de laatste zonnestralen.

Het rode universum werd langzaamaan steeds donkerder. Hij deed zijn ogen open. De zon stond een stuk lager en de horizontale streep van het raam viel precies op zijn gezicht. Het zonlicht was gereduceerd tot een dun reepje, te smal om in te kunnen zitten. Ben duwde zich met een hand overeind en voelde iets hards.

Het bleek een puzzelstukje te zijn dat tussen de kwastjes van het kleed was verdwaald. Hij pakte het op. De bovenkant was felblauw, met een dikke oranje streep door het midden. Ben had geen idee wat het moest voorstellen of bij welke legpuzzel het hoorde. Hij draaide het gekartelde stukje een paar keer om en keek toen op zijn horloge.

Tijd voor het nieuws.

Het was een van de laatste items, een luchtige reportage ter afsluiting van het nieuws. De nieuwslezeres vertelde met een brede glimlach op haar gezicht dat Steven Cole met zijn biologische vader was herenigd. *Hij heet Jacob. Niet Steven.* Dat het jochie in het kader van het zogenoemde 'herintegratieproces' dat door maatschappelijk werk werd begeleid, al met enige regelmaat bij zijn vader en nieuwe moeder kwam, werd onvermeld gelaten. Even later kreeg de kijker John en Sandra Cole te zien, die middag voor het gebouw van de kinderbescherming. Jacob liep tussen hen in en ze werden omringd door een haag van journalisten en fotografen. Cole deed alsof hij ze niet zag, maar zijn vrouw genoot zichtbaar. Ze bespeelde de media met verve en zag er zelfs een tikje dellerig uit, terwijl ze voor hen poseerde en zich gewillig liet filmen. Ze was de enige van het herenigde trio die blij leek en met een stralend gezicht in de camera's keek. Ze hield Jacobs hand stevig vast. Zó vast, zag Ben, dat haar knokkels helemaal wit waren, vermoedelijk omdat de jongen tegenstribbelde. Hij liep met zijn gezicht naar de grond, alsof hij alle drukte en het gedoe om zich heen als het ware kon ontkennen. Ben voelde dat zijn hart ineenkromp bij de aanblik daarvan.

Het duurde even voor hij het beeld van hemzelf dat voorbij flitste herkende – hij leek wel een voortvluchtige crimineel.

Coles verzoek om het ouderlijk gezag te krijgen was ingewilligd en Ben had Jacob die middag meegenomen om hem aan zijn nieuwe ouders over te dragen. Hij probeerde zichzelf wijs te maken dat dit echt het beste was. Dat het in Jacobs belang was. Het zou egoïstisch zijn geweest als hij Coles recht op zijn eigen zoon zou aanvechten. Wat hij of Sarahs ouders er ook van mochten vinden, John Cole was en bleef Jacobs vader en dat maakte meteen een einde aan eventuele verdere discussies. Als de kinderbescherming of andere instanties ook maar iets had gevonden, wat dan ook, wat erop wees dat het niet goed zou zijn voor Jacob om bij zijn biologische vader te gaan wonen, zouden de zaken er anders voor hebben gestaan. Maar dat hadden ze niet en Ben had van tevoren al gezegd dat hij ongeacht de uitslag met de uitspraak zou instemmen. En daar had hij zich dus ook aan gehouden. Tot het bittere einde.

Het spijt me zo, Sarah.

Hij herinnerde zich weer dat Jessica hem ervan had beschuldigd dat hij de verantwoordelijkheid voor Jacobs zorg niet op zich wilde nemen en vroeg zich nu af of zijn motieven om Jacob af te staan inderdaad wel helemaal zuiver waren. Zijn eigen gedachtegang kwam hem opeens wat onfris en verwarrend voor. Hij keek naar het televisiescherm, waar nu een ouder echtpaar te zien was, gezeten in een kleine woonkamer met reliëfbehang. Jeanette Coles ouders. De vrouw zat in een rolstoel en leek zich niet goed op haar gemak te voelen voor de camera. Haar echtgenoot zat naast haar, haar hand in de zijne. Hij zag eruit als een rustige, bedaagde man die zoetjesaan omlaag werd getrokken door het verstrijken der jaren. Ja, ja, ze waren heel blij, zeiden ze. Ja, natuurlijk hadden ze graag gewild dat hun dochter nog had geleefd om met haar zoon te kunnen worden herenigd. Toen iemand vroeg of ze hun kleinzoon al hadden gezien, viel het Ben op dat de vrouw een vluchtige blik op haar man wierp. Hij aarzelde voor hij antwoordde: 'Nee, nog niet.'

En wanneer zou dat dan gebeuren? drong de journalist aan. Weer een korte stilte.

'Snel, hopen we,' antwoordde de man, maar hij ontweek de blik van de journalist terwijl hij dat zei.

De reportage eindigde met een beeld van het echtpaar Cole, dat thuiskwam met Jacob. Ben wist meteen dat de camera's voor de oprit stonden en dat ze vanachter het hek filmden, want de overwoekerde tuin met alle rotzooi kwam niet in beeld. Tja, die misère paste natuurlijk niet bij een reportage die mensen blij moest stemmen, hè. Hij zag Jacob door het zwarte rechthoekige gat ver-

dwijnen en Sandra Cole die met een stralende glimlach de voordeur duidelijk schoorvoetend achter zich dichttrok.

Hij zette de televisie uit, liep naar de keuken en pakte nog een
koud biertje. Hij ging aan tafel zitten en stak een sigaret op. Hij
dronk en rookte de laatste tijd te veel. *Maar dat maakt nu allemaal toch niks meer uit.* Hij nam een flinke trek, hield de rook
even vast, ademde uit en nam een slok.

Eén keer per maand. Dat was wat zijn geweten hem had opgeleverd. Daar was de omgangsregeling voor hem en Jacob op neergekomen. Niet dat dat trouwens nog 'omgang' werd genoemd.
Nee, het nieuwe modewoord was 'contact', alsof de naam die je
het beestje gaf ook maar iets uitmaakte, want waar het op neerkwam was dat hij van de achtentwintig dagen Jacob één dag mocht
zien.

Eén keer per maand.

Zelfs Ann Usherwood was vrij optimistisch geweest, dat het we-
kelijks of hoogstens om de week zou worden. Hoewel Ben volgens de politie geen enkele blaam trof, had de kinderbescherming
desondanks gemeend dat regelmatig contact met zijn stiefvader
niet in Jacobs belang was. Net als de allerplatste tabloids leken ook
zij te zijn gevallen voor het romantische verhaal over het verdwenen jongetje dat eindelijk weer terug was waar hij hoorde. Alleen
zouden ze dat desgevraagd natuurlijk in alle toonaarden ontkennen. Nee, ze hadden de uitspraak in fatsoenlijke en alleszins redelijke bewoordingen omkleed. Carlisle, de maatschappelijk werker, had Ben gezegd dat Jacob verrassend snel aan zijn nieuwe
thuis gewend leek te zijn. En met het oog op de achtergrond en
de bijzondere gesteldheid van het jongetje zou regelmatig contact
met zijn voormalige stiefvader dat hechtingsproces kunnen scha-
den. Hij zei nog net dat het hem speet.

Tja, en daarmee was de kous af en was alles goed...

Ben nam een laatste slok bier en liep naar Jacobs slaapkamer.
Of althans, naar wat vroeger zijn kamer was geweest, berispte hij
zichzelf terwijl hij nog een trek van zijn sigaret nam. Hij keek naar
het speelgoed en de kleren die Cole niet had willen meenemen,
en alle pictogrammen en felgekleurde posters aan de muur. Hij

wist niet wat hij erger vond: de aanblik van wat er over was of juist de herinnering aan alles wat ontbrak.

Hij had gisteren een dag vrij genomen om de hele dag bij Jacob te kunnen zijn. Ze waren naar de dierentuin gegaan. Hij was met het jochie op zijn rug langs alle kooien en dierenverblijven gegaan. Hij had gehoopt dat Jacob het leuk zou vinden en dat het voor hen allebei een gedenkwaardige dag zou zijn. Hij leek zich inderdaad ook wel te hebben vermaakt, maar voor Ben was de dag uiteindelijk te beladen om er echt van te kunnen genieten. Het was net alsof hij van een afstandje toekeek en alles wat ze deden bezag in het licht van het feit dat het hun allerlaatste dag samen was. Hij had zichzelf moed proberen in te praten, dat hij Jacob over vier weken weer zou zien, maar dat had niet geholpen. Dan zou het immers allemaal anders zijn. En toen ze weer thuiskwamen had hij zijn sombere gedachten helaas ook niet van zich af kunnen zetten.

Die ochtend had hij Jacob geholpen met aankleden en ze hadden samen ontbeten, met in zijn achterhoofd een stemmetje dat hem er continu aan herinnerde dat het nu echt de aller-allerlaatste keer was.

Het was zo ontzettend moeilijk om te blijven geloven dat hij het juiste had gedaan.

Hij sloot de deur van de slaapkamer waar Jacob nooit meer zou slapen en ging terug naar beneden. Hij drukte de sigaret uit en pakte nog een biertje uit de koelkast. Vanaf de muur tegenover hem zag hij Sarah naar hem kijken. Hij had die foto altijd al mooi gevonden, omdat het leek alsof ze lachte terwijl dat, als je echt goed naar haar gezicht keek, helemaal niet zo was. Hij hing daar nog niet eens zo lang, omdat hij dat tot nu toe nog niet had aangekund. Sarah had het bovendien ook ijdel gevonden om foto's van jezelf in huis te etaleren, tenzij Ben of Jacob er ook op stond, en direct na haar dood was het voor hem nog te pijnlijk geweest om haar daar elke dag te zien. Hij durfde er nu wel naar te kijken, maar zelfs na een paar biertjes zag hij nog geen enkele wrok of kritiek op haar gezicht. De foto was niet veranderd. Tja, het was natuurlijk ook maar een foto.

De deurbel ging. Ben maakte geen aanstalten open te doen. Hij had geen behoefte aan gezelschap. Zodra hij thuiskwam had hij zijn mobieltje uitgezet en de hoorn van de haak genomen om de meelevende telefoontjes vóór te zijn die er ongetwijfeld zouden komen. Hij voelde zich wel een beetje schuldig tegenover Keith, maar hij kon hem altijd later terugbellen. Misschien dat zijn vader zich verplicht zou voelen hem te bellen en dat kon Ben er nu al helemaal niet bij hebben. Nee, hij voelde zich al klote genoeg. Toen het hele verhaal net in het nieuws was, had Ben hem kort gesproken maar hij had zich na dat gesprekje alleen maar nog gedeprimeerder gevoeld. Zijn vader had zich vooral verontschuldigd voor zijn afwezigheid: een schuldbewuste brij van excuses die erop neerkwam dat zijn vrouw zich niet zo lekker voelde en daarom... Het was Ben al eerder opgevallen dat zodra iemand de aandacht van haar echtgenoot opeiste, zij altijd nét op dat moment iets onder de leden had. 'Ach, je kent het wel, hè,' had zijn vader uiteindelijk gezegd en Ben had instemmend gemompeld. Maar ondertussen dacht hij: nou, je wordt bedankt, pap.

Er werd nog een keer, ditmaal wat langer, op de deurbel gedrukt. Ben bleef koppig aan de keukentafel zitten, maar de persoon weigerde zo te horen zijn vinger van de deurbel te halen. Hij duwde zijn stoel achteruit en liep naar de voordeur om te zien wie het was.

Zoe stond tegen de deurpost geleund, inderdaad met haar vinger op de deurbel. Ze schrok toen hij de deur opendeed. Achter haar stond een dubbel geparkeerde taxi met draaiende motor. Ze wierp hem een grijnslachje toe, maar slaagde er niet in haar zenuwen te maskeren. 'Hoi. Ik heb je nog proberen te bellen, maar je was steeds in gesprek.'

Ben was nog niet helemaal bekomen van zijn verbazing. 'Ik heb de hoorn ernaast gelegd.'

'O.' Ze stak haar handen in de kontzakken van een strakke zwarte spijkerbroek die laag op haar heupen zat. Ze trok haar schouders een eindje op. 'Ik zag het net op het nieuws. Ik wilde even checken of het wel goed met je gaat.'

'Ja, best.' Hij wilde niet onbeleefd overkomen en vroeg of ze even wilde binnenkomen.

'Nee, nee. Dat hoeft niet. Ik heb de taxi gevraagd te wachten.' Ze keek omlaag naar de punt van haar schoen, waarmee ze ondertussen tegen het stoepje schopte. Haar haren waren nu weer rood van kleur. 'Wat ga je nu doen?'

Ben dacht terug aan zijn advocate, die hem had gezegd dat hij in bezwaar kon gaan tegen de omgangsregeling, alleen leek ze er zelf niet helemaal in te geloven. Op dit moment vond hij het zelf ook iets te abstract en alleen al eraan denken kostte al te veel energie. 'Dat weet ik eerlijk gezegd nog niet zo goed.'

Ze keek om, alsof haar aandacht werd getrokken door iets op straat. 'Er is vanavond een openingsfeestje in een nieuwe nachtclub in Soho. Ik heb toevallig een uitnodiging. Heb je zin om mee te gaan?'

Hij besefte nu pas dat ze met haar vraag net misschien helemaal niet op zijn langetermijnplannen had gedoeld. Het viel hem nu ook pas op dat ze zich had opgemaakt en zelfs lippenstift op had. Haar oranje topje was nog korter en strakker dan wat ze meestal naar haar werk droeg, eigenlijk was het niet veel meer dan een beha die zich om haar kleine borsten spande. 'Nee, niet echt. Maar dank je wel voor het aanbod.'

'Heb je vanavond dan al iets anders gepland?' Ze keek hem met half geloken ogen aan.

'Nee, maar ik heb niet echt zin om uit te gaan.'

Ze knikte. 'Dus je blijft liever thuis om je in je eentje te bezatten.'

'Zoe, het is heel aardig dat je even langskwam, maar…'

'Maar je wilt hier liever in je eentje gaan zitten simmen.'

Hij had niet de fut om boos te worden. 'Ik denk niet dat ik nu heel erg gezellig gezelschap ben.'

'Heb ik dan iets over gezellig gezegd? Maar jezelf klemzuipen kan toch net zo goed in het bijzijn van anderen?' Ze veranderde opeens van toon en zei: 'Nou ja, het leek me gewoon niet zo'n goed idee als je hier vanavond in je eentje zou zitten.'

Maar dat was wel precies wat hij wilde: alleen thuisblijven en zich overgeven aan alle herinneringen aan Sarah en Jacob, en een potje zwelgen in zelfmedelijden om het gezin dat hij was verloren.

Dat was namelijk veel gemakkelijker dan zich uit het moeras zien te trekken waar hij langzaam maar zeker steeds dieper in weg dreigde te zakken. Het enige wat hij op dit moment eigenlijk wilde, was het opgeven en proberen nog enigszins te genieten van de val omlaag.

Zoe stond zo te zien nog steeds op een antwoord te wachten. Hij probeerde iets te verzinnen, maar kwam uiteindelijk niet verder dan alleen maar even kort met zijn hoofd te schudden.

'O, toe nou,' zei ze. Ze rook duidelijk bloed. 'Je zult er echt van opknappen, geloof me.'

Maar ik wil me helemaal niet beter voelen. Zelfs met haar in discussie gaan, was al te vermoeiend. 'Tja, maar ik kan moeilijk zo gaan,' zei hij zwakjes terwijl hij omlaag keek naar zijn gekreukte broek en het shirt dat vol vieze vegen van de tuinmuur zat. Toen hij de grijns op haar gezicht zag, realiseerde hij zich pas dat ze gewonnen had.

'Ga je dan maar snel omkleden. Ik zeg de taxi wel dat hij nog even moet wachten.'

Het was bloedheet in de nachtclub. Het was klein, donker en benauwd en een beetje klam van al die ademhalende en zwetende lichamen. Anonieme billen, heupen en kruisen drukten zich tegen hun tafeltje aan, of leunden op de rand ervan, waarbij de scherpe hoeken in spijkerstof, leer, satijn en huid sneden.

'Ze weten niet precies waardoor het komt,' zei Ben. 'Ze zeggen dat het een hersenafwijking is, net zoals epilepsie bijvoorbeeld, maar in feite komt het erop neer dat ze geen idee hebben waarom sommige kinderen autistisch zijn en andere niet. Het zou erfelijk kunnen zijn, het kan te maken hebben met bepaalde kinderziektes of vaccinaties, of door een zuurstoftekort tijdens de bevalling. Kortom, het kan zoveel zijn.'

Zoe leunde met haar ellebogen op tafel en liet haar kin in haar handen rusten terwijl ze naar hem luisterde. Omdat ze hem anders boven de keiharde muziek niet kon verstaan, zat ze dicht bij hem. Ze nam een slok van haar biertje. Ben had zijn flesje in de hand en had het etiket er blijkbaar afgepeuterd, want hij zag op de tafel voor hem allemaal verfrommelde papierpropjes liggen.

'Het is niet zoals bij het syndroom van Down, waarbij je direct weet of een kind dat wel of niet heeft. Het schijnt niet eens zo gemakkelijk te zijn om het vast te stellen. Soms is het niet heel ernstig en kan het kind gewoon naar een normale school, in andere gevallen is het zo erg dat het kind de rest van zijn leven in luiers rondloopt. En het kan gaandeweg ook veranderen, waarbij een kind andere symptomen ontwikkelt naarmate het ouder wordt.' Hij nam een slok. Het bier smaakte warm en schraal, hoewel hij het flesje net besteld had. Of misschien toch niet? Zijn hoofd voelde een beetje wollig aan. Hij zette het flesje weer neer en peuterde nog een stukje van het etiket los.

'Als je het vergelijkt met sommige andere stumpers in zijn klas, is Jacob er nog niet eens zo heel erg aan toe. Bij hem is het eerder een communicatieprobleem. Niet dat hij het op een reguliere school zou redden, maar het zou best kunnen dat het op den duur beter met hem gaat. Soms kijkt hij je aan en dan heb je het gevoel alsof hij echt op het randje zit, snap je? Dat hij maar een klein duwtje nodig heeft en dan een normaal kind zou zijn. Maar voor hetzelfde geld is hij opeens helemaal weg en dan lijkt het net alsof hij van een andere planeet komt. Het is zó frustrerend, omdat het lijkt alsof hij gevangen zit in zijn eigen hoofd. Als je nou maar gewoon wist hoe je hem daaruit kon bevrijden...'

Hij stopte met praten. 'Sorry, ik ben aan het bazelen.'

'Nee, hoor. Helemaal niet.' Zoe haalde haar schouders op. 'Hoe dan ook is het best interessant gebazel. Je praat eigenlijk nooit over hem, wist je dat?'

'Omdat er niets zo saai is als luisteren naar ouders die over hun kinderen praten.' *Vooral als het niet eens hun eigen kinderen zijn.* Hij wilde nog een slok nemen, maar kwam erachter dat het flesje leeg was.

'Heb je ooit overwogen om hem te adopteren?' Ze kromp ineen en trok een lelijk gezicht. 'O, sorry, sorry! Dat kwam er botter uit dan ik het bedoelde.'

'Laat maar, dat is niet erg. Ja, Sarah en ik hebben het daar wel eens over gehad en we hadden besloten dat ik dat op een dag inderdaad zou doen. We hebben het ook vaak over een tweede kindje gehad. Maar ja, we dachten niet dat daar haast bij was...'

En toen was het gesprek net als de *Titanic* langzaam maar zeker ten onder gegaan. Ben merkte dat zijn eigen humeur ook in een soort duikvlucht terechtkwam. Hij wist dat hij bijna dronken was en walgelijk sentimenteel dreigde te worden, dat hij zijn mond beter kon houden, moest ophouden met drinken en naar huis moest, maar op hetzelfde moment dat hij dat besefte, ging die gedachte ook meteen in rook op. 'Niet dat het trouwens iets had uitgemaakt,' hoorde hij zichzelf zeggen. 'Ik denk dat ik Cole dan nog steeds de voogdij had gegund – sorry, ik bedoel het ouderlijk gezag.' *O ja, is dat zo?* Hij besloot dat het tijd was voor een wat veiliger gespreksonderwerp. 'Maar ik kan er gewoon niet bij dat ik Jacob maar één keer per maand mag zien. Echt maar eens per maand!'

'Kun je dat niet met zijn vader bespreken? Of uitleggen, bedoel ik. Misschien dat je hem dan alsnog wat vaker mag zien.'

Ben dacht aan de blik waarmee Cole naar hem had gekeken en schudde langzaam maar beslist zijn hoofd. 'Nee, ik maak geen schijn van kans.'

'Maar dat is zo onredelijk!'

'Ja, maar volgens mij is Cole ook geen redelijk, weldenkend man.' Hij bedacht nu dat hij daarmee de spijker op de kop sloeg. Als er achter die lichtbruine ogen van Cole al sprake was van een bepaald denkproces, viel daar geen peil op te trekken. Misschien had Jacob wel meer dan alleen zijn uiterlijk geërfd. Ben probeerde die gedachte tot een logisch einde te brengen, maar het ontglipte hem, omdat hij opeens aan iets heel anders moest denken. 'Ik hoop vooral ook dat hem daar niets gebeurt.'

Zoe legde een hand op zijn arm. 'Vast niet. Als ze daar ook maar enige twijfel over hadden, zouden ze hem daar echt niet naartoe hebben laten gaan.'

'Ja... Nou, ik hoop maar dat je gelijk hebt.' Hij zag het huis plotseling weer voor zich en alle troep in de voortuin. Hij moest denken aan Sandra Coles woeste blik en dat ze alleen maar leek te kunnen lachen als er een camera in de buurt was. Jacob kwam hem opeens zo nietig en kwetsbaar voor te midden van al die harde, scherpe randen.

Iemand porde hem in zijn zij. Hij keek op. Zoe bood hem een glas aan. Het was hem niet eens opgevallen dat ze naar de bar was gelopen.

'Ik vind dat we nu wel genoeg bier hebben gehad,' zei ze. 'Tijd voor het serieuzere werk.'

Hij snoof aan het drankje. Wodka.

Zoe voorvoelde zijn bezwaren blijkbaar al want ze zei snel: 'Hé, je wilde je toch bezatten?'

Er waren zo nu en dan momenten van nuchterheid, dat hij als een man die aan het verdrinken is maar af en toe nog een hap lucht binnenkrijgt, weer even bovenkwam. Net lang genoeg om om zich heen te kijken en te zien waar de stroom hem naartoe voerde, voor hij zich weer onder water liet trekken. Het werd steeds warmer en drukker in de nachtclub. Het stonk naar onappetijtelijke lichamen en naar parfum, sigarettenrook en gemorst bier. De discolampen en de keiharde muziek waren net zo'n aanslag op zijn zintuigen als een migraineaanval. De enige manier waarop ze elkaar nog konden verstaan, was door zowat in elkaars oor te kruipen en dan nog moesten ze schreeuwen. Hij merkte op een zeker moment dat Zoe's lippen langs zijn oor streken toen ze iets tegen hem zei. Haar adem voelde warm aan op zijn huid. Ze rook naar zweet en een kruidige parfum, en vaag ook naar knoflook. Ze had haar hand tijdens het praten op zijn schouder gelegd. Hij voelde de warme klefheid ervan dwars door zijn overhemd heen. Net als de hitte van haar blote huid. Door haar strakke haltertopje kon hij haar middenrif, haar armen, haar schouders en haar borstkas goed zien. Hij deed zijn ogen dicht. Alles was tot een fysieke sensatie verworden en bestond alleen nog maar uit lawaai en lijfelijk contact, zonder dat hij daar wijs uit kon worden. Hij hoorde wel wat ze zei, maar begreep er niets van. Op een gegeven moment was hij even helemaal weg en toen hij terugkwam, zat hij nog steeds op dezelfde plek en leek er niets te zijn veranderd. Hij voelde een drukkend gevoel in zijn oor, kleine luchtverplaatsingen die hij uiteindelijk wist te koppelen aan iemand die tegen hem praatte. Hij deed zijn ogen weer open. Voor hem doemde Zoe's enorme hoofd op, te groot om te kunnen bevatten. Hij leunde een eindje achterover en zag dat haar lippen bewogen en bepaalde woorden vormden. Hij deed heel erg zijn best niet weer weg te zakken.

'Wat zei je?' vroeg hij. Zijn stem kwam van heel ver.

'Ik vroeg of je wilde dansen.'

Ben schudde zijn hoofd. Dat voelde opeens ook heel zwaar aan, alsof het niet meer aan zijn nek vastzat. 'Nee, ga jij maar.'

Ze zei nog iets, maar dat verstond hij niet. Ze stond op. Ben werd geconfronteerd met haar rozig-zongebruinde, ronde buikje. Toen ze zich omdraaide en zich een weg door de mensenmassa baande, die erg dicht op elkaar stond gepakt, werd ze tegen de rand van de tafel gedrukt. De achterkant van haar broek maakte zich los van haar rug, zodat er een stukje van haar knokige ruggengraat werd ontbloot, vlak onder de afdruk die haar broek al op haar huid had achtergelaten.

Ze verdween in de muur van lichamen. Ben had het gevoel alsof er teerdraden aan hem trokken. Bij elke beweging die hij maakte, voelde hij een soort weerstand, maar zo nu en dan viel die ook plotseling weg en maakte hij juist ongecoördineerde, schokkende bewegingen. Hij stootte een leeg bierflesje om en toen hij zijn arm uitstak om te voorkomen dat het op de grond zou vallen, vielen er twee andere om. Het veroorzaakte een kletterend geluid, dat meteen werd overstemd door de kakofonie van al het andere lawaai. Hij had opeens een ontzettende dorst. Er zat nog wat bier in de flesjes die voor hem op tafel stonden, maar bij de gedachte alleen al werd hij bijna onpasselijk. Hij pakte een glas waar een paar smeltende ijsklontjes in zaten en liet die in zijn mond glijden. Vervolgens dronk hij de restjes lauwe, net gesmolten ijsblokjes uit een paar andere glazen op. Zijn dorst leek alleen maar erger te worden.

Hij keek over de hoofden van alle mensen in zijn directe omgeving heen. Boven de dansvloer hing een spiegelplafond. Hij zag hoofden en schouders die leken te zweven en op de gelijkmatige beat op en neer deinden, met uitgestrekte handen die als zeewier in het schokkerig blauw-rode stroboscooplicht bewogen. Hij voelde zich heel erg beroerd.

Zoe kwam terug. Hij had geen idee hoe lang ze weg was geweest. Haar haren zaten tegen haar voorhoofd geplakt en haar armen en bovenlijf waren verhit en glansden helemaal van het zweet. Haar borstkas zwoegde op en neer van de inspanning. Er zaten donkere vlekken op haar topje, dat strak tegen haar lijf zat geplakt. Ze had twee glazen in haar hand. Ze grijnsde en gaf hem er eentje. Hij wist best dat hij al te veel op had, maar het glas was heerlijk koud en er zaten ijsklontjes in. Hij sloeg het in één teug achterover, terwijl hij zich ondertussen afvroeg of dat wel zo slim was.

En toen stonden ze opeens buiten en was alles stil en koel. Er zat een raar suizend geluid in zijn oren. Hij had zijn arm om Zoe's schouders geslagen en hij voelde haar arm om de zijne. Ze zaten in een taxi, ze leunde zwaar tegen hem aan. Haar huid was gloeiend heet en glibberig. Ergens kwam de gedachte in hem op dat hij met haar naar bed wilde. Heel ver weg zei een ander stemmetje in zijn hoofd dat hij dat beter niet kon doen, maar het was te zacht om er echt lang bij stil te staan. Hij streelde haar halfblote rug onder het topje. Ze legde haar mond tegen de zijne. Haar tong en haar tanden leken raar groot, alsof ze hem dreigde op te slokken. In zijn handpalm voelde hij haar harde tepel dwars door het dunne laagje stof tegen hem aan drukken.

Toen hij uit de taxi stapte schrok hij van de plotselinge kou. Hij keek omhoog. Er gloorde al licht aan de horizon. De sterren pinkelden boven zijn hoofd. Hij zette een stapje achteruit om zijn evenwicht te hervinden en wankelde naar de voordeur, die ze van het slot deed. Hij had even een helder moment en zag dat het Zoe was, het meisje dat voor hem werkte. Hij liep door een donkere gang. Er ging een deur open en hij stond in een slaapkamer. Ze drukte zich tegen hem aan, een en al koele huid en een hete, vochtige mond. Hij had zijn handen achter in haar spijkerbroek in haar slipje gestoken. De knoopjes van zijn overhemd waren al open. Haar handen gleden over zijn borstkas en zijn buik. Het gezoem in zijn oren werd luider. En toen was het opeens weg en keek hij vanaf een duizelingwekkende hoogte neer op een donker hoofd met haar. Hij kreeg kippenvel, maar voelde verder helemaal niets. *Waar ben ik?* Dat hoofd was niet van Sarah. Hij raakte in paniek en besefte meteen daarop met een schok dat ze dood was en dat hij bij Zoe was. Hij probeerde naar achteren te stappen, maar struikelde half.

'Ik moet gaan.' Zijn stem klonk gesmoord en raar. Hij begon aan zijn kleren te frunniken.

'Wat is er?'

Hij antwoordde niet, omdat hij het zelf niet wist en bovendien ook niets zinnigs kon uitkramen. Hij begon zich haastig aan te kleden en het rare geruis kwam bij de minste beweging ook weer terug. Hij raakte zijn evenwicht kwijt en viel bijna. Hij had zijn broek al aan, zijn shirt ook, alleen zijn schoenen nog... Zoe was een schaduw op de grond die hem aankeek. Ze zei niets toen hij de deur uitliep, maar hij wist zonder te kijken dat ze huilde.

Op straat begon hij lukraak maar wat te lopen, zonder te weten waar hij was of waar hij naartoe moest. Hij wilde nu alleen maar wegwezen hier, afstand scheppen tussen hemzelf en de herinnering aan wat er gebeurd was. De hemel was nog lichter geworden en de sterren al vager. Naast hem remde een politieauto af. Twee blanke gezichten keken hem aan. Hij huiverde, maar niet van de kou, en liep door. De onbekende straten strekten zich voor hem uit. Hij sloeg willekeurig een keer links af en toen rechts en kwam op een gegeven moment bij een grote weg uit. De straatlantaarns waren al uitgefloept toen hij uiteindelijk alsnog een taxi aanhield.

9

Drie weken nadat Jacob aan de familie Cole was overgedragen, stond Jessica voor de rechter. De media rakelden de hele zaak gretig op en op de dag dat Ben als getuige à charge de rechtbank in liep, moest hij zich eerst door een heuse wand van camera's heen zien te werken.

'Meneer Murray, u bent vast en zeker opgelucht dat u vandaag zelf niet terechtstaat, hè?' vroeg een journaliste hem op dwingende toon, terwijl ze achteruitliep zodat hij niet aan haar kon ontsnappen. Ze had haar microfoon als een estafettestok naar hem uitgestoken, alsof ze verwachtte dat hij die zou aanpakken en er met haar vraag vandoor zou gaan. Hij glipte langs haar heen, zonder haar zelfs maar een 'geen commentaar' te gunnen. Eenmaal binnen en veilig voor de camera's, leunde hij eerst even tegen een muur aan, tot de neiging om er met zijn vuist tegenaan te bonken was weggezakt en zijn maag niet langer in een enorme knoop zat.

Hij had van tevoren zo zijn best gedaan om vooral niet aan deze rechtszaak te denken. Hoewel het eveneens betekende dat het niet lang meer duurde voor hij Jacob weer zou zien, zag hij er als een berg tegen op. Hij had geprobeerd de draad van zijn leven zo goed en zo kwaad als het ging weer op te pakken, voor zover dat überhaupt mogelijk was nadat hem twee derde ervan was afgenomen. De enige uitweg die hij kon bedenken, was zich volledig op zijn werk te storten en ironisch of niet, hij had het nog nooit zo druk gehad. Dezelfde gebeurtenissen die zijn privéleven hadden verwoest, gaven zijn carrière juist een flinke boost. Bij de eerste telefoontjes dacht hij nog dat de redacteuren en ontwerpers die hij al jaren kende hem een hart onder de riem wilden steken. Dat was echter voordat hij besefte dat zijn naam een bepaalde lading had gekregen, iets wat helemaal niets met zijn kwaliteiten als fotograaf te maken had. Zo had een tijdschriftredacteur zonder enige aanleiding een modereportage afgedrukt die Ben maanden daarvoor had gemaakt, puur en alleen vanwege zijn naam. Toen hij dat eenmaal in de gaten had gekregen, had hij haar gebeld en in niet mis te verstane bewoordingen laten blijken wat hij van haar vond. Het resultaat was dat hij dat jaar in ieder geval één kerstkaart minder hoefde te versturen.

Maar er waren genoeg nieuwe opdrachtgevers om haar plek in te nemen. Toen hij zijn aanvankelijke weerzin eenmaal van zich had afgezet, maande hij het zelfdestructieve stemmetje in zijn hoofd dat hem opdroeg ze te zeggen dat ze allemaal de pot op konden tot stilte en nam zo veel mogelijk klussen aan. Het was immers werk en alles wat hem in de studio bezighield was meer dan welkom. Zolang hij die autorit naar huis maar kon uitstellen, want de plek die hij ooit als thuis had beschouwd, was nu niet meer dan een lege huls van cement en steen.

Hij besloot in plaats daarvan dat hij zijn prijzen best eens mocht verhogen.

Dan kon hij Zoe ook wat meer betalen en dat was weer goed voor het schuldgevoel waar hij sinds die bewuste avond al last van had. Hij was de zaterdagochtend erna wakker geworden en hij wist niet wat erger was: de enorme kater of dat hij zich rot schaamde. Hij was op zijn knieën voor de toiletpot beland en had overgegeven tot er alleen nog maar gal uitkwam. De weeïge stank vulde zijn neusgaten, maar zelfs toen had hij nog gewacht tot het gebonk in zijn hoofd voldoende was afgenomen zodat hij, zij het wat wankel, overeind kon komen. Hij probeerde de vieze smaak weg te spoelen en plensde koud water in zijn gezicht. Daarna voelde hij zich weliswaar iets schoner, maar nog geen haar beter. Hij leunde met zijn ellebogen op de wastafel en staarde naar de verschrikking in de spiegel voor hem. Afgezien van zijn lippen, die onnatuurlijk rood van kleur waren, was zijn gelaat pafferig en vaal. Bij zijn ogen zag hij een paar rimpels die nieuw voor hem waren.

Hij walgde van zichzelf. Hij was pakweg een maand geleden drieëndertig geworden. Jezus had op die leeftijd de wereld al blijvend veranderd en was aan het kruis gestorven. Niet dat Ben nou overwoog een eigen religieuze beweging te beginnen, maar misschien was zich laten kruisigen nog niet eens zo'n gek idee.

Hij had een glas water en wat aspirines gepakt en was weer naar bed gegaan.

Het vooruitzicht dat hij telefonisch zijn excuses aan Zoe zou moeten aanbieden, stond hem zo tegen dat hij besloot maar gewoon tot maandagochtend te wachten. Hij wist niet eens zeker of ze wel zou komen opdagen, maar dat deed ze wel. Niet eens veel later dan normaal, hoewel ze wel veel stiller was. Ze hadden elkaar beleefd proberen te ontlopen tot Ben er uiteindelijk uit had gefloept: 'Hé, luister. Het spijt me echt dat ik er zo opeens vandoor ging.'

Ze bleef staan, maar draaide zich niet naar hem om. 'O, laat maar.'

'Het was gewoon te snel.' Hij schrok zelf van het cliché dat uit zijn mond kwam. Zoe had zich omgedraaid, maar ontweek zijn blik nog steeds. Ze knikte alleen maar.

'Bij nader inzien was het misschien ook niet zo'n bijster slimme actie van me.'

Tijdens de stilte die volgde, keken ze allebei verwoed om zich heen om elkaar maar vooral niet aan te hoeven kijken. 'Denk je dat we nog wel gewoon zo kunnen blijven samenwerken?' vroeg Ben.

Ze verroerde zich niet. 'Wil je dat ik wegga?'

'Nee, natuurlijk niet. Maar ik wist niet of jij dat zou willen.'

'Nee. Tenzij jij dat wilt.'

'Nee, hoor.'

Zoe knikte. Ze stak haar handen in haar zakken maar bedacht zich meteen weer. Ben pakte zijn camera en was opeens bijzonder geïnteresseerd in hoe die eruitzag.

'En hoe voelde jij je zaterdagochtend?' vroeg hij.

Ze trok een vies gezicht. 'Heel erg brak.'

Ze hadden elkaar grijnzend aangekeken en hoewel er nog wel

sprake was van enige gêne, was de ergste kou uit de lucht. Toen hij haar later die dag aan de telefoon hoorde vloeken, wist hij dat alles weer normaal was en er geen sprake was van blijvende schade.

Alleen was dat niet helemaal waar. Toen Zoe een keer voor een fotomodel op haar knieën was gaan zitten om de zoom van haar jurk goed te doen, had Ben opeens weer voor zich gezien hoe ze destijds voor hem op de grond had gezeten. Hij had snel zijn blik afgewend, maar die herinnering had ook iets anders opgerakeld, iets wat hem dwarszat en niet langer te negeren viel.

Hij kon zich namelijk niet herinneren dat hij die avond een erectie had gehad.

Erger nog, hij herinnerde zich heel duidelijk dat hij er geen had gehad. Ja, oké, hij was lam geweest, compleet bedwelmd door de alcohol, en hij was achteraf ook echt blij dat er niets gebeurd was, maar hij kon evenmin ontkennen dat hij er, althans voordat hij ervandoor was gegaan, wel degelijk zin in had gehad.

Alleen had dat dus blijkbaar niet voor zijn hele lichaam gegolden.

En wat nog verontrustender was, was dat hij nu opeens besefte dat hij sinds Sarahs dood überhaupt geen erectie meer had gehad. Dat mocht dan misschien een natuurlijke reactie zijn, maar het was inmiddels wel vier maanden geleden. Op zich was dat natuurlijk niet eens zo heel lang, en hij was er ook nog echt niet aan toe om met iemand naar bed te gaan, maar alleen al het schuldgevoel dat door zulke gedachten bij hem werd opgeroepen, maakte dat hij er juist steeds aan dacht.

Hij zat nu echter in de afgeschermde wachtruimte van de rechtbank en het uitblijven van een erectie was wel zo'n beetje het laatste waar hij mee bezig was. Er zaten een paar andere getuigen, maar geen van de gezichten kwam hem bekend voor. Niemand zei iets. Hij zag een gezette vrouw van middelbare leeftijd met een boezem waardoor de voorkant van haar jurk wel iets weg had van een tapijtrol. Ze had haar rode haar opgestoken en ze zat met een geconcentreerde blik en samengeknepen ogen een pocket te lezen waarvan ze de rug had geknakt. Getuige haar dikke, rozige vingers waste ze haar handen veelvuldig en langdurig. Hij nam aan dat ze waarschijnlijk de verpleegkundige was uit het ziekenhuis waar Jacob was geboren.

Bij de Aziatische man die een paar stoelen verderop zat, gokte hij dat het de arts was die Sarah na de 'bevalling' had onderzocht. Er waren ook twee politieagenten, waarvan er slechts eentje in uniform was, maar het colbertje, de broek en het gemillimeterde kapsel spraken boekdelen. Hij zat steeds met een vinger in zijn oor en probeerde die daarna stiekem aan zijn broek af te vegen. Er zaten nog een andere man en twee vrouwen, maar Ben had nu wel genoeg van het raadspelletje.

Waarschijnlijk had hij het toch bij het verkeerde eind.

Uiteindelijk was hij pas 's middags aan de beurt. Toen hij de rechtszaal betrad, voelde hij bijna iets van podiumangst en hij vond zijn eigen stem ook idioot luid klinken toen hij de eed aflegde. Door alle gezichten die hem aanstaarden zag hij Jessica aanvankelijk niet eens, en toen hij haar in het beklaagdenbankje dan toch spotte, zag ze er niet uit als de vrouw die hij kende.

Ze was heel erg afgevallen en haar bruine jurk hing als een zak om haar lichaam. Haar gezicht was nog wel rond, maar ze had nu opeens een duidelijke kaaklijn en een kwabbige onderkin. Haar gezicht was vaal, haar haren dof en futloos en zelfs vanaf waar hij zat, kon je de grijze uitgroei goed zien. Ze keek hem één keer aan, met een apathische oogopslag waaruit geen enkel blijk van herkenning of belangstelling sprak. Ze wendde haar gezicht bijna meteen weer af en ging door met het bestuderen van een plek op de vloer schuin voor haar voeten. Opeens besefte Ben met een vreemde mengeling van afkeer en medelijden dat deze rechtszaak er helemaal niet toe deed. Voor Jessica maakte het allemaal niets meer uit.

De aanklager stelde hem enkele vragen, waarna haar advocaat aan de beurt was. Het was vreselijk, even erg als hij had verwacht. Toen hij weer mocht gaan, stond hij te trillen op zijn benen en bij het verlaten van de zaal bleef hij strak vooruitkijken.

De rechtbank deed twee dagen later al uitspraak. Ben hoorde het onderweg in de auto op het nieuws: Jessica was medeplichtig bevonden en had drie jaar gekregen.

Hij zette de radio snel uit.

Toen de rechtszaak eenmaal achter de rug was had hij niets meer om zijn gedachten af te leiden van de naderende 'papadag' met Jacob. Hij had verwacht dat hij ernaar zou uitkijken, maar naarmate de bewuste zondag steeds dichterbij kwam, verplaatste zijn onrust over de rechtszaak zich nu hiernaar.

Keith had aangeboden met hem mee te gaan, wat hij vriendelijk had afgeslagen. Hij had nog steeds een buil op zijn neus van de vorige keer dat hij hem moreel had bijgestaan en Bens verstandhouding met Tessa was al moeizaam genoeg; hij wilde dat omwille van zijn vriend liever niet nog meer onder druk zetten.

De ware reden was echter dat hij Jacob die dag het liefst voor zichzelf had.

Nu hij de weg kende, leek de autorit veel korter. Het was een donkere, bewolkte dag. De weilanden waren kaal en vaalgeel, het malse groen van de vorige keer was ver te zoeken. Sommige waren zwart uitgeslagen van brandjes die hier en daar nog nasmeulden en af en toe dreef er een rookgordijn over de weg. Dat verbaasde hem, omdat hij dacht dat stoppels verbranden verboden was, maar blijkbaar had men daar in Tunford maling aan.

Hij had de avond ervoor gebeld om af te spreken hoe laat hij zou komen, maar hij had geen gehoor gekregen. Hij had hen voor het laatst gesproken op de dag dat hij Jacob aan hen had overgedragen – niet dat ze elkaar toen veel te zeggen hadden gehad. Hij had een paar keer willen bellen omdat hij graag wilde weten hoe het met Jacob ging en elke keer van tevoren precies bedacht wat hij zou vragen om ervoor te zorgen dat het een luchtig gesprekje zou zijn. Maar uiteindelijk had hij nooit gebeld. Hoe bezorgd hij ook was, hij wilde zich per se aan de afspraak houden, want hij wilde John Cole geen enkel excuus aanreiken om zíjn beloften niet na te hoeven komen.

Hij probeerde maar niet te denken aan de mogelijkheid dat Cole misschien wel helemaal geen excuus nodig had.

Terwijl hij door Tunford reed bedacht hij opeens dat ze wellicht waren vergeten welke dag het was en een weekendje of dagje weg waren. Of het helemaal niet vergeten waren, maar niettemin niet thuis zouden zijn. Dat riep weer allerlei nieuwe angsten bij hem op, zoals dat Jacob hem na een maand misschien al niet meer zou herkennen. Op dat moment reed hij hun straat in en zag Coles auto op de oprit staan.

Het was een oude Ford Escort uit de jaren tachtig. Hij zat vol roestplekken, maar was blijkbaar nog wel goedgekeurd. De originele rode laklaag was dof uitgeslagen en bedekt met een dun laagje opgedroogde modder en ander vuil. Hij had het echtpaar Cole destijds bij het pand van de kinderbescherming in deze auto zien stappen, maar anders zou hij het waarschijnlijk ook wel hebben geraden; op de een of andere manier leek het voertuig wel bij Cole te passen.

Gelukkig zijn ze in ieder geval thuis. Hij parkeerde achter de Escort en keek en passant even naar binnen. De stoelen waren bedekt met een zwarte nylon stretchstof die vol gaten en onder de kruimels zat. Op de achterbank lag eenzelfde soort puzzelspeeltje als Cole Jacob destijds bij hun eerste ontmoeting had gegeven. Hij wist niet precies waarom, maar het stak hem om dat daar zo te zien liggen. Hij wendde snel zijn blik af en liep door naar de voordeur.

In de voortuin lag nog meer schroot dan hij zich van de vorige keer herinnerde. Zo te zien waren het allemaal auto-onderdelen: chromen bumpers vol puistige roestplekken, portieren met gaten waar de grepen vroeger hadden gezeten, motorkappen in diverse stadia van verval, en wat velgen en koplampen. Door het oxidatieproces had alles een egaal bruinige kleur gekregen. Er groeide onkruid en gras door de kapotte raampjes, waardoor het levenloze metaal doorspekt was met frisgroene sprietjes. Het platgedrukte vergeelde gras en de modderige ondergrond duidden erop dat sommige onderdelen waren verplaatst. Ben vroeg zich af waarom je je eigen uitzicht in hemelsnaam met dit soort schroot zou willen verfraaien en wat Cole er überhaupt mee van plan was.

Hij ontweek de radiateur van een Mini midden op het pad en kwam bij de voordeur. Die was zo te zien ooit wit geweest, maar de nog resterende verf was gebarsten en deed hem aan stukjes eierschaal denken. Het hout eronder was grijs en verweerd. Het huis en de tuin waren een prachtig voorbeeld van wat entropie inhoudt, een soort tastbare herinnering dat alles op den duur vanzelf oplost en vergaat. Ben voelde weer woede opwellen dat ze Jacob tot zo'n omgeving hadden veroordeeld, maar sprak zichzelf meteen streng toe: 'Nou niet de snob gaan uithangen, Murray.' Maar de weerzin die dit alles bij hem opriep, was zowel heel wezenlijk als ook ongrijpbaar.

Hij gebruikte de morsige klep van de verzinkte brievenbus om aan te bellen en zette ook meteen weer een stapje achteruit. Het geluid weerklonk hard in de zondagse stilte en stierf al snel weg. Achter hem in de tuin hoorde hij iets. Hij draaide zich om en zag dat de buurvrouw met een bezem in de hand naar buiten was gekomen.

Ben begroette haar vriendelijk.

Ze gaf geen sjoege en bleef hem koeltjes aankijken terwijl ze de bezem een paar keer halfhartig over het tuinpad bewoog. Aan de overkant van de straat leunde een man in een bodywarmer op zijn tuinhekje en veinsde niet eens dat hij niet keek. Ben keerde ze allebei de rug toe. Het leek hier wel *Village of the Damned*. Hij klepperde nog een keer met de brievenbus.

Hij voelde hun ogen in zijn rug prikken terwijl hij wachtte. Het schrapende geluid van de bezem benadrukte de stilte. Waarom deed er nou niemand open? Hij telde tot tien en klopte een keer hard op de deur.

Die werd nu wel opengedaan. Hij stond oog in oog met Sandra Cole die hem met een norse blik opnam. Haar ogen waren wat pafferig en haar geblondeerde haren zaten door de war. Ze had een lichtroze ochtendjas aan die tot halverwege haar bovenbenen reikte en wel een wasbeurt kon gebruiken. Ze rook zelf ook een beetje zurig, naar muffe slaapkamer.

Ben wachtte tot ze iets zou zeggen. Toen ze dat niet deed, zei hij zelf maar: 'Ik kom voor Jacob.'

Ze sloeg haar armen over elkaar, waardoor haar borsten onder het badstoffen laagje iets omhoogkwamen. 'Hij is niet thuis.'

Hij werd niet eens boos. Misschien omdat hij dit eigenlijk wel had verwacht. 'Maar ik zou hem vandaag komen ophalen. Het is mijn dag vandaag.'

Ze haalde ongeïnteresseerd een schouder op, waardoor haar ochtendjas half openviel en hij haar decolleté duidelijk kon zien, waarbij haar borsten door haar armen bovendien nog wat verder omhoog werden geduwd. *Zonder make-up ziet ze er jonger en iets minder hard uit, maar aardiger... Nee.* 'Goh, wat jammer nou. Maar ik heb je net verteld dat hij niet thuis is.'

Ze wilde de deur al dichtdoen. Toen Ben die tegenhield, ving hij vanuit de gang achter haar de ranzige geur van gefrituurd eten en vieze asbakken op. 'Waar is hij dan?'

'Weg. Met zijn vader.'

'En wanneer komen ze terug?'

'Weet ik veel.'

'Kan ik misschien even wachten?'

'Dat moet jij weten,' zei ze, waarna ze de deur alsnog dichttrok.

Door de kracht waarmee die dichtviel, ketste een loszittend verfschilfertje als een soort minigranaatje tegen zijn wang. Achter hem hoorde hij de buurvrouw zacht grinniken. Hij voelde dat zijn wangen vuurrood kleurden en wist zich even geen raad met zijn houding. Hij begon met de zijkant van zijn vuist op de deur te bonken, waardoor er nog meer verf losliet. De harde splinters boorden zich in zijn huid, alvorens op de grond te vallen, maar hij bleef doorgaan met bonzen.

De deur werd met een ruk weer opengedaan. Sandra Coles gezicht stond nu helemaal op onweer. 'Ik zei toch dat hij niet thuis is! Donder op!'

'Pas nadat ik hem gezien heb.'

'Ben je doof of zo? Ik zei...'

Op dat moment werd de deur uit haar handen gerukt. Ben stapte instinctief achteruit toen Cole in de deuropening verscheen. Hij was op een zwarte korte broek na geheel bloot. Zijn vrouw leek ook te schrikken, maar ze stapte meteen gedwee opzij.

Zo te zien was hij aan het sporten, want zijn hele lijf was bedekt met zweetpareltjes en helemaal rood uitgeslagen, alsof iemand hem net in een ton met kokend water had gedoopt. De dunne stof van het broekje deed zijn heupen en de bobbel bij zijn kruis goed uitkomen. Ben zag geen grammetje vet bij zijn middel en hield automatisch zijn eigen pens in. Je kon elke afzonderlijke spier zien, niet zo geprononceerd als bij een bodybuilder, maar heel gestroomlijnd zodat het functioneel was.

'Ik kom Jacob halen,' zei hij. Coles ademhaling was diep en gelijkmatig. Hij gaf geen antwoord. Ben ging maar verder: 'Het is mijn dag. We hadden de vierde zondag van de maand afgesproken en dat is dus vandaag.'

Er drupte wat zweet van Coles voorhoofd. Hij deed geen poging het weg te vegen. Ben keek achter hem langs, de gang in. Jacob was nergens te bekennen.

'Je hebt hier niks te zoeken.' Cole zei het zo vlak als maar kon. Ben bleef hem aankijken. 'Waar is Jacob?'

'Ik zei dat je hier niks te zoeken hebt.'

'Ik ga niet weg zonder dat ik hem op zijn minst even heb gezien.' Hij weigerde zijn blik af te wenden, maar het voelde alsof hij tegen een loeiharde wind moest opboksen.

Cole knikte amper zichtbaar even naar zijn vrouw. 'Haal hem maar.'

'John...'

'Ga hem halen.'

Ben zag aan haar gezicht dat het haar niet lekker zat, maar dat sloeg al snel om in ergernis. Ze draaide zich om en verdween.

Cole bleef staan waar hij stond. Ben keek naar de lege gang, blij dat hij zijn blik even op iets anders kon richten. Zou hij Coles oogopslag voorheen als uitdrukkingsloos hebben omschreven, hij bedacht nu dat dat niet klopte. Nee, wat zijn blik zo onaangenaam maakte, was dat die je een inkijkje in zijn karakter gaf, dat net als zijn lichaam van alle onnodige ballast leek te zijn ontdaan. Het voelde alsof je recht in de zon keek.

Sandra Cole verscheen weer in de deuropening. Ze had Jacobs hand in de hare. Ben zag dat de jongen zich verzette.

Hij hurkte voor hem neer. 'Jacob? Ik ben het. Ben.'

Jacob hield zijn hoofd naar de grond, maar Ben meende iets van herkenning te bespeuren. Hij zag er niet verwaarloosd of ongezond uit. Hij droeg een shirtje en een korte broek die weliswaar verre van smetteloos waren, maar echt vies kon je het ook niet noemen. Zijn haar was iets langer dan de vorige keer dat Ben hem had gezien.

'Ik kom je halen zodat we samen iets kunnen gaan doen, Jacob. Heb je daar zin in?'

'Hij heet Steven.' Cole boog zich voorover en tilde de jongen moeiteloos in een vloeiende beweging op. Toen Ben zich ook had opgericht, zat de jongen al stevig op zijn arm. 'Je wilde hem zien. Nou, nu heb je hem dus gezien.'

'Maar de afspraak was dat ik hem de hele dag ergens mee naartoe mocht nemen.'

Sandra Cole stapte naar voren met een blik waaruit heel duidelijk bleek wat ze van hem vond. Haar ochtendjas was nog verder opengevallen en haar decolleté liet weinig te raden over. 'Waarom sodemieter je nou niet gewoon op? Laat ons met rust!'

'Kleed je 's fatsoenlijk aan,' zei Cole tegen haar. Ze wierp hem een woedende blik toe en draaide zich met een ruk om. Ben hoorde binnen even later ergens een deur slaan.

Hij besloot het nog een keer te proberen. 'Ik heb het recht om hem eens per maand te zien. Dat was de afspraak.'

Cole keek hem aan en richtte zijn linkerarm op. Ben zette zich instinctief schrap, maar er gebeurde niets. Cole draaide zijn hand alleen maar om en bestudeerde die aandachtig terwijl hij zijn vingers aanspande, alsof hij voor het eerst zag hoe dat precies in zijn werk ging.

'Daarom is ze nu dood.' Hij stond nog steeds naar zijn hand te kijken, maar was duidelijk elders met zijn gedachten. 'Omdat ze hem was verloren. Daarom is ze dood. Ze zeiden dat het een ongeluk was, maar dat is niet zo. Ik kende haar. Ik wist dat het zou gebeuren, maar kon niks doen. Jeanette heeft hem negen maanden lang gedragen, en vervolgens gebloed en geschreeuwd toen hij eruit kwam. En toen nam dat kutwijf van jou hem mee, nog voor ze hem goed en wel had kunnen vasthouden.'

Hij balde zijn vuist. Op het topje van zijn wijsvinger zaten dikke eeltknobbels en de groeven erin waren zwart van de smeerolie. Cole wreef er met zijn duim over, wat een rasperig geluidje maakte. Hij liet zijn hand weer zakken, alsof hij er opeens op uitgekeken was en keek Ben weer aan. Zijn blik was echt ondragelijk.

'Hij heeft haar nooit gekend. Zijn eigen moeder! Maar hij heeft haar nooit gekend. En nu kent hij mij niet. Hij praat niet eens. Dat heeft die hoer van jou hem aangedaan. Ze heeft me mijn vrouw en kind afgenomen. Zes jaar lang. Zó lang heeft ze hem gehad. En al die tijd dacht ik dat hij dood was. Zes jaar lang. En jij wilt hem nu gewoon meenemen.'

Ben wilde hem zeggen dat hij ongelijk had, dat het onredelijk was, maar hij wist dat het niets zou uitmaken. Coles standpunten waren net zo rigide als zijn lichaam eruitzag. 'Nee, zo zit het helemaal niet. Ik wil...'

'Hij mot je niet. Hij heeft jou niet nodig. Je maakt geen deel meer uit van het patroon.'

Ben wist niet zeker of hij het goed had verstaan en had geen flauw idee waar de ander het over had. 'Luister, dit was de afspraak. Jacob zal het niet snappen als hij me nu opeens nooit meer ziet...'

'Hij heet Steven.'

Ben besloot er maar niet tegenin te gaan. *Rustig aan, één ding tegelijk.* 'Je kunt ons niet zomaar van elkaar scheiden.'

'Ik kan doen en laten wat ik wil.'

Hij zei het zonder enige wrok of bravoure. En terwijl Ben naar hem keek, besefte hij dat hij kon praten als Brugman, of hij nu in zijn recht stond of niet, het had geen enkele zin.

Jacob zat op Coles arm en leek het daar prima naar zijn zin te hebben. Hij friemelde wat met zijn vingers. Na een tijdje zag Ben dat hij de beweging die Cole net met zijn handen had gemaakt, probeerde na te doen.

'Kunnen we het er op zijn minst over hebben? Dat we er even voor gaan zitten en...'

'Ik wil je niet in mijn huis hebben.'

'O, schei nou toch uit! Dit is echt belachelijk.'

Cole floot opeens hard. Ben sprong zowat achteruit en had nu al spijt van zijn woorden. Hij hoorde gekrabbel van hondenpoten vanuit de gang komen. *O, shit.* De bulterriër, die hij van het autokerkhof kende, dook achter Coles rug op en kwam met gespierde o-poten op een drafje naar de voordeur. Ben voelde zich heel kinderachtig bijna verraden toen hij zag dat Jacob ook probeerde te fluiten.

De hond hield stil naast zijn baas en loerde naar Ben. Er kwam een dreigend laag gegrom uit zijn keel. Ben wierp een blik over zijn schouder om te controleren hoe ver weg het tuinhek was. Cole liet zijn hand vlak boven de kop van het beest hangen, zonder hem aan te raken.

'Ga maar.'

Ben dacht eerst even dat hij het tegen de hond had. Hij deinsde achteruit toen het beest één enkel kort blafgeluid uitstootte en beide voorpoten van de grond tilde. Cole duwde het beest terug naar binnen en sloeg de deur dicht in zijn gezicht. Kwaad als hij was wilde hij eigenlijk met zijn vuist op het afbladderende grijze hout timmeren, maar hij bedacht zich. Het was zinloos. Het enige wat hij daarmee zou bereiken, was een aanval van Cole of, nog erger, zijn hond. Of misschien wel van beide, en dat wilde hij niet in het bijzijn van Jacob laten gebeuren.

Nee, hij wilde het daar sowieso niet op laten uitdraaien.

Toen hij zich omdraaide zag hij dat de buurvrouw met haar bezem nog steeds op precies dezelfde plek stond als zo-even. Er waren nog een paar andere buurtbewoners naar buiten gekomen, nieuwsgierig geworden naar hoe dit zou aflopen. Ben probeerde de druk van hun collectieve vijandigheid te negeren toen hij over de oprit terugliep naar de auto. Toen hij weer langs de radiateur van de Mini kwam, haalde hij een keer woedend uit met zijn voet. Het ding belandde even verderop in het hoge gras. Nu had hij ook nog pijn aan zijn voet, maar het was zijn eer te na om zichtbaar mank naar zijn auto te lopen.

Aan de overkant spuugde de man in de bodywarmer, die nog steeds tegen het tuinhek stond geleund, op de stoep voor hem.

10

Ben leunde met zijn ellebogen op de bar terwijl Keith bestelde. Zijn haren waren nog nat en zijn gezicht gloeide nog na van de hete douche. Ze waren meteen na de voetbalwedstrijd naar de kroeg gegaan. Ze hadden op een sportveld in de buurt een vriendschappelijk partijtje tegen een andere advocatenfirma gespeeld. Het was de bedoeling dat de teams uit juristen van beide firma's bestonden, maar zolang buitenstaanders zoals Ben niet al te goed waren, werd dat oogluikend toegestaan.

En goed kon je hem vanavond zeker niet noemen. Hij had zich sinds hij Coles afgetrainde lijf had gezien, stellig voorgenomen iets aan zijn conditie te doen. Hij dronk en rookte al veel minder en deed thuis zelfs opdrukoefeningen en sit-ups.

Het leek niet veel te helpen. Zijn hele lichaam voelde stijf aan en alles deed pijn; zijn spieren waren dit soort inspanning duidelijk niet meer gewend.

Keith reikte hem zwijgend een biertje aan en ze namen allebei meteen een flinke slok. Ben wachtte; hij wist wat er komen ging.

'Je draafde vanavond wel een beetje door, hè?' zei Keith na een tijdje. Hij keek hem nog steeds niet aan.

Ben haalde zijn schouders op. 'Ach, ik probeerde wat dingen te verwerken.'

Hij wist echter dat dat niet de hele waarheid was. Hij had zich inderdaad iets te veel uitgesloofd, daar had Keith gelijk in. Hij had gerend tot hij de uitputting nabij was, had elke mogelijkheid voor een tackle aangegrepen en was tegen elke – in zijn ogen althans – onjuiste beslissing van de scheidsrechter in gegaan alsof zijn leven ervan afhing.

Keith had opeens al zijn aandacht nodig voor het verwijderen van het cellofaan van een sigaar. Die rookte hij sinds kort en Ben was nog niet helemaal gewend aan die nieuwe gewoonte.

'Was je daarom zo fel?'

Ben merkte dat zijn gezicht kleurde. 'Hé, het was toch een wedstrijd, of niet soms. Wat is er mis met een beetje competitie?'

'Competitie? Het was als een vriendschappelijke wedstrijd bedoeld, Ben. Gewoon een balletje trappen, maar jij had met jouw manier van spelen wel iemands been kunnen breken!' Keith smeet de opgebrande lucifer boos in de asbak. 'Je hebt er niks aan, hoor, door je te gaan afreageren op anderen.'

'Hoezo afreageren?' Ben deed nog steeds alsof zijn neus bloedde.

'Dit hele gedoe met Jacob. Ik snap dat je er vreselijk van baalt, maar een beetje zelfbeheersing kan geen kwaad.'

'Ja ja, oké, ik liet mezelf een beetje meeslepen, maar zo erg is het nu ook weer niet.'

Keith keek hem even van opzij aan, maar zei niets.

Ben zuchtte. 'Hé, het spijt me echt. Het is alleen zo godvergeten frustrerend!'

'Cole heeft je er pas één keer van weerhouden hem te zien. Misschien dat hij straks, als de gemoederen wat bedaard zijn, alsnog van gedachten verandert.'

'Ja, vast. En misschien mag ik dan ook meteen met zijn vrouw naar bed.' Hij vroeg zich stilletjes af waarom hij nou uitgerekend voor die vergelijking had gekozen.

Keith bestudeerde het gloeiende puntje van zijn sigaar. 'Ik geef toe dat het niet waarschijnlijk is, maar je moet gewoon wat geduld hebben en maar hopen dat hij zich bedenkt. Je kunt op basis van één bezoekje nog niks doen.'

'Het maakt niet uit of het nou één of twintig bezoekjes zijn, Cole gaat niet van gedachten veranderen. Dat hoeft ook niet, want hij heeft Jacob. Hij heeft alle troeven dus in handen.'

Keith tikte fronsend de as van zijn sigaar. 'Maar hij kan niet eeuwig blijven weigeren.'

Ben walste het bier rond in zijn glas. 'O nee?'

Hij had de maatschappelijk werker het hele verhaal al verteld. Carlisle had hem aangehoord met de gelaten blik van iemand die dit eerder had meegemaakt. Hij had schoorvoetend ingestemd dat hij de familie Cole zou bellen, maar toen Sandra hem had verteld dat Ben te laat en bovendien dronken voor de deur had gestaan, werd hij opeens heel koeltjes. Hij hoorde Bens tegenwerpingen dat ze loog onbewogen aan en antwoordde vervolgens dat de bevoegde instanties in het geval van 'persoonlijke onenigheid' helaas weinig konden doen.

Ben was vervolgens woedend naar Ann Usherwood gestapt, rekenend op iets in de trant van 'o, maak je niet druk' en 'ik ga er meteen werk van maken', maar in plaats daarvan waarschuwde ze hem dat de dienst maatschappelijk werk berucht was om hun gebrek aan daadkracht in het geval van onenigheid over omgangsregelingen. De enige toezegging die ze hem wilde doen, was de mededeling dat indien Cole bleef volharden in zijn weigering, Ben uiteindelijk naar de rechter kon stappen. Maar ze voegde eraan toe dat zo'n procedure veel geld kostte en meestal ook een hoop gedoe opleverde. Bovendien was een eventuele gerechtelijke uitspraak moeilijk af te dwingen.

Toen Ben terugdacht aan Coles gedrag concludeerde hij dat dat misschien zelfs onmogelijk zou blijken. Als een laatste wanhoopsoffensief had hij uiteindelijk Sandra Cole een keer overdag op een doordeweekse dag gebeld, omdat haar echtgenoot dan zeker niet thuis zou zijn. Hij hoopte dat hij haar zou weten te overreden om te proberen haar man op andere gedachten te brengen. 'Zeg, ik weet dat we op de verkeerde voet begonnen zijn,' had hij snel gezegd, vóór ze kon ophangen, 'maar het is echt niet mijn bedoeling om Jacob op te eisen. Ik wil hem alleen heel graag af en toe even zien.'

'Ik heb er helemaal niks mee te maken,' luidde haar vlakke antwoord. 'Het is Johns joch, niet het mijne.'

'Maar je bent zijn vrouw, kun je niet…?'

'Nee, dat kan ik niet,' had ze hem onderbroken. 'Dus lazer nou maar op.'

Het kostte hem heel wat moeite om niet tegen haar uit te vallen. 'Ik kan het hier niet gewoon bij laten.'

Hij hoorde haar zuchten. 'Als je hersens in je kop had, zou je dat wel doen.' En zonder verder nog iets te zeggen, had ze daarna alsnog opgehangen.

Maar hij kon het er niet bij laten zitten. Dat zou namelijk betekenen dat Jacob en hij elke maand nog meer van elkaar zouden vervreemden. Het jongetje was pas zes en bovendien autistisch. Hij ging niet op een normale manier relaties aan met anderen en zou zich iemand uit een leven dat hij zo goed als vergeten was, misschien niet eens herinneren. En dan zouden Bens laatste herinneringen aan zijn huwelijk met Sarah, aan het gezin dat hij ooit dacht te hebben gehad, uiteindelijk niets meer waard zijn en in rook opgaan.

Hij betrapte zich erop dat hij zijn bierglas over de bar heen en weer schoof en nam snel een slok. 'Ik weet het gewoon niet meer. Wat moet ik nou doen?' Hij zette het glas weer neer. 'Coles besluit staat vast en ik zie niet hoe die vent opeens vanzelf van gedachten zou veranderen.'

De sigaar had aromatische rookwolkjes rond Keiths hoofd gevormd. 'Is er misschien iemand anders die je kunt benaderen? Een buurman of een vriend of zo, die als bemiddelaar kan optreden? Misschien dat die persoon het aan zijn verstand kan peuteren.'

'Nee, ik denk het niet,' zei Ben. Maar terwijl hij het zei, kreeg hij alsnog een inval.

Het was zijn eerste vrije zaterdag in weken, sinds die vreselijke katerige dag na dat avondje stappen met Zoe. Hij werd vroeg wakker en besloot te ontbijten met een gebakken ei en wat gegrilde tomaat. Hij ontbeet aan de keukentafel, die nu hij daar in zijn eentje zat opeens veel te groot leek. Omdat hij naderhand nog steeds honger had, at hij ook nog een heel bakje muesli op. Het viel hem op dat alles hem beter smaakte nu hij wat minder rookte.

Hij had eigenlijk meteen willen gaan, maar besloot eerst even langs de begraafplaats te rijden. Hij was er sinds de begrafenis pas één keer geweest, maar voelde zich daar niet echt schuldig over. Hij dacht immers al de hele dag aan Sarah, dus wat had het voor zin om dat dan ook nog eens bij haar graf te doen? Maar die ochtend voelde hij om de een of andere reden de behoefte om er even naartoe te gaan.

Het weer zag er dreigend uit. Op een avond, tijdens zo'n aangeschoten gesprek van 'als ik doodga, dan...' had Sarah hem gezegd dat ze begraven wilde worden. Ben had geantwoord dat hij liever gecremeerd wilde worden, op zijn penis na althans – die mocht ze als aandenken bewaren. Nog voor hij nu kon glimlachen door de herinnering aan hoe hard ze toen had moeten lachen, had de wind die gedachte alweer meegevoerd.

Haar graf bevond zich in een keurig rijtje te midden van andere, betrekkelijk recente graven. Omdat de aarde van een pas gedolven graf nog tot rust moest komen, stond er nog geen grafsteen. Hij was blij te zien dat er al wel een mooi laagje gras groeide. Hij zette de bloemen die hij had meegenomen in een van de twee aardewerken vazen aan de bovenkant. Zo te zien was er hier niet al te lang geleden nog iemand geweest, waarschijnlijk haar ouders, maar hun boeket was al verwelkt. Uit vrees dat haar moeder daar misschien aanstoot aan zou nemen, besloot hij dat maar niet weg te gooien. Hij voelde zich weer even schuldig dat hij ze na dat hele gedoe met Jacob niet meer had gebeld. Hij had het niet erger willen maken, maar er was inmiddels best wat tijd overheen gegaan, zodat de scherpe kantjes er waarschijnlijk wel af waren. Hij veegde zijn handen af en deed Sarah stilletjes de plechtige belofte dat hij zijn leven zou beteren, maar voegde er ook aan toe dat haar moeder een moeilijke tante was, dus dat ze hem er niet al te strikt aan moest houden.

Hij bleef daar nog een tijdje in gedachten verzonken staan terwijl de harde wind aan zijn jas rukte en liep daarna terug naar de auto.

Irthlington lag zo'n vijftien kilometer ten noorden van Tunford. Hij nam dezelfde afslag en kende een deel van de weg dus al voor hij bij de provinciale weg richting Irthlington kwam. Hij passeerde een industrieterrein en reed vervolgens weer door groene weilanden, tot hij uiteindelijk bij het plaatsje zelf kwam.

Het huis stond in een kort rijtje met een buurtwinkel op de

hoek en aan het eind van de straat zag hij een braakliggend terrein met een hoge omheining. Er stonden gele graafmachines en wat bouwketen, maar het bouwterrein was in het weekend verder natuurlijk verlaten. Een deel van de huizen was dichtgetimmerd, wachtend tot het hun beurt was om tegen de vlakte te gaan. Andere huizen waren duidelijk nog bewoond. Bij het huisnummer waarnaar Ben op zoek was, zag hij zelfs keurige bloemetjesgordijnen hangen en een fleurige plantenbak op de vensterbank staan. Hij parkeerde voor de deur en stapte meteen uit omdat hij zichzelf niet de kans wilde geven zich te bedenken.

Hij wist zelf niet helemaal goed wat hij hoopte te bereiken met dit bezoekje aan de ouders van Jeanette Cole. Hij had geen enkele aanwijzing dat zij meer tijd voor hem zouden hebben dan Cole. Cole was zijn vrouw kwijtgeraakt, zij hun dochter en als ze al op zoek waren naar een zondebok, was Ben de aangewezen persoon om die rol te vervullen. Toen hij het interview met Ron en Mary Paterson op de televisie had gezien, vond hij ze echter geen verbitterde indruk maken en hij hoopte dat ze op zijn minst bereid zouden zijn hem aan te horen.

Dat was niet veel om je hele zaterdagochtend aan op te hangen, maar het was het enige wat hij had.

De Patersons waren al snel na de vermissing van hun kleinzoon uit Londen verhuisd. Ben had hun huidige woonplaats weten te achterhalen door in de bibliotheek recente kranten uit te pluizen, tot hij op een verwijzing stuitte naar de woonplaats van de grootouders van 'baby Steven'. Vervolgens had hij het desbetreffende telefoonboek erbij gepakt. Hij had overwogen of hij niet beter eerst kon bellen in plaats van zomaar bij hen thuis op te duiken, maar had daar toch maar van afgezien.

Aan de telefoon konden ze hem immers gemakkelijker afpoeieren.

Hij klopte op de deur. Die zat onder het bouwstof van de werkzaamheden bij de buren, maar de onderliggende blauwe verflaag zag er nog prima uit. Ze zijn vast niet thuis, dacht hij vlak voordat hij een gedempte stem hoorde roepen: 'Hij is open, hoor.'

Hij deed de deur open en stond meteen midden in de keuken. De muren waren bedekt met geel bloemetjesbehang en op de drempel lag een rubberen matje op een ouderwets bruin tapijt met een geel patroon erin. Recht voor hem tegen de muur stond een tafeltje met een inklapbaar blad en een geranium precies in het midden. Hij rook etensgeuren, maar veel minder vies dan die bij John en Sandra Cole. Hij moest meteen denken aan Yorkshire pudding en gebraden vlees, en werd overvallen door vroege herinneringen aan de bezoekjes aan zijn eigen grootouders.

Voor het aanrecht stond een bedaagde man in een wit hemd en een bruine pantalon met een vouw erin. Hij had in zijn ene hand een gekookt ei en hield de andere eronder om eventuele kruimels op te vangen. Hij keek Ben zonder iets te zeggen aan. In zijn linkermondhoek zaten een paar gele restjes ei. Ben herkende de man meteen: Jeanette Coles vader. Hij schaamde zich opeens een beetje dat hij daar zo plompverloren in zijn keuken stond; de man had duidelijk iemand anders verwacht.

Hij bleef in de deuropening staan dralen. 'Sorry, ik hoorde u zeggen dat de deur niet op slot zat. Ik ben Ben Murray…'

'Ik weet wie je bent.'

Paterson draaide zich weer om naar het aanrecht en ging door met kauwen. Nadat hij het laatste beetje ei in zijn mond had gestopt, veegde hij zijn mond voorzichtig af met zijn vingertoppen.

'Het spijt me dat ik mijn komst niet heb aangekondigd.' Ben had het idee dat hij nu al op achterstand stond.

Paterson veegde zijn handen af aan een theedoek, waarbij de huidkwabben van zijn bovenarmen een beetje lilden. Hij had het indrukwekkende postuur van een voorheen sterke kerel die door de tijd was ingehaald. Hij hing de handdoek aan een haakje aan de muur. 'Wat kom je doen?'

Ben wist eigenlijk al dat hij zich deze reis had kunnen besparen. 'Ik wilde u en uw vrouw graag even spreken. Over Jacob.' *Als hij nou 'Steven' zegt, maak ik meteen rechtsomkeert.*

'Hm-hm, wat is er met hem?'

Zijn afwachtende houding was vijandig noch uitnodigend, maar Ben had de indruk dat hij beter maar meteen van wal kon steken.

'Ik mag hem van John Cole niet meer zien. Ik vroeg me af of u me misschien kon helpen.'

Paterson draaide zich weer om naar het aanrecht. 'Ik zou niet weten hoe.'

'Misschien dat u hem erop zou kunnen aanspreken? Hem uitleggen dat ik echt niet van plan ben Jacob op te eisen of zoiets. Ik wil hem... ik wil hem gewoon zo nu en dan even zien.'

Jacobs grootvader schudde zijn hoofd zonder zich om te draaien. Ben bleef in de deuropening staan en kon zich er niet toe zetten om weg te lopen, maar wist ook niet goed wat hij moest zeggen. Hij hoorde een soort mechanisch zoemtoontje vanachter de keukendeur. Paterson wierp hem een snelle blik toe en liep vervolgens de keuken uit. Het geluid zwol aan, het klonk als een soort van elektrisch motortje. Toen het ophield hoorde hij wat gemompel. Er volgden nog meer geluiden die hij niet kon thuisbrengen. Toen de keukendeur weer openging, rolde Paterson zijn vrouw in een rolstoel naar binnen. Ben bedacht dat dat gezoem dus waarschijnlijk van een traplift was geweest.

Mary Paterson was graatmager. Haar haren waren vroeger waarschijnlijk rood geweest, maar door de grijze plukken zou je het nu eerder oranje noemen. Ze had schrandere, donkere ogen en Ben kreeg even het gevoel alsof hij door een vogel werd gemonsterd.

'Doe de deur maar even dicht,' zei ze.

Ze zaten met zijn drieën aan het opklaptafeltje aan de thee. Naast de geranium stond nu een schaaltje met biscuitjes. Ben had er uit beleefdheid maar eentje gepakt en merkte amper dat hij zijn hand steeds opnieuw uitstak, tot ze bijna op waren.

En hij vond biscuitjes niet eens lekker.

'Tja, ze was bij hem weggegaan,' zei Mary. Ze zat in haar rolstoel en dus wat lager dan Ben en haar echtgenoot, die op rechte houten keukenstoelen zaten. Ze deed Ben een beetje denken aan een gerimpeld klein kind. 'Ze was weer bij ons ingetrokken, een paar weken nadat Steven – nadat Jacob,' ze leek kwaad op zichzelf vanwege haar verspreking, 'nadat Jacob werd vermist. Wij waren toen al hiernaartoe verhuisd. We woonden alleen maar in Londen omdat we dan dicht bij mijn zus konden zijn en Ron was toen al met vervroegd pensioen. Maar na wat er in het ziekenhuis was gebeurd… Tja, je zegt natuurlijk wel tegen jezelf dat het niet jouw schuld is, maar als Jeanette toen niet bij ons was gekomen…'

Ze maakte haar zin niet af. 'John heeft het nooit gezegd, hoor, maar ik heb altijd het gevoel gehad dat hij ons de schuld gaf. In ieder geval gedeeltelijk. En toen ze bij hem wegging en bij ons introk, was dat de laatste druppel. Ik geloof niet dat hij ons dat ooit heeft vergeven.'

'Maar Jacob is uw kleinzoon. U hebt toch gewoon recht op contact met hem?'

Ze keek haar man even aan. Ze leken elkaar te begrijpen zonder iets te hoeven zeggen. 'Ja, maar dat geldt voor jou net zo goed. Alleen laat John Cole zich daar niets aan gelegen liggen, hè?'

Ben wist niet helemaal of hij blij was dat er andere mensen waren die ook onredelijk werden bejegend door Cole, of gefrustreerd dat deze optie dus ook op niets uitliep. Maar bovenal had hij medelijden met Jacobs grootouders. 'Wat heeft Cole dan gezegd?'

'Niets.' Ron Paterson brak het biscuitje eerst boven het kopje doormidden en toen nog een keer in vieren. Hij droeg inmiddels een overhemd en had zich tegenover Ben verontschuldigd en uitgelegd dat hij toen er op de deur werd geklopt, dacht dat het een vriend van hem was, een weduwnaar met wie hij elke zaterdag boodschappen deed. Hij zag nu zelf ook wat hij met zijn koekje aan het doen was en legde de brokjes op tafel. 'We hebben hem helemaal niet gesproken. Alleen die vrouw van hem. Ze zei dat ik me de moeite kon besparen om nog een keer te bellen.' Zijn mond vertrok zich tot een smal streepje. 'Wat een grofgebekte sloerie.'

'Ron,' vermaande zijn vrouw hem. Zijn knikje leek als een verontschuldiging te zijn bedoeld. Ze wendde zich weer tot Ben. 'We hebben hem ook nog een brief geschreven, maar geen reactie gekregen. Niet dat we dat hadden verwacht, maar ja, hoop hou je toch, hè?'

Nou, ik niet meer, dacht Ben bij zichzelf. Als Cole zelfs Jacobs grootouders op een afstand hield, kon hij het helemaal wel vergeten. 'Niet dat ik daar iets mee te maken heb, maar waarom wilde Jeanette eigenlijk scheiden?'

Het echtpaar wisselde weer een blik van verstandhouding uit. 'Omdat hij veranderd was,' antwoordde zij. 'Hij was altijd al stil. En op zichzelf. Maar nadat Stev... Jacob verdween, is hij nooit meer echt de oude geworden. Hij werd veel harder.' Er verscheen een frons op haar voorhoofd en ze schudde haar hoofd. 'Nee, dat is niet helemaal het juiste woord. Ik bedoel eerder... Alsof het hem allemaal niets meer kon schelen. En Jeanette... Tja, die heeft het nooit echt kunnen verwerken. Je zou denken dat ze elkaar hadden kunnen steunen, maar het was eerder het tegenovergestelde. Misschien dat Jeanette daar net zoveel schuld aan had als John, dat weet ik echt niet. Maar ze had iemand nodig die met haar meeleefde en haar kon helpen het te verwerken. En dat deed hij dus niet. Dat zal wel zijn manier zijn geweest om ermee om te gaan, maar hij raakte steeds meer in zichzelf gekeerd. Zwaarder op de hand. Als ze hier op bezoek kwamen, zat hij soms urenlang voor zich uit te staren zonder ook maar iets te zeggen. En tja, hij was het merendeel van de tijd toch al niet thuis hè, door die uitzendingen naar het buitenland. Jeanette moest het in Aldershot zelf maar zien te redden. En toen is ze uiteindelijk dus maar gewoon weer bij ons komen wonen.'

Ben keek met angst en beven uit naar zijn volgende vraag, maar hij moest hem wel stellen. 'Cole zei... Hij heeft me gezegd dat het de schuld van mijn vrouw was dat Jeanette dood is. Wat bedoelde hij daarmee?'

Ze antwoordde niet. Haar echtgenoot strengelde zijn vingers ineen op het tafelblad. Zijn knokkels waren spierwit. Zijn vrouw gaf hem een geruststellend klopje op zijn handen. Het viel Ben op dat de hare opgezet en ietwat misvormd waren.

Ze ademde diep in en Ben hoorde een lichte trilling in haar stem toen ze antwoordde: 'Hij bedoelde dat ze zelfmoord heeft gepleegd.' Haar benige gestalte leek uit te dijen door haar inademing. 'Maar dat weet ik echt niet.' Ze gaf nog een kneepje in de handen van haar man voor ze haar eigen hand terugtrok. 'Nee, dat weet ik echt niet. Het schijnt dat ze zomaar de straat op is gelopen zonder op of om te kijken, maar of dat nou de bedoeling was of dat ze er gewoon even niet helemaal bij was...' Ze schudde haar hoofd. 'John was de dag ervoor bij haar langs geweest. Hij had buitengewoon verlof.' Ze glimlachte wrang. 'Hij stond hier opeens voor de deur en zei dat ze naar huis moest komen. Gewoon zomaar. Het was geen vraag en hij wilde er verder ook niet over praten. Gewoon recht voor zijn raap. Ron zei dat zijn dochter dat alleen zou doen als ze dat zelf wilde en... toen sloeg John hem.'

Ze wierp een blik op haar man. Hij had zijn handen stijf ineengeklemd en nam het verhaal zonder op te kijken van haar over. 'Als ik tien jaar jonger was geweest, zou hij dat nooit hebben gedurfd. Militair of niet.' Zijn stem was gruizig van de emotie. Zijn vrouw haalde haar handen even uit haar schoot, alsof ze hem nog een keer wilde aanraken, maar ze bedacht zich blijkbaar.

'John is daarna weggegaan, zonder verder nog iets te zeggen,' ging zij verder. 'En de volgende ochtend ging Jeanette een ommetje maken en even later kregen we dat telefoontje.'

O, Sarah, Sarah. Wat heb je gedaan?

'We hebben John daarna alleen op de begrafenis nog een keer gezien,' zei Mary. 'En ook toen heeft hij niets tegen ons gezegd. Dus ik denk niet dat we veel voor je kunnen doen. Het spijt me.'

Ben durfde hen geen van beiden aan te kijken. 'Hij zegt dat het mijn schuld is. Van mijn vrouw en mij. Hij zegt dat het aan ons ligt dat Jacob autistisch is.' Het voelde alsof iemand die woorden als het ware uit hem moest lossnijden. En hij moest de stilte die daarop volgde wel opvullen met nieuwe woorden. 'De artsen zeggen dat het daar helemaal niet door kan komen, doordat hij van zijn moeder is gescheiden, maar hij blijft volhouden dat het onze schuld is.'

Hij hoorde Mary Patersons rolstoel kraken toen ze ging verzitten. 'Ik denk dat sommige dingen gewoon gebeuren. En dat je met die waarom-vraag niets opschiet.'

'Het spijt me zo,' zei hij, en toen hij dat eenmaal had gezegd besefte hij dat dit de eerste keer was dat hij zijn excuses aanbood voor wat Sarah gedaan had.

'Jij hoeft je nergens voor te verontschuldigen.' Ze klonk opeens erg moe. 'Hoe kon jij dat nou weten? En je vrouw… Een kind verliezen doet rare dingen met een mens. Dat is de reden dat je vrouw heeft gedaan wat ze heeft gedaan, net als dat voor onze Jeanette geldt. Hoe je het ook wendt of keert, je kunt zoiets nooit echt verwerken.'

Ben bedacht dat hij blij moest zijn met die woorden, want meer vergiffenis zat er voor hem niet in. Hij wilde haar bedanken, maar toen hij opkeek zag hij dat haar gezicht heel bleek en strak stond.

'Als je het niet erg vindt, laat ik het hierbij,' zei ze. Ze leek zo afgemat dat ze zelfs niet goed meer kon articuleren. 'Ron…' Haar man kwam meteen overeind en duwde haar de keuken uit. Ben hoorde het geluid van de traplift weer. Haar man kwam al snel weer terug, maar Ben kon niets aan zijn gezicht aflezen.

'Gaat het?' vroeg hij maar.

'Ja, hoor. Ze is gewoon snel moe. Dat komt door de artritis. De ene dag gaat beter dan de andere.'

'Het spijt me, ik had niet zo lang moeten blijven.'

'Nee, ze is blij dat ze je heeft gesproken.'

Hij ging echter niet meer zitten en vroeg hem ook niet om langer te blijven. Ben besloot dus maar op te staan, hoewel er nog één vraag op zijn lippen brandde. 'Denkt u dat Jacob wel veilig is bij hem? Bij Cole, bedoel ik?'

'Jacob is zijn zoon en hij heeft hem de afgelopen zes jaar gemist.'

Dat was geen antwoord op zijn vraag, dus hij besloot die op een andere manier te stellen. 'Jacob is ook uw kleinzoon. Wat vindt u ervan dat Cole hem nu opvoedt?'

Paterson bleef een tijdje peinzend voor zich uit kijken. 'Ik weet niet hoe John Cole tegenwoordig is. Ik ken hem niet meer. De laatste keer dat ik hem zag, had ik de indruk dat hij op het randje balanceerde. En dat was nog voordat hij gewond raakte in Noord-Ierland. Maar het is niet aan mij om daar iets van te vinden.'

'En zijn vrouw?'

Patersons gezicht betrok. 'Dat wijf? Ik heb gehoord…' Hij snoerde zichzelf de mond.

'Wat hebt u gehoord?' vroeg Ben.

'O, niks. Laat maar.'

Ben had graag doorgevraagd, maar hij zag dat de oude man zijn zegje had gedaan. Hij liep naar de deur.

'Mag ik je nog iets vragen?' vroeg Paterson opeens. 'Foto's... We hebben geen enkele foto. Van Jacob, bedoel ik. Ik vroeg me af of we er een paar van je zouden mogen lenen. Dat zou Mary heel fijn vinden.' Zijn onderlip trilde een beetje. 'Zodat we, nou ja... kunnen zien hoe hij nu is.'

Ben probeerde op de terugweg even te luisteren naar de radio, maar zette die al snel weer uit. Hij werd bijna gek van de stilte maar dat gewauwel en achtergrondlawaai trok hij nu niet. Bij de splitsing naar Tunford wilde hij automatisch al in de tegengestelde richting afslaan, maar luisterend naar het zachte geklikklak van de richtingaanwijzer bedacht hij zich en besloot niet linea recta naar huis te gaan.

Hij snapte zelf niet helemaal waarom. Misschien omdat hij niet zó dicht bij Jacob wilde zijn en onverrichter zake naar huis wilde gaan. Hij probeerde er op weg naar Tunford niet te lang bij stil te staan, in de hoop dat als hij nou maar gewoon niet nadacht over wat hij aan het doen was, hij vanzelf een inval zou krijgen. Zijn maag kneep zich samen toen hij de inmiddels bekende winkelhoofdstraat voor zich zag opdoemen, maar hij had nog steeds geen flauw idee wat hij hier te zoeken had. *Oké... Als Coles auto niet voor de deur staat, bel ik gewoon aan.* Hij sloeg de eerste zijweg in die hem naar het huis zou brengen. *En als die er wel staat, rijd ik gewoon door.*

Midden op straat was een groepje jongens aan het voetballen. Ze gingen wat onwillig aan de kant. Ben schrok zich rot door een harde knal en zijn voet schoot automatisch naar de rem, maar op dat moment zag hij ze keihard wegrennen en begreep dat ze alleen maar de voetbal tegen de auto hadden geschopt. *Etters.* De opgeluchte maar zenuwachtige grijns verdween echter meteen van zijn gezicht zodra hij de straat in reed.

De roestkleurige Ford Escort stond voor het huis.

Ben omklemde het stuur, in tweestrijd of hij nou wel of niet zou stoppen. Hij reed stapvoets langs het huis en keek naar de loshangende regenpijp en het schroot in de voortuin, dat om de een of andere reden op twee grote hopen was geveegd. Maar hij zag geen van beide volwassenen en ook geen Jacob. Hij was bijna verlamd door twijfel, tot het huis uit zijn achteruitkijkspiegel verdween en het moment dat hij nog had kunnen stoppen voorbij was.

Hij reed door tot het einde van de straat. Hij voelde zich leeg, alsof hij het had laten afweten bij een beproeving. De weg liep na de laatste huizen van de straat in een bocht omhoog. Ben was nog nooit zo ver doorgereden, maar wilde liever niet omdraaien en weer langs het huis moeten. De bebouwing maakte plaats voor ver uit elkaar staande bomen, die de helft van hun blad al kwijt waren. Boven op de heuvel aangekomen zag hij een overwoekerde parkeerhaven bij een weiland met een groot houten hek ervoor dat bijna schuilging achter de brandnetels. Hij zette de auto als vanzelf aan de kant en bleef even zitten luisteren naar het getik van de motor die afkoelde.

Toen hij uitstapte merkte hij dat het nog harder was gaan waaien. De wind rukte aan zijn jas en haren, en zijn ogen begonnen meteen te tranen. Het weiland liep steil naar beneden en kwam uit in een ondergelopen steengroeve. Bij elke windvlaag liep er een rimpeling als kippenvel over het gras. Hij draaide zich om en stak de weg over. Achter het afbrokkelende oude stenen muurtje in de berm kon hij door de bomen heen vaag de contouren van huizen onderscheiden. De takken zwiepten in de wind en de paar blaadjes die er nog aan hingen, lichtten afwisselend donker- en lichtgroen op. Andere bladeren tolden in het rond en werden meegevoerd door de wind, overgeleverd aan de sterfte van een volgend herfstseizoen. Ben duwde zijn handen in zijn zakken en stak zijn neus in de wind. Het voelde alsof hij was losgerukt van alles wat hem had verankerd, alsof hij op het punt stond uit de grond te worden getrokken om zelf meegevoerd te worden.

Een eindje verderop was het muurtje half ingestort en het roestige prikkeldraad hing laag en slap tussen de vermolmde, eveneens omgevallen paaltjes. Ben stapte eroverheen en liep het kreupel-hout in. Het bos bestond grotendeels uit dwergeiken met laag struikgewas ertussen. Hij zocht zich er een weg doorheen en kon de bebouwing onder aan de heuvel al snel niet meer zien. Hij kwam uit bij een soort paadje en besloot het te volgen. Het kon hem niet echt schelen waar het naartoe leidde, want hij wilde ei-genlijk gewoon even doelloos door het onbekende landschap dwa-len. Het pad slingerde door de bomen langs de heuvel omlaag en hij moest zo nu en dan over een boomwortel stappen die dwars over het pad groeide. Hij moest dus goed opletten waar hij zijn voeten zette en toen hij opeens bij een veld uitkwam, was hij dan ook verbaasd te zien hoe dicht hij al bij de huizen stond.

De achtertuinen lagen als een ongeordende lappendeken tegen de heuvelrand aan. Rechts van hem zag hij nog net het topje van het grijze asfaltlint waar hij zojuist omhoog was gereden. Hij kon vanaf deze afstand niet zien welk huis van de familie Cole was, maar hij wist dat het niet ver kon zijn.

Hij liep terug het bos in, in de richting waarvan hij dacht dat dat de juiste was. Hij wist zelf niet helemaal waarom hij er niet gewoon via het veld naartoe liep, maar hij wilde liever niet gezien worden, niet door Cole, door niemand. Nu hij het pad had ver-laten en door het hoge gras liep, dat nog nat was van de laatste re-genbui, raakten de pijpen van zijn broek al snel doorweekt. Hij gleed af en toe uit op de modderige ondergrond en probeerde on-dertussen te schatten waar het huis van de familie Cole was. Hij had zich die moeite echter kunnen besparen, want het was over-duidelijk waar ze woonden.

Hij zag het meteen al toen hij stilhield. De achtertuin van het huis was een soort mini-autokerkhof, een soort Pyreneeën van staal, dat tussen de schuttingen van de half vrijliggende tuin leek te zijn geperst. Ben liep verder tot de rotzooi zich recht onder hem bevond. Hij zag nu pas dat het niet één grote stapel was, zoals hij net had gemeend, maar dat er in het midden een open plek was.

En daar zag hij Cole en Jacob. De bosrand bevond zich op zo'n honderdvijftig meter van de achtertuin, te ver om details te kun-nen ontwaren, maar Ben wist zeker dat zij het waren. Jacob zat op iets laags, vlak bij de grond, en leek zo te zien verdiept in iets wat hij in zijn handen had. Hoewel Ben dat natuurlijk niet kon zien, gokte hij dat het zo'n puzzelspeeltje was. Hij kreeg automatisch een brok in zijn keel door die zo vertrouwde aanblik.

Cole stond vlak achter zijn zoon, zijn benen op heupbreedte van elkaar. Hij had zijn armen boven zijn hoofd en hield schijnbaar iets zwaars vast, dat op zijn schouders rustte. Ben bleef kijken en zag hoe hij het voorwerp optilde en voor zijn borstkas omlaag liet zakken, tot het pal boven Jacobs hoofd zweefde.

Ben was totaal verlamd van schrik. Cole had het zware voorwerp echter alweer opgetild en zijn armen boven zijn hoofd gestrekt en herhaalde de bewegingen van zojuist nu in tegengestelde richting, tot het gevaarte uiteindelijk weer in zijn nek rustte. Hij hield het daar eventjes en herhaalde het hele proces vervolgens nog een keer.

Jacob ging ondertussen rustig door met spelen en had zo te zien niet door wat er zich achter hem afspeelde. Het leek bijna alsof ze dit vaker zo deden. Ben merkte dat zijn angst had plaatsgemaakt voor woede en naarmate Cole langer doorging met zijn oefeningen, werd hij ook steeds kwader. Hij stond op een gegeven moment echt letterlijk te trillen; hij kon zich niet herinneren dat hij ooit zo woest was geweest. Of het nu een soort krachttraining of spieroefeningen waren, of dat Cole zich zuiver aan het uitsloven was, dit kon niet door de beugel. Het was onverantwoordelijk, gevaarlijk en zo ontiegelijk dom… Hij stopte met het bedenken van bijvoeglijke naamwoorden toen hij zag dat Coles bewegingen opeens trager werden. Het leek eeuwen te duren voor hij het gewicht eindelijk weer recht boven zijn hoofd had getild. Hij leek even te haperen en zelfs vanaf deze afstand kon Ben zien dat zijn armen heen en weer zwaaiden van de inspanning.

O god, nee hè. Laat hem nou alsjeblieft niet…

Coles armen begonnen onverbiddelijk aan de terugweg omlaag. Het gewicht hing nu weer vlak boven Jacobs hoofd. Het bleef daar ditmaal langer hangen en Cole wist het gevaarte ook niet stil te houden. Ben kon de spanning die er op zijn spieren en pezen moest rusten zelf bijna voelen. Jacob bleef nog steeds nietsvermoedend rustig doorspelen. *Alsjeblieft... Til 'm op. Til op, til nou op, verdomme!*

Heel langzaam gingen zijn armen weer omhoog. Tot hij een bepaald punt bereikte en stilhield. Zijn armen leken door het gewicht bijna als vanzelf omlaag te worden getrokken. Weer zweefde het ding vlak boven Jacobs hoofd, en weer tilde hij het daarna afgrijselijk langzaam terug omhoog. Het leek alsof Cole het zware geval moedwillig heen en weer liet wiegen, terwijl hij zich zo te zien vreselijk moest inspannen om het boven zijn hoofd te heffen. De tijd leek bijna stil te staan. En toen lukte het Cole uiteindelijk dan toch en zag Ben hem in een vloeiende beweging opzij draaien. Het voorwerp viel met een smak op de grond.

Het landde vlak naast Jacob. Ben zag dat het jochie zich omdraaide, er even naar keek en zich vervolgens weer op zijn speelgoed richtte, terwijl Cole naast hem op zijn knieën in het gras viel.

'Nee, hè! Jij ongelofelijke eikel! Stomme idioot dat je er bent!' zei Ben hardop. 'Wat ben jij een ongelofelijke lul!' Hij zou het liefst de helling af zijn gerend, zich tegen het hek hebben geworpen en erover heen zijn geklommen om Cole te grazen te nemen met een paar van die metalen voorwerpen waar hij zo dol op leek te zijn. Hij wilde Jacob tegen zich aan drukken en hem meenemen naar een veilige plek, terug naar zijn echte thuis, waar hij ook thuishoorde.

Alleen wist hij dat als hij dat zou proberen, Cole hem tot moes zou slaan.

Cole was ondertussen overeind gekomen, maar stond nog wel voorovergeleund met zijn hoofd tussen zijn knieën, in de houding van iemand die staat uit te hijgen. Achter hem bewoog het gordijn bij een van de ramen op de bovenverdieping. Er verscheen een gestalte. Aan het blonde haar te zien nam Ben aan dat het Sandra Cole was. Ze leek even te staan kijken naar de bezigheden van haar man in de achtertuin.

Ben kon het door de grote afstand niet goed zien, maar het leek alsof ze naakt was.

Het voelde weer alsof de klok werd stilgezet, totdat Cole naar een schuurtje strompelde dat Ben door alle rotzooi niet eens had opgemerkt. Hij liep naar binnen en deed de deur achter zich dicht. Toen Ben weer naar het slaapkamerraam keek, was de gestalte daar ook verdwenen.

Maar hij had meer dan genoeg gezien. Hij voelde zich net zo uitgeput alsof hij degene was geweest die met dat gewicht in de weer was geweest. De herinnering daaraan deed zijn woede weer opnieuw opvlammen. Hij probeerde het aan te stampen tot een harde vastberaden kern, wierp nog een laatste blik op Jacob en begon aan de terugtocht naar de auto.

11

Ben merkte al vrij snel dat de maatschappelijk werker hem niet geloofde. 'Hij had dood kunnen gaan, hoor! Als Cole dat ding had laten vallen, zou zijn schedel zijn verbrijzeld!'

Carlisle hield zijn gezicht in de plooi. 'Toch bent u niet in actie gekomen om hem tegen te houden.'

'Ik zei net toch dat ik daarvoor te ver weg stond.'

'Dus u bent gewoon vertrokken zonder iets te doen of hem te laten weten dat u daar was.'

'Omdat ik wist dat dat geen enkele zin zou hebben! Hij heeft me heel duidelijk laten blijken wat hij zou doen als ik weer bij hen op de stoep sta. Tjeezus, wat hebben jullie nog meer voor bewijs nodig?'

Hij probeerde te bedaren, want hij wist dat het geen zin had om zijn geduld te verliezen. Maar het idee alleen al dat die uitsloverige fitnessoefeningen – en God mocht weten wat nog meer – geen uitzondering waren, deed het angstzweet weer bij hem uitbreken. Hoe meer hij erover nadacht, hoe meer hij ervan overtuigd raakte dat die door testosteron gedreven klootzak niet alleen maar onredelijk was.

Nee, die vent was echt totaal verknipt.

Carlisle frunnikte wat aan zijn linkeroorlelletje. 'Wat had u daar eigenlijk te zoeken bij die achtertuin?'

'Dat weet ik niet. Ik denk... gewoon nieuwsgierigheid.' Ben voelde dat zijn wangen begonnen te gloeien. Dat hij zich nu nota bene schuldig voelde, maakte hem alleen maar nog woedender. 'Ik zit hier echt niet uit mijn nek te zwetsen, hoor. Als je me niet gelooft, ga er dan zelf naartoe! Het is een soort... Een schroothoop! Ik snap echt niet hoe jullie Jacob naar zo'n plek hebben kunnen laten gaan!'

Dat laatste floepte eruit voor hij er erg in had. In de hals van de man tegenover hem verscheen een rode blos. 'In tegenstelling tot wat er wel eens gezegd wordt, zijn we hier geen stelletje idioten, meneer Murray. Natuurlijk zijn we daar op bezoek geweest en hebben ons ervan vergewist dat het een veilige woonomgeving voor de jongen was.'

'Nou, dat was toen misschien dan zo, maar nu dus echt niet meer! Heeft iemand er ook aan gedacht om even in de achtertuin te gaan kijken?'

Ben wist dat hij de boel op de spits dreef, maar hij kon zich niet meer inhouden.

Carlisles gezicht was rood aangelopen. 'Anders dan u misschien denkt, hebben we wel degelijk verstand van zaken.'

'En waarom zie ik daar dan niks van? Jacob is daar niet veilig. Straks vermoordt die halvegare hem nog!'

'Met hysterisch gedrag schieten we niets op.'

'Ik ben helemaal niet hysterisch! Maar ik heb wel gezien wat die vent daar deed!'

'Ja, dat zegt u steeds.'

Ben balde zijn vuisten en probeerde niet nog verder uit zijn slof te schieten. 'Wat zei je?'

De maatschappelijk werker probeerde de gemoederen te sussen. 'Meneer Murray, ik heb u eerder al gezegd dat een dergelijke situatie, wanneer een kind van de ene ouder – een stiefouder – is overgeplaatst naar een ander gezin, altijd bijzonder lastig is. Ik snap heel goed dat het voor u natuurlijk niet gemakkelijk is dat Jacob niet meer bij u woont, maar mag ik u er toch even aan herinneren dat u destijds niet in beroep wilde gaan toen meneer Cole het ouderlijk gezag kreeg toegewezen. Ik weet dat er wat onenigheid was over uw eerste bezoekdag met Jacob... Nee, ik wil graag dat u me even laat uitpraten.' Hij had zijn hand opgeheven omdat hij zag dat Ben hem in de rede wilde vallen. 'Maar zo gaat het in het begin wel vaker. Dat er wat strubbelingen zijn, totdat beide ouderparen zich bij de nieuwe situatie hebben neergelegd. Ik heb er bij mevrouw Cole op aangedrongen dat u recht hebt op die ene dag met Jacob, en daar had ze ook geen enkel bezwaar tegen...'

Ja, vast. Geloof je het zelf?

'... dus wat ik u zou willen aanraden, is gewoon wachten tot uw volgende bezoek en ik weet zeker dat alle... dat deze problemen dan op een voor beide partijen schappelijke manier kunnen worden opgelost.'

Ben zag dat de man echt geloofde dat er niets zorgwekkends aan de hand was. In Carlisles ogen was er schijnbaar al sprake van eind goed al goed.

'En stel nou dat Cole voor die tijd een brok staal boven op Jacobs hoofd laat vallen?'

De man keek hem aan alsof hij zojuist een bijzonder smakeloze grap had gemaakt. 'We zullen uw klacht uiteraard in behandeling nemen. We nemen zulke zaken altijd heel serieus, maar u moet wel begrijpen dat we niet zomaar op elke ongefundeerde beschuldiging kunnen afgaan.'

'Met andere woorden, je denkt dat ik dit uit mijn duim heb gezogen.'

'Nee, ik denk heus niet dat u het hebt verzonnen.' In zijn stem klonk echter door dat hij evenmin dacht dat Ben de hele waarheid sprak. 'Maar zonder bewijs kunnen we eenvoudigweg weinig doen.'

'Dus daar gaat het om?'

De maatschappelijk werker spreidde zijn handen in een gebaar van onvermogen. 'Het spijt me echt, meneer Murray. Ik kan u verzekeren dat...'

En daarop was Ben de kamer uit gelopen, met een hoofd dat helemaal gonsde van de frustratie.

Nou, dat bewijs kun je krijgen, dacht hij bij zichzelf.

Hij kocht de lens bij zijn vaste leverancier. Hij had al een paar zoomlenzen voor precisiewerk en portretten, maar geen geschikte voor het klusje dat hij nu in gedachten had. Het werd uiteindelijk een 600mm telelens, een joekel van ruim een halve meter lang, die daarmee nog niet eens zo krachtig was als de lenzen die sommige persfotografen gebruikten. Maar hij voldeed prima voor wat Ben ermee van plan was.

Toen hij hem op de Nikon plaatste en erdoorheen keek, voelde het alsof hij een artilleriewapen aan zijn hoofd had gemonteerd.

Diezelfde middag dat hij de lens ging ophalen, zei hij tegen Zoe dat hij die dag niet meer op kantoor zou komen en zette vervolgens koers richting Tunford. Net toen hij de snelweg verliet, brak er een waterig zonnetje door. Hij reed ditmaal rechtstreeks naar de heuvel even buiten de bebouwde kom en zette de auto voor hetzelfde overwoekerde hek als de vorige keer. Hij hing de cameratas om zijn schouder en liep meteen het bos in. Toen hij eenmaal bij het paadje kwam, wist hij nu ook precies welke kant hij op moest. Hij zag de huizen al door de bomen schemeren. Toen hij ver genoeg meende te zijn, verliet hij het pad en liep in een rechte lijn langs de heuvel naar beneden, in de richting van de huizen. Hij bleek toch iets te ver te zijn doorgelopen en moest dus een eindje terug, tot hij uiteindelijk weer recht boven het huis stond. Er was geen enkel teken van leven, maar dat had hij ook niet verwacht. Jacob zou op school zitten, Cole was als het goed is op zijn werk en Sandra had waarschijnlijk bardienst.

Hij wierp een blik om zich heen. Vlak bij de plaats waar hij afgelopen zaterdag had gestaan, zag hij een paar jonge eikenbomen die dicht op elkaar stonden en waarvan de laagste takken dicht bij de grond hingen. Ben duwde ze met zijn handen opzij en kroop naar binnen. Hij bleef een paar keer haken en de takken schuurden langs zijn jas, maar toen hij een stukje doorkroop, had hij een weliswaar klein maar niettemin geschikt open plekje waar hij zich goed kon verstoppen zonder dat iemand hem van buitenaf kon zien. Hij zette zijn cameratas en die met de lens erin op de grond en brak een paar twijgjes af die in de weg zaten. Nadat hij dat had gedaan, bleek hij inderdaad een onbelemmerd uitzicht op de achtertuin van de familie Cole te hebben.

Hij haalde de telelens tevoorschijn en draaide hem op de camera. Het zo vertrouwde toestel voelde door het plotselinge extra gewicht aan de voorkant opeens nogal instabiel en zou zonder statief ook niet echt hanteerbaar zijn. Toen hij het hele geval uiteindelijk na wat gehannes goed had weten op te stellen en hij door de zoeker keek, schrok hij van hoe dichtbij de achtertuin voor hem opdoemde. 'Wauw,' mompelde hij en hij stelde nog wat scherper. Vergeleken hierbij hadden de zoomlenzen die hij normaliter gebruikte meer weg van een bifocale bril. De achterkant van het huis tekende zich in een oogwenk haarscherp voor hem af. Hij kon alles zien: de korrelige structuur van de bakstenen, de afbladderende verf, zelfs het merk van het doosje lucifers dat op de vensterbank bij het aanrecht lag. Alles was net zo scherp als wanneer hij er een paar meter vanaf had gestaan. Hij verkende de tuin en zag dat er een hoog gaashek omheen stond. Midden in de tuin was een open plek van platgestampte aarde. Daar stond het autozitje waar Jacob op had gezeten toen Cole die idiote fitnessoefeningen had gedaan. Ernaast lag het zware voorwerp dat Cole daarbij had gebruikt diep weggezakt in de grond. Het zag eruit als een soort metalen buis met uitsteeksels en leek afkomstig te zijn van een automotor. Hij kon niet goed zien of het ding nadien nog was gebruikt of nog op dezelfde plek lag als vorige week.

Het hele tafereel had iets plats en onwerkelijks, omdat alles door het plotselinge wegvallen van de grote afstand geen diepte meer leek te hebben. Hij kon op de voorgrond nu ook duidelijk allerlei afzonderlijke metalen voorwerpen zien liggen, dingen die hij aanvankelijk gewoon onder de noemer 'schroot' had geschaard. De stapels zagen er behoorlijk wankel uit en het metaal zat vol pokdalige corrosiegaten. Nu hij wederom geconfronteerd werd met het zoveelste bewijs van Coles onverantwoordelijke gedrag, werd hij vanzelf acuut weer woest. Hij zag de gekartelde, messcherpe, uitstekende randen, klaar om een nietsvermoedend kinderlijfje te doorboren, te verbrijzelen of open te rijten. Hij kon er echt niet bij dat iemand een kind in zo'n levensgevaarlijke speelplaats kon toelaten en vroeg zich weer af hoe Cole het had klaargespeeld. Iemand had er toch op zijn minst voor moeten zorgen dat hij die tuin had opgeruimd voordat Jacob bij hem introk?

Tenzij al die rotzooi er toen nog niet had gelegen...

Ben begon wat foto's van de enorme hoop puin te maken en

lette er daarbij goed op dat ten minste een deel van het huis steeds ook goed in beeld was. Hij was drie rolletjes verder voor hij dacht dat hij voor een eerste keer proefdraaien wel genoeg had. Hij leunde achterover. Het was raar om alles opeens weer van veraf te zien, net als wanneer je uit de bioscoop komt en de buitenwereld dan heel onwerkelijk kan aandoen. Het huis zag er opeens zo klein en onbeduidend uit. Er was nog steeds niemand te zien, wat hem ergens ook wel speet. En terwijl hij daar omlaag zat te staren naar het huis, werd hij plotseling door een heel ander gevoel gegrepen. Het duurde even voor hij besefte dat hij zich stiekem verheugde op wat er stond te gebeuren.

Hij snapte alleen niet waarom hij daar tegelijkertijd een wat ongemakkelijk gevoel van kreeg en hij besloot snel zijn spullen op te bergen en naar huis te gaan.

De volgende middag was hij van plan wat vroeger te stoppen met werken en terug te gaan naar het bos, maar toen het bijna twaalf uur was, kwam de regen gestaag, met het uithoudingsvermogen van een marathonloper, met bakken uit de hemel. De dagen erop bleef er een troosteloze regen uit een loodgrijze hemel vallen, waar de zon met geen mogelijkheid doorheen kon komen. Hoewel het frustrerend was, stelde hij zich gerust met de gedachte dat Cole en Jacob in dit weer hoogstwaarschijnlijk ook niet naar buiten zouden gaan.

Het slechte weer was extra irritant omdat er aan het eind van de week een klus op een buitenlocatie gepland stond. Het was aanvankelijk de bedoeling geweest om het die zomer al te doen, maar als gevolg van een gierige opdrachtgever moesten ze het nu zien klaar te spelen in de paar schamele zonnige dagen die de herfst nog zou tellen. Naar het buitenland uitwijken was geen optie en de modeontwerper had Ben op basis van de langetermijnverwachting twee dagen ingeboekt. En dus stonden Ben, Zoe en twee fotomodellen al in alle vroegte naast hun auto's op een verlaten winderig strand te bibberen, wachtend tot de laaghangende bewolking zou optrekken. De modeontwerper liep zichzelf op te fokken en snauwde zijn assistente continu af, terwijl hij de ene na de andere kruidige sigaret opstak en bij zo'n beetje iedereen het bloed onder de nagels vandaan haalde. De zon was na de lunch ook inderdaad doorgebroken, waarna ze alles razendsnel in gereedheid hadden gebracht, maar net toen Ben klaar was met de laatste lichtmetingen, kwamen de eerste dikke regendruppels alweer naar beneden zetten.

Ze hadden nog een heel uur gewacht, totdat Ben uiteindelijk als eerste zei dat hij er schoon genoeg van had. Ze hadden vervolgens onder luid misbaar van de modeontwerper de hele boel dus maar weer ingepakt, daarbij bijgestaan door het mannelijke fotomodel, dat duidelijk een oogje had op Zoe.

Ben zat even later met het autoportier open het zand van zijn laarzen te vegen, toen Zoe naar hem toe kwam. 'Heb je me vandaag nog nodig voor iets anders?' Het kwam er net iets te terloops uit. 'Daniel vroeg namelijk of ik iets wilde gaan drinken. Dus als je het goed vindt, rij ik anders straks met hem mee terug.'

'O, geen probleem, hoor.' Hij gaf haar een knipoog. 'Tot morgen dan, hè.'

Ze kreeg een kleur, glimlachte en liep naar de zwarte BMW-oldtimer van de jongen. Ben zag hoe ze al heupwiegend door het mulle zand naar hem toe kuierde, zich overduidelijk bewust van het feit dat ze bekeken werd. Met een schok besefte hij opeens dat dat niet voor hem was bedoeld. Nee, die bestudeerde zogenaamde nonchalance was bedoeld voor dat lekkere stuk dat haar opwachtte en Ben merkte tot zijn ergernis dat zijn ego gekrenkt was. Iemand afwijzen was één ding, maar vervolgens moeten aanzien dat die persoon daar niet echt lang mee zit, is toch iets minder leuk.

Het andere fotomodel, een jonge vrouw, was met de modeontwerper meegereden en Ben voelde zich min of meer verplicht haar een lift aan te bieden, omdat hij het lullig vond haar tot die galbak van een ontwerper te veroordelen. Ze was jong – ergens begin twintig, schatte hij – had roodbruine korte krulletjes en een opvallende bovenlip waardoor ze het ene moment een pruillipje leek te hebben, maar er ook heel sensueel uit kon zien. 'Oef, dat is een hele opluchting,' zei ze toen ze wegreden. 'Ik was bang dat ik de hele terugweg naar het gezeik van die eikel zou moeten luisteren. Vind je het trouwens erg als ik rook?'

Ja, eigenlijk wel, want hij had een hekel aan die muffe sigarettenstank die je dan bleef ruiken, maar hij wilde liever niet als een zeikerd overkomen. 'Nee hoor, ga je gang.' Ze stak een St. Moritz op en bood hem er ook eentje aan, maar die sloeg hij af. Ze legde haar hoofd met een opgelucht, blij zuchtje achterover en nam een trekje. 'Hij vind het namelijk niet fijn als een model rookt als je een van zijn "creaties" draagt.' Ze sprak het woord overdreven aanstellerig uit. 'Omdat hij niet wil dat ze naar asbakken stinken. Oké, ja, hij is de ontwerper, maar doe effe normaal, zeg! Wat een flapdrol.'

Ben glimlachte flauwtjes. Hij had geleerd dat je beter niet kon meedoen aan het afzeiken van mensen met wie je samenwerkte. Vooral niet als diegene je factuur uiteindelijk moest betalen. Het meisje nam nog een trek van de sigaret en draaide zich naar hem om.

'Wist je trouwens dat een vriendin van me vorig jaar met jou heeft gewerkt? Een reportage over jonge ontwerpers, voor *Vogue*. Zij was een van de modellen. Een donkere huidskleur, lang – ze ziet er een beetje Egyptisch uit.'

Ben had geen idee over wie ze het had, maar herinnerde zich die klus nog wel vaag. De foto's hadden meerdere pagina's van het blad beslagen en er hadden ook een paar modellen aan meegewerkt. Het irriteerde hem dat hij zich er weinig tot niets van kon herinneren, want het was nog geen jaar geleden. Toch voelde het als een eeuwigheid, als de prehistorie: toen Sarah nog leefde en Jacob hun zoon was geweest. Een jaar geleden had hij nog een gezin gehad. Hij merkte dat hij een wat wee gevoel in zijn maag kreeg. 'Ja... Ja, ik weet het weer.'

'Ze zei dat je behoorlijk goed was.'

Het meisje nam nog een laatste trek, rolde het raampje open op een kier en wierp de peuk naar buiten. De harde wind voerde hem meteen in een regen van vonkjes af. Ze draaide het raam snel weer dicht en ging zo zitten dat ze tegen het portier aan leunde en hem dus goed kon aankijken.

'Ik heb het trouwens gezien, op het nieuws,' zei ze. Ben voelde zich nu echt bijna misselijk door de knoop in zijn maag. 'Ze hebben ons bij het bureau gewaarschuwd dat we er niet naar mochten vragen, omdat ze niet willen dat iemand per ongeluk dan iets doms zegt, waar jij aanstoot aan zou kunnen nemen. Maar het is ook een beetje raar, hè, als ik net doe alsof ik het niet weet.'

Ben had helemáál geen zin in dit gesprek. Hij haalde zijn schouders dan ook zo nonchalant mogelijk op en hoopte dat ze de hint zou begrijpen. Maar helaas.

Ze leunde weer achterover in haar stoel en ging er zo te zien eens goed voor zitten. 'Wat moet dat klote zijn geweest, zeg. Ik bedoel, sommige van die dingen die ze zeiden! Echt afschuwelijk.'

'Ach ja, maar dat weet je van tevoren... Zo zijn de media nu eenmaal.'

'Ja, dat weet ik ook wel, maar het was gewoon zo oneerlijk, weet je. Ik snap niet hoe je dat allemaal hebt kunnen aanhoren.'

Tja, ik had niet echt een keus, hè. En toen hij die wel had, had hij de verkeerde gemaakt. 'Ach ja, maar dat is inmiddels verleden tijd.'

Ze sloeg geschokt haar hand voor haar mond. 'O, sorry! Het was niet mijn bedoeling om...' Haar linkerhand voegde zich bij haar rechter, zodat het leek alsof ze met gebalde vuisten aan het bidden was. 'Shit, ik had beter mijn mond kunnen houden, hè?'

'Laat maar.'

'Ik dacht alleen... Nou ja, ik weet eigenlijk niet wat ik dacht. Ik wilde je denk ik gewoon alleen even laten weten dat ik het weet en... O, shit, nou doe ik het weer! Het spijt me echt heel erg. Negeer mij maar even, oké?'

'Het is niet erg.'

'Nee, oké, maar je vindt me nu vast ontzettend bot of dom of zoiets.'

Haar zelfverzekerde houding was op slag verdwenen en ze zag er opeens heel schuldbewust en jong uit. Ben voelde zich daardoor juist erg oud en verlopen, wat ook niet echt hielp. Hij zuchtte. 'Laat maar. Ik ben het al vergeten... Wat je net zei.'

Ze liet het daarbij en hield haar mond zowaar een tijdje.

'Hoe kwam je er eigenlijk bij om fotograaf te worden?'

O nee, hè. Hij wist zijn ergernis te verbergen omdat hij wist dat ze vast alleen maar beleefd probeerde te doen. 'Ik studeerde aan de kunstacademie en ben op een gegeven moment wat met film gaan experimenteren. En van het een kwam het ander.'

'Ik heb nooit echt bewust fotomodel willen worden. Ik wilde eigenlijk balletdanseres worden. Maar ja, ik was te lang en bovendien kon ik het ook niet.'

Ben glimlachte omdat dat van hem verwacht werd, maar dat vatte ze helaas wederom op als een aanmoediging en zo vertelde ze hem de rest van de autorit over haarzelf, haar achtergrond, haar jeugd en wat voor eten ze het lekkerst vond. Hij moest stilletjes even grinniken toen hij bedacht dat ze waarschijnlijk aan het oefenen was voor alle interviews, als ze later rijk en beroemd was. En gelukkig hoefde hij ook amper te reageren op haar gebabbel, dus hij luisterde met een half oor en knikte alleen af en toe om te doen alsof. Ondertussen dwaalden zijn gedachten af naar heel andere dingen.

Hij zette haar thuis af, waar ze met twee huisgenotes woonde, over wie hij onderweg ook heel wat had opgestoken. 'Wil je misschien nog even binnenkomen voor een drankje?' Ze was uitgestapt en boog zich door het open portier naar hem toe. 'Hier om de hoek zit toevallig een goeie Ierse pub. Hun Guinness is erg lekker.'

'Nee, dank je. Ik heb nogal wat achterstallig werk liggen.'

Ze reageerde laconiek en zei alleen nog snel 'tot morgen dan'. Toen hij even later bijna thuis was, realiseerde hij zich pas dat het niet alleen maar beleefdheid was geweest en dat ze hem misschien niet echt had proberen te versieren, maar dat het wel degelijk een voorzichtige poging was geweest. Zodra dat eenmaal tot hem doordrong, was hij eerst en vooral verbaasd, niet zozeer dat ze dat had gedaan, maar dat hij dat niet eens had doorgehad.

Het tweede wat hij bedacht, was dat het hem ook weinig deed.

Het was hem een tijdje gelukt zichzelf wijs te maken dat het na Sarahs dood heel normaal was dat hij totaal geen belangstelling had in ook maar iets wat met seks te maken had. En voor zover dat niet normaal was, was het in ieder geval heel begrijpelijk. Het was al met al nog geen vijf maanden geleden en hij hoefde helemaal niet zo nodig met iemand naar bed. Hij miste Sarah nog veel te erg.

Toch vond hij het ook geen fijn idee dat hij onder zijn middel misschien wel voorgoed was afgestorven.

Dat ene vreselijke incident met Zoe kon hij gemakkelijk aan de drank wijten. Zijn schuldgevoel over het feit dat alleen al denken aan seks aanvoelde als vreemdgaan, had er waarschijnlijk ook mee te maken. Maar hij kende zijn eigen lichaam natuurlijk wel en hoewel vijf maanden niet bepaald lang is voor een rouwperiode, was het wel verrekte lang zonder ook maar één erectie. Hij had een paar keer geprobeerd een reactie bij zichzelf uit te lokken, maar dat was hem uiteindelijk toch te plat en vunzig geweest. De gezichten en de lichamen van de paar fotomodellen en exen die hij zich had ingebeeld, waren stuk voor stuk vervaagd en steeds meer op Sarah gaan lijken, waardoor hij alleen maar het gevoel kreeg dat hij haar nagedachtenis bezoedelde. Elke keer dat hij zich probeerde te herinneren hoe hun vrijpartijen waren geweest, voelde hij alleen maar een intens verdrietig gevoel van verlies. Zelfs de puur fysieke reacties leken tot het verleden te behoren, zoals wakker worden en zó nodig moeten dat je daardoor een stijve hebt, of een erectie hebben als gevolg van een kater, met het dof kloppende gevoel dat het gebonk in je hoofd echode. Het leek soms wel alsof zijn hele seksuele kant was uitgedoofd.

Toen hij de deur van zijn studio van het slot haalde, bedacht hij met een wrang gevoel dat als hij inmiddels al niet eens meer doorhad dat een mooi meisje dat minstens tien jaar jonger was dan hij met hem flirtte, die kant misschien zelfs wel volledig was afgestorven.

De volgende ochtend wilde hij vroeg weggaan, maar een blik op het hondenweer buiten was voldoende om te weten dat dat geen enkele zin had. De modeontwerper vloekte en tierde toen Ben hem belde en voorstelde de shoot naar die middag te verzetten, maar stemde er uiteindelijk mee in, zodra hij ervan overtuigd was dat hij zelf op dat briljante idee was gekomen.

Ben belde Zoe om haar op de hoogte te brengen van de gewijzigde plannen, vulde een thermoskan met koffie en smeerde wat boterhammen voor onderweg. Hij wist zelf niet helemaal meer of hij het plan om naar Tunford te gaan nou voor of nadat hij de fotosessie had verzet had opgevat. Hij wist niet eens goed waarom hij ernaartoe wilde, aangezien het een doordeweekse dag was en er waarschijnlijk toch niemand thuis zou zijn.

Maar alles was beter dan hier in zijn eentje duimen te moeten draaien.

Nog voor hij de stad uit was, hield het al op met regenen, maar de lucht bleef grijs en zwaarbewolkt. Ben parkeerde op de inmiddels gebruikelijke plek en liep naar het eikenbosje waar hij zich de vorige keer ook had verstopt. Toen hij er bijna was, zag hij een eindje verderop plotseling twee mannen met een hond lopen. Hij liep snel wat dieper het bos in en zorgde ervoor dat hij hen een heel eind achter zich had gelaten voor hij alsnog koers zette naar zijn schuilplaats. De wind en regen hadden het bladerdak behoorlijk uitgedund, maar het was nog dicht genoeg om zich te kunnen verbergen. Hij wierp een blik naar beneden op huize Cole en tikte even tegen een paar takken, waarop een zilverkleurige regen van druppeltjes naar beneden kwam.

De tuin was verlaten, maar er was wel degelijk iemand thuis, want de achterdeur stond open. Hij kroop onder de takken door en ging op een inklapbaar vissersstoeltje zitten dat hij speciaal hiervoor had meegebracht. Hij was net bezig met het opzetten van het statief toen hij Sandra Cole naar buiten zag komen.

Ze was zo te zien gekleed in een lang t-shirtachtig geval. Zelfs vanaf deze afstand en zonder telelens zag hij dat ze blote benen had. Ze liep naar het allerverste hoekje van de tuin, waar het minste schroot lag, en stapte eroverheen. Het viel hem nu pas op dat er een tuindeur van hetzelfde gaas in het hekwerk zat. Ze opende die, wierp schichtig een blik links en rechts op het pad dat achter de huizen langsliep, draaide zich toen om naar het huis en maakte een handgebaar. Er verscheen een man, die half gebukt haar kant op rende. Toen hij bij het hek kwam, zei hij iets tegen haar. Ze knikte, duwde hem snel door het hek heen en op dat moment realiseerde Ben zich pas dat hij dit alles met open mond had zitten gadeslaan.

'Shit!'

Hij graaide naar zijn camera en probeerde de telelens er zo snel mogelijk op te draaien. Er zat al een filmpje in, maar hij had te weinig tijd om het toestel op het statief te monteren. De man was al halverwege het achterommetje toen Ben de Nikon eindelijk optilde en zijn best deed om het loodzware ding vast te houden, terwijl hij ondertussen ook nog scherp probeerde te stellen. Het lukte hem ternauwernood een paar foto's te schieten voor de man uit het zicht verdween via een pad dat tussen twee andere huizen doorliep. Ben vloekte hardop en richtte de camera snel weer op de achtertuin zelf.

Sandra had het hek dichtgedaan en was al bijna weer bij de achterdeur. Voor ze naar binnen ging, wierp ze nog snel een blik over haar schouder. Door de telelens was ze zo ongelofelijk dichtbij dat ze recht voor hem leek te staan. Ze had geen make-up op en haar geblondeerde haar was ongekamd en zat door de war. De donkere uitgroei boven op haar hoofd stak duidelijk af tegen het kunstmatige blond van de rest. Op een van haar wangen zat een felrode puist, haar lippen waren een beetje opgezet en vertoonden afgezien van een veegje in een van haar mondhoeken, geen spoortje lippenstift. Haar stijve tepels waren duidelijk zichtbaar onder haar T-shirt en aan de beweging van haar borsten te zien, droeg ze geen beha. Toen ze over de drempel stapte, kroop haar shirt een eindje omhoog, waardoor Ben een glimp opving van haar blote billen. En toen viel de deur achter haar dicht.

Hij zag een schaduw toen ze achter het keukenraam langs door het huis liep. Ben tilde instinctief het fototoestel weer op. Een van de ramen op de bovenverdieping was van matglas, hij gokte dat dat de badkamer of het toilet was. Hij richtte zijn aandacht op het andere raam, waarachter hij haar de allereerste keer dat hij hier was geweest ook had zien staan. Met die telelens kon hij niet inzoomen, maar als hij nog wat beter scherp stelde kon hij, ondanks de weerspiegeling van de ruit, alsnog wat details van de donkere slaapkamer onderscheiden. Hij zag een lichter, vierkant vlak van een tweepersoonsbed en iets wat zilverkleurig oplichtte, waarschijnlijk de spiegel van een kaptafel. Op datzelfde moment ging de slaapkamerdeur open en zag hij Sandra Cole binnenkomen. Doordat de kamer donker was, zag hij vooral het wit van haar T-shirt en haar lichtgekleurde haren, maar zodra ze wat dichter bij het raam kwam, kon hij haar ook beter onderscheiden. Hij nam een paar foto's terwijl ze de lakens afhaalde, die tegen haar borst klemde en de kamer weer uit liep.

Door de spierpijn in zijn armen moest hij het zware toestel op dat moment wel laten zakken. Het pand maakte nu weer een volkomen onschuldige indruk te midden van het huizenrijtje, maar hij bleef er, ondanks de adrenaline die door zijn lichaam gierde, met een wat leeg gevoel naar staren.

'Jezus christus.' Hij kon zijn ogen amper geloven.

Vervolgens pakte hij het statief erbij en begon de noodzakelijke voorbereidingen te treffen.

12

'Maar ja, dat is ook maar gewoon mijn mening, hè,' zei de vrouw. 'Die rechters zijn echt veel te soepel. Het is toch zo duidelijk als wat? Ik snap niet dat mensen daar geen vraagtekens bij zetten. Er wordt minder streng gestraft en het aantal misdrijven neemt toe. Zelfs een blinde zou het verband daartussen kunnen zien, en toch zijn er nog steeds – en dat verbaast me eigenlijk nog het meest – echt mensen die vinden dat je criminelen niet moet opsluiten!'

De vrouw keek met opgeheven handen de tafel rond en probeerde met haar glimlach van 'dat geloof je toch niet?' de rest van het gezelschap zover te krijgen met haar in te stemmen. De gasten keken haar echter stuk voor stuk een tikkeltje wezenloos aan. Ben merkte dat zijn benen bijna sliepen en sloeg zijn ene been snel over het andere. Hij nam nog een slok van zijn wijn en feliciteerde Tessa stilletjes met dit geweldig geslaagde etentje.

De gastvrouw zat tegenover hem aan het hoofd van de tafel, in een roodbruine jurk waar haar donkerrode lippenstift vreselijk bij vloekte. Bovendien stonden geen van beide kleuren haar bijster goed. Het feestje was ter ere van het feit dat Keith en zij tien jaar getrouwd waren, maar zoals bij alles gold ook bij dit soort etentjes dat Tessa iets eerder in stof dan in goud kon veranderen. Ze was er dan ook in geslaagd om precies het verkeerde aantal gasten uit te nodigen: te veel voor een intiem diner, te weinig om het iets anders te kunnen noemen. Het eten was echter verrukkelijk en de wijn al helemaal, en als de gasten het iets beter met elkaar hadden kunnen vinden, had het misschien niet eens zo'n rampzalige avond hoeven zijn. Soms is het juist goed als het gezelschap gemêleerd is, maar in dit geval liep het vanaf het begin al voor geen meter.

De enige die het nog niet had opgegeven, was dit mens. Ze was voor de kaasgang begonnen met ratelen en terwijl de rest van de gesprekken langzaam maar zeker doodbloedde, besloot ze de steeds pijnlijker wordende stiltes maar in haar eentje op te vullen. Ze was best aantrekkelijk, op een net iets te opzichtige manier, en beschikte over de stellige aanwezigheid die vaak hand in hand gaat met rijkdom; een bijkomstigheid waardoor ze blijkbaar ook niet gewend was aan tegenspraak en daar anders gewoon overheen walste.

'Net als die hele kwestie van de doodstraf,' vervolgde ze haar betoog met een glimlach op haar gezicht waarmee ze probeerde uit te stralen dat ze heus niet onredelijk was. 'Iedereen weet toch dat daar een afschrikwekkende werking van uitgaat, dus waarom we dat in hemelsnaam dan niet ook gebruiken, is mij een raadsel. Dat slag zou heus niet meer bij het minste of geringste verkrachten en moorden als ze wisten dat ze daarvoor konden worden opgeknoopt. Maar nee hoor. Nee, wat gebeurt er met die lui? De helft van de tijd krijgen ze iets belachelijks zoals een voorwaardelijke straf of een taakstraf. Nou, ik kan je verzekeren dat zo'n straf mij ook niet zou weerhouden!'

Ha! Ja, dat nam Ben direct van haar aan. De enige manier waarop je dat mens stil kreeg, was als je haar kop eraf zou hakken. Hij keek Keith even aan, verbaasd dat die niet ingreep om het gesprek in goede banen te leiden. Zijn vriend zat echter in zijn glas te staren en leek de tirade van de vrouw niet eens te hebben opgemerkt, of zich er in ieder geval niet aan te storen. Hij was de hele avond al stil geweest, maar dat was na tien jaar huwelijk met Tessa misschien ook niet zo raar, bedacht Ben. Zij wierp haar echtgenoot ondertussen bijna continu veelbetekenende blikken toe, met een wanhopige glimlach op haar gezicht geplakt. Maar ook dat leek Keith geheel te ontgaan. Hij dronk zijn glas leeg en schonk het afwezig meteen weer bij. Goed idee, dacht Ben, en hij volgde zijn voorbeeld.

De vrouw hield maar niet op. 'Onze maatschappij is gewoon te soft geworden, volgens mij is dat het hele probleem. En dan heb ik het niet alleen over het gevangenisbeleid. Op school is er namelijk ook geen enkele discipline of tucht meer, dus ja, vind je het gek dat je dan de ene generatie na de andere van slechtopgeleide minkukels krijgt. En dan die nieuwe mode, dat ouders niet eens een corrigerende tik meer mogen uitdelen aan hun kinderen. Dat is toch werkelijk niet te geloven? Daarom is de jeugdcriminaliteit ook zo hoog hè, omdat ze geen respect meer hebben voor het gezag. Volgens mij moeten we dat er gewoon weer in stampen.'

Ben had al behoorlijk wat drank op en had voor hij hier aankwam ook al een paar biertjes gedronken, deels omdat het zaterdagavond was, maar ook omdat hij die feestjes bij Keith en Tessa wel kende en wist wat hem te wachten stond. Maar pas toen hij: 'Ach ja, knoop ze allemaal maar gewoon op,' wilde mompelen en dat helaas veel harder deed dan de bedoeling was, realiseerde hij zich dat hij echt dronken was.

O, shit, bedacht hij zodra alle gezichten zijn kant op werden gedraaid. De vrouw zat hem aan te kijken alsof ze hem nu pas opmerkte. Ze had een wat neerbuigende glimlach op haar gezicht, maar haar blik was ronduit dodelijk.

'Ik weet dat gezond verstand vandaag de dag niet meer zo hoog staat aangeschreven. Dingen belachelijk maken is zoveel makkelijker dan er ook echt iets aan doen, hè. Maar misschien dat je ons zou willen vertellen wat volgens jou dan de beste oplossing is?'

Hij had helemaal geen zin in deze discussie en hij wist eigenlijk niet eens of ze het wel zo oneens waren. Het was eerder de vrouw zelf die hem tegenstond. Elk glas wijn dat hij op had keerde zich tegen hem toen hij met een tong die aanvoelde als een lap leer, uitkraamde: 'Nou nee, niet echt.'

'O nee?' De vrouw keek om zich heen en beschouwde zichzelf nu blijkbaar als de spreekbuis van het hele gezelschap. Ben merkte dat hij steeds bozer werd en probeerde zich in te houden, omdat hij donders goed wist dat hij te veel op had. 'Heb je zelf soms ook kinderen?' vroeg de vrouw hem.

'Alleen aangetrouwd.'

'Eh, zullen we...' probeerde Tessa nog, maar de vrouw liet zich niet de mond snoeren.

'En geef je ze een draai om de oren als ze zich misdragen of laat je ze gewoon maar begaan?'

'Nou, hij is autistisch dus hij zou het niet snappen als ik dat deed. Dus nee, volgens mij heeft slaan dan niet zoveel zin,' antwoordde Ben. 'Tenzij jij vindt dat ik hem gewoon uit principe alsnog een tik zou moeten geven.'

De vrouw verschoot van kleur en wendde haar hoofd snel af. Het was opeens doodstil in de kamer. Goh, dat is nou een goeie manier om de sfeer te bederven, dacht hij bij zichzelf terwijl hij Tessa overeind zag schieten.

'Iemand zin in koffie?' Het kwam er hysterisch opgewekt uit. Ben zag dat haar mondhoeken trilden en hij had ter plekke wel door de grond willen zakken. Toen een paar mensen opgelucht antwoord gaven, glipte hij snel van tafel en liep naar het gastentoilet boven.

Hij leegde zijn blaas en vermeed het om in de spiegel te kijken toen hij zijn handen waste. Het was tijd om naar huis te gaan. Hij was sowieso al niet echt in een feeststemming geweest, maar de lust was hem nu helemaal vergaan. Afgezien van zijn schuldgevoel over die scène van daarnet, was door de opmerking over Jacob ook allerlei emotionele droesem boven komen drijven. En dat het zijn eigen schuld was, verzachtte de pijn helaas niet. Hij besloot dat hij zich straks stilletjes zou verontschuldigen en er zo snel mogelijk vandoor zou gaan.

Ze zouden hem toch niet missen.

Toen hij de deur opendeed trof hij echter Keith in de gang aan, die daar blijkbaar op hem stond te wachten. 'Aha, ik hoopte al dat jij het was,' zei zijn vriend terwijl hij zich oprichtte.

'Sorry van daarnet, hoor. Ik weet dat ik mijn mond had moeten houden,' begon Ben, maar Keith luisterde zo te zien niet eens.

'Ik moet je even spreken.' Hij zei het op zachte toon, maar met een duidelijke ondertoon van urgentie. Hij pakte Ben bij de arm en trok hem weg bij de trap. Hij opende de deur van zijn studeerkamer en knipte het licht aan. Tessa bleek zelfs hier haar stempel op te hebben gedrukt, althans, het leek hem sterk dat Keith van lichtpaars hield. Het gloednieuwe computerscherm op het met leer ingelegde bureau zag er te midden van de smakeloze klassieke inrichting zowel belachelijk modern als veel te praktisch uit.

Keith deed de deur meteen weer dicht. Hij keek een tikkeltje glazig uit zijn ogen en Ben was verbaasd te zien dat zijn vriend duidelijk aangeschoten was. 'Hé, wat is er met jou?'

Keiths gezicht stond ondanks de blos van de drank opmerkelijk gespannen. Hij wierp nog een zenuwachtige blik op de deur. 'Ik ga vreemd.'

Zijn poging om het nonchalant te laten klinken, mislukte jammerlijk. Hij glimlachte dunnetjes toen hij Bens blik zag. 'Ja, ja, ik weet het. Ik kan het zelf ook nog niet helemaal geloven.'

Ben bedacht dat er vast een bepaalde etiquette bestond voor dit soort gesprekken, maar als dat al zo was, had hij helaas geen flauw idee hoe die dan luidde. 'Met wie?'

Keith streek met zijn hand over de rand van het toetsenbord, op zoek naar niet-bestaand stof. 'Ze werkt als consultant voor een bedrijf dat een van onze bands vertegenwoordigt.'

Merkwaardig genoeg voelde Ben bijna iets van opluchting dat het geen spannender iemand was. 'En hoe lang is het al gaande?'

'Bijna een maand. Ik ken haar al veel langer, maar... Tot nu toe was het puur zakelijk. Maar een paar weken geleden was er een feestje ter ere van het nieuwe album van die band en toen raakten we aan de praat en eh... Nou ja, toen gebeurde het gewoon.'

'Heb je haar sindsdien dan nog een keer gezien?'

'Ja, minstens zes keer al. Ze woont niet al te ver van kantoor, dus we gaan tijdens de middagpauze vaak naar haar appartement. En ik heb Tessa een paar keer gezegd dat ik moest overwerken.' Hij lachte vreugdeloos. 'Wat een cliché, hè.' Hij ging zitten. 'Ik kan gewoon niet geloven dat dit mij overkomt. Ik heb mezelf nooit gezien als iemand die zou vreemdgaan.'

Nee, Ben ook niet, maar dat zei hij maar niet hardop. 'Weet Tessa het?'

'Nee, allejezus, zeg. Nee, natuurlijk niet!' Keith keek hem volkomen ontsteld aan. 'Nee, ze heeft geen idee. Niemand weet het. Ik wilde het jou eigenlijk niet eens vertellen, maar...' Hij streek met zijn hand door zijn haar, een van de plukken bleef rechtop staan. 'Ik voel me zo verrekte klote. Ze wilde nota bene dat ik vanavond een speech zou houden!'

'Ga je er een eind aan maken? Met dat meisje, bedoel ik.'

Keith gaf niet meteen antwoord. 'Ik denk niet dat ik dat kan.' Hij klonk echt volkomen ellendig.

'En zij dan? Dat meisje. Wat vindt zij ervan dat je getrouwd bent?'

'Daar hebben we het eigenlijk nooit echt over gehad.' Hij wierp Ben een ongemakkelijke blik toe. 'Ze is ook pas tweeëntwintig.'

Het klonk alsof hij pochte en Ben kreeg bijna vanzelf een grijns op zijn gezicht, een soort automatisch overschakelen naar een sfeertje van mannen onder mekaar. Alleen leek het of ze dat allebei ook op hetzelfde moment beseften en dat niet fijn vonden. Ben moest denken aan Tessa met haar truttige jurken, die nu zonder het te weten moest concurreren met een meisje dat tien jaar jonger was. Tot zijn eigen verbazing kreeg hij zelfs even medelijden met haar.

'Wat ga je nou doen?' vroeg hij.

'Ik heb geen flauw idee.'

Er viel een stilte. Ben wilde heel graag iets constructiefs zeggen, maar kon zo snel niets bedenken.

Keith stond op. 'Laten we maar teruggaan naar beneden. Straks merkt Tessa het nog.'

Ben bleef uiteindelijk tot het feestje was afgelopen. Niet alleen voor Keith, maar ook voor zijn echtgenote, want opeens vond hij eerder weggaan een soort klap in haar gezicht. Niet dat ze dat zelf ook zo zou opvatten, maar toch kon hij zich er niet toe zetten. Toen ze hem samen uitzwaaiden, bedacht hij dat hij liever helemaal niet in vertrouwen was genomen, want hij wilde geen medelijden hebben met Tessa, maar kon het nu niet laten.

'Bedankt, hoor. Het was erg gezellig,' loog hij terwijl hij een kus plantte op haar wang, waar te veel plamuur op zat, en meteen ook een vleugje van haar bloemige, onerotische parfum opving.

'Ik ben blij dat je je hebt vermaakt. Fijn dat je er was.' Toen ze elkaar in de ogen keken, met de verplichte glimlach op hun gezicht, had hij even het gevoel alsof ze allebei wisten dat ze de schijn ophielden. Hij had kramp in zijn mond toen hij achteruitstapte en Keith gedag zei, wat hij op een zo natuurlijk mogelijke manier probeerde te doen. Hij voelde zich ontzettend belabberd en hypocriet en snelde het trapje af naar de taxi die al stond te wachten, uit angst dat hij het anders misschien alsnog zou verpesten.

Hij deelde de taxi met een stel dat dezelfde kant op moest als hij. Ze waren al snel uitgepraat en verzonken in zo'n stilte van mensen die weten dat ze niets met elkaar gemeen hebben, wat ze probeerden te verbloemen door zogenaamd geïnteresseerd uit het raampje naar buiten te staren. Zij werden als eerste afgezet, waarna Ben zich op de achterbank van de taxi uitstrekte en opeens merkte dat hij helemaal niet zo moe was. En trouwens ook niet meer dronken. Na die rampzalige woordenwisseling met die ene vrouw en Keiths onthulling kort daarna, had hij zich ook strikt aan de koffie gehouden.

De taxi tufte door de donkere straten, met op de achtergrond alleen af en toe een zacht klikgeluidje van de meter. Hij kon maar niet beslissen of de affaire aangaf dat Keith dus niet zo bezadigd was als hij eruitzag, of dat het juist een teken was van een ophanden zijnde midlifecrisis, als een laatste schop tegen de maatschappelijke banden en familiale verplichtingen die hem langzaam maar zeker dreigden in te snoeren. Ben voelde zich zelfs enigszins opgelucht dat hij zelf niet in zo'n situatie zat, tot hij met een schok bedacht dat zijn positie niet bepaald benijdenswaardig was. Hoe haalde hij het in zijn hoofd om zich zo zelfvoldaan te voelen? Hij probeerde zich aan te praten dat Sarah en hij gelukkig in ieder geval wel een goede relatie hadden gehad en elkaar nooit hadden bedrogen, maar dat klonk tegelijkertijd zo ironisch dat hij zich geen haar beter voelde. Als je het van de andere kant bekeek, was hun hele huwelijk namelijk een grote schijnvertoning geweest, gebaseerd op de illusie dat Sarah Jacobs biologische moeder was.

Hij wist dat hij nu te ver ging en dat dat ook niet helemaal waar was, maar het schuldgevoel dat hij het alleen al had gedacht, voedde het groeiende gevoel van zelfhaat. En het zwelgen in zelfmedelijden lag ook weer op de loer. Hij staarde narrig door het raampje. De taxi kwam langs een rij winkels met allemaal donkere etalages en neonverlichting, en een paar kroegen met de laatste klanten die net over de straat uitwaaierden. Hij keek op zijn horloge. Het was nog niet eens twaalf uur. Het voelde alleen maar alsof de avond een eeuwigheid had geduurd.

De taxi sloeg een zijstraat in. Het was er stiller dan op de hoofdweg en ook slechter verlicht. Er stonden twee meisjes onder een van de straatlantaarns die het nog wel deden. Ze waren zwaar opgemaakt en droegen strakke korte jurkjes die hun flinke dijen maar net bedekten. Een van hen keek in het voorbijgaan met een vakkundig geoefende glimlach even in de taxi, maar nee, zo diep was hij nog niet gezonken. *Bovendien is het zonde van het geld.* Waarop hij zich meteen weer afvroeg waarom hij zich net zo zelfvoldaan had gevoeld over Keiths ontrouw.

Hij krijgt 'm tenminste nog omhoog.

Iets verderop liep een ander meisje langzaam op en neer in het blauwe schijnsel van de etalage van een dichte krantenkiosk. Ze had donker haar en hij kon haar gezicht niet zien, maar om de een of andere reden moest hij opeens aan Sandra Cole denken. Zijn maag kneep zich samen en heel even voelde hij zo'n duister en fout gevoel in zich opwellen dat hij het eerst niet eens herkende. Het zakte ook bijna direct weer weg en hij bleef met een onbestemd, somber gevoel achter. Hij probeerde zichzelf op te peppen met de gedachte dat hij morgen weer naar Tunford zou gaan, maar daardoor voelde hij zich alleen maar nog beroerder. Hij kon zich niet aan de indruk onttrekken dat het ergens niet helemaal in de haak was dat hij steeds zo popelde om daarnaartoe te gaan. Hij probeerde het te rechtvaardigen door zichzelf wijs te maken dat hij het omwille van Jacob deed, maar terwijl hij het dacht, geloofde hij het zelf al niet eens. Hij werd overvallen door het plotselinge besef van hoe verachtelijk hij bezig was door met die enorme lens rond te sluipen als de eerste de beste vieze voyeur.

En dat hij dat stiekem nog lekker vond ook.

Hij walgde opeens zo van zichzelf dat hij bijna een vieze smaak in zijn mond had toen hij de taxichauffeur betaalde en naar binnen ging. Hij bleef in de donkere gang even staan luisteren naar de stilte van alle lege kamers. Geen Jacob. Geen Sarah.

Hij pakte een fles wodka uit de kast en besloot zich alsnog te bezatten.

Tegen lunchtijd de volgende dag was zijn kater overgegaan in een gevoel van algemene malaise. Hij was verward en met een ontzettend rotgevoel op de bank wakker geworden, met de bijna lege fles wodka als stil verwijt op de vloer ernaast. Hij had eerst twee aspirines geslikt, gevolgd door een glas water met zuiveringszout en was met zijn hoofd in zijn handen aan de keukentafel blijven zitten tot bewegen eindelijk wat minder pijn deed.

De zelfhaat van de avond ervoor was verdrongen door de meer directe ellende van zijn kater. Het leek nu allemaal opeens zo onbeduidend en na een warme douche en wat ontbijt voelde hij zich gelukkig al wat minder lamlendig. Hij had zijn bord weggeduwd, op de klok gekeken en uitgerekend hoe snel hij in Tunford zou kunnen zijn als hij de sokken er een beetje in zette.

Hij wilde opeens ook zo graag naar zijn schuilplaats, dat hij een groep spelende kinderen in het bos pas op het laatst opmerkte. Ze waren te dicht bij het eikenbosje om het risico te willen nemen ernaartoe te lopen, dus er had niets anders op gezeten dan wachten totdat hun spel hen vanzelf verder het bos in had gevoerd. Hij had hen daarna nog een paar keer in de verte gehoord, maar ze waren niet meer zijn kant op gekomen. Hij hoopte maar dat de laatste op sterven na dood zijnde bladeren hem voldoende beschutting zouden bieden voor het geval ze dat wel deden. Terwijl hij zijn fototoestel en lens in gereedheid bracht, overwoog hij even of hij de volgende keer misschien ook een camouflagenet zou meenemen, alvorens zichzelf te berispen dat hij dan echt te ver zou gaan. Hij deed nu nog niets verkeerds, zei hij tegen zichzelf.

Niet echt.

Cole en Jacob waren al in de achtertuin toen hij aankwam en waren daar nog steeds. Ze bevonden zich op de open plek in het midden, omringd door schroot, met Jacob op het autokinderzitje, terwijl zijn vader met metalen karkasstukken liep te zeulen.

Sandra stond nog in haar ochtendjas bij het aanrecht. Tijdens het halfuur dat Ben hen had bespied, had hij niemand op enigerlei vorm van communicatie kunnen betrappen.

Hij masseerde zijn slapen in een poging het laatste restje hoofdpijn te verdrijven en bleef door de zoeker kijken. Hij zag dat Cole een laatste stuk schroot verplaatste en daarna een stap achteruitzette om het resultaat van zijn werk te bekijken. Ben zag zelf niet wat het verschil was met hoe het voorwerp er net bij had gelegen, maar hij nam aan dat Cole het niet voor niets deed. Zelfs Cole zou toch niet puur voor de lol gewoon zware brokken metaal gaan verplaatsen...

Cole liep even later het huis in en Ben onderdrukte een geeuw. Jacob bleef onverstoorbaar doorspelen en had zo te zien niets in de gaten. Hij had weer een puzzelspeeltje in zijn hand: een ingewikkeld geval met allemaal metalen ringen. Zo nu en dan stopte hij even en hield een van de ringen dan vlak voor zijn ogen. Ben kreeg automatisch een glimlach op zijn gezicht toen hij bedacht dat Jacob waarschijnlijk het spectrum van het zonlicht probeerde te vangen. De jongen leek het prima te maken. Er zaten wat zwarte smeervlekken op zijn korte broek en shirtje, maar dat was gezien zijn vaders keuze in tuinmeubilair ook niet verwonderlijk.

Hij ving een beweging in de deuropening op en zag de bulterriër het trapje af hobbelen. Hij moest onwillekeurig aan een gespierde golem denken, maar was eigenlijk helemaal vergeten dat dat beest überhaupt bestond. Zodra de hond wat in de tuin begon te snuffelen, kreeg hij het Spaans benauwd en wenste dat Cole of Sandra tevoorschijn zou komen. Helaas waren zij in geen velden of wegen te bekennen. Hij hield zijn adem in toen de hond naar Jacob toe liep en tegen hem op sprong, maar het beest likte de jongen alleen maar een keer in het gezicht. Jacob duwde de hond met een geïrriteerd gebaar weg, maar die ging kwispelend en wel, met zijn tong uit zijn bek, aan zijn voeten liggen.

Ben merkte nu pas dat hij half overeind was gekomen en ging snel weer zitten. Het gebonk van zijn hart echode pijnlijk na in zijn hoofd. Cole was net weer naar buiten gekomen. Hij had iets in zijn handen en ging voor Jacob staan, waardoor Ben hem niet meer kon zien. Hij liet wat hij dan ook vasthad op de grond vallen.

Het bleek een gedeukte spoiler te zijn. De chromen rand van de koplamp zat er nog in, inclusief de scherpe randen waar het glas ooit had gezeten. Cole verdween weer naar binnen en kwam even later terug met een motorkap, die ook compleet in de kreukels zat. Het voorwerp werd naast de spoiler op de grond gesmeten en schommelde nog even na. Toen Cole weer naar binnen ging, bestudeerde Ben de auto-onderdelen door erop scherp te stellen. Ze hadden dezelfde kleur en leken van een en dezelfde auto afkomstig. Het was overduidelijk dat er van een ernstig auto-ongeluk sprake was geweest; er was zoveel beschadigd dat het een behoorlijke klap moest zijn geweest.

Er was iets wat aan hem knaagde. Hij verschoof de camera een klein eindje om de stapel schroot wat beter te kunnen bekijken en stelde opnieuw scherp, zodat hij de afzonderlijke onderdelen goed kon zien. Hij zag gemangelde bovenkanten, radiateurs, portieren en bumpers. En niets, maar dan ook echt niets had een glad oppervlak of was onbeschadigd. Tot nu toe had hij daar eigenlijk niet bij stilgestaan, behalve dan dat het gevaarlijk was voor Jacob, maar hij zag nu pas dat alles wat daar lag, ook de motorkap en de spoiler, de sporen van een verschrikkelijke botsing droeg. Hij liet de camera over de gehavende vormen gaan en bedacht voor het eerst dat Cole wellicht niet zomaar kapotte auto-onderdelen verzamelde.

Nee, het waren echt stuk voor stuk wrakken en onderdelen van een ongeluk of botsing.

Hij leunde achterover en wreef in zijn ogen. Hij had weer helse koppijn. Was hij aan het doordraaien, las hij hier nou te veel in? En wat maakte het ook uit? Misschien was Cole behalve gek ook wel gewoon morbide aangelegd. Maar het gevoel dat dit wel degelijk iets te betekenen had, bleef aan hem knagen.

Hij boog zich voorover naar de camera. Cole stond weer in de achtertuin en Ben keek toe terwijl hij bleef doorgaan met het verplaatsen van schroot. Hij ging heel zorgvuldig te werk en herschikte de stukken alsof het er echt toe deed waar en hoe alles lag.

Zo nu en dan hield hij even op om het resultaat op zich in te laten werken, maar Ben snapte nog steeds niet waarom hij dat deed. Al dat heen-en-weergeschuif kwam hem als totaal zinloos voor, maar hij deed het op zo'n weloverwogen manier dat het bijna niet lukraak of willekeurig kon zijn. Alsof er een betekenis achter school waar alleen de ex-militair van wist.

Wat was die vent in godsnaam aan het doen?

De keukendeur ging open en Sandra Cole kwam tevoorschijn. Ze had zich inmiddels aangekleed, opgemaakt en haar haren gefatsoeneerd. Ben gokte dat ze waarschijnlijk middagdienst had in de kroeg. Ze keek beurtelings van haar echtgenoot naar Jacob en weer terug, en zei vervolgens iets. Het was net alsof hij naar een stomme film zat te kijken. Cole leek haar echter evenmin te horen. Sandra staarde met opeengeklemde lippen naar haar man, stak haar middelvinger achter zijn rug tegen hem op en liep stampvoetend terug het huis in. Ze trok de deur met een luide klap achter zich dicht, en dat hoefde Ben niet te raden, omdat het geluid nog geen tel later vanaf de voet van de heuvel zijn kant op was gedreven.

Ben kreeg automatisch een meesmuilend glimlachje op zijn gezicht. *Ziehier een gezellige zondagmiddag bij de familie Cole.*

Toen ze weg was liep Cole even naar binnen en kwam terug met twee borden met boterhammen erop, waarvan hij de kleinere portie aan zijn zoon gaf. Hij ging naast hem op de grond zitten en daar zaten ze vervolgens, voor zover Ben kon zien, zij aan zij in stilte te eten. Op een gegeven moment leken ze elkaar bijna te spiegelen want ze zaten er bijna exact hetzelfde bij: de jongen in het zitje, zijn vader op de grond naast hem, allebei rustig kauwend. De hond, die de hele tijd al hoopvol aan Coles voeten had gezeten, kreeg toen hij was uitgegeten een paar korstjes toegeworpen. Jacob kopieerde dat gebaar en richtte zich vervolgens weer op zijn puzzel, terwijl zijn vader de borden naar de keuken bracht.

Ben at zijn eigen boterhammen ook op terwijl hij wachtte tot de man weer naar buiten kwam. Jacob bleef al die tijd gewoon in de tuin zitten en kwam maar één keertje in beweging, toen hij naar het houten schuurtje liep en ertegenaan plaste. Ben schudde zijn hoofd, boos over het zoveelste bewijs van de lakse opvoeding van Jacobs nieuwe ouders.

Het duurde bijna een uur voor hij Cole zelf weer zag. Ben had zich net afgevraagd of hij misschien zelfs was weggegaan en Jacob alleen thuis had gelaten. Hij droeg nu een gekreukt T-shirt en een korte broek en begon meteen aan een uitgebreide serie opwarmoefeningen. Het auto-onderdeel dat hij eerder boven Jacobs hoofd had opgetild, lag vlak voor zijn voeten. Ben voelde de adrenaline door zijn lijf gieren. Hij wachtte, verscheurd door zowel hoop als afgrijzen over wat er zou gebeuren.

Cole negeerde het stompe metalen voorwerp ditmaal echter en pakte twee doodgewone bakstenen op. Hij had er een in elke hand en liet zijn armen langzaam op en neer gaan, waarbij hij ze af en toe draaide en net even een andere beweging maakte, zodat hij al zijn torsospieren trainde. Door het bijna gracieuze vertoon van totale controle dacht Ben automatisch aan tai chi. Alleen verpestte Coles beenblessure helaas het effect, omdat hij er als een aan de grond genagelde houten klaas bij stond. Tegen de tijd dat hij de stenen op de grond liet vallen, zat zijn T-shirt vol donkere zweetplekken. Toen hij naar het autozitje liep was zijn ademhaling zo te zien zwaar maar regelmatig. Hij keek even naar het puzzeltje waar Jacob nog steeds mee zat te spelen en tilde vervolgens zonder enige waarschuwing het hele zitje, inclusief Jacob, in één keer op.

De jongen keek stomverbaasd om zich heen, maar in plaats van de paniek die Ben had verwacht, verscheen er een stralende grijns op zijn gezicht. Cole begon het zitje op en neer te bewegen, waar de jongen zo te zien nogal schik in had. Ben begon automatisch foto's te maken, maar bedacht zich. Jacob zat namelijk echt te lachen en Cole glimlachte zelf ook, terwijl hij schijnbaar zonder enige inspanning bankdrukte met zijn zoon als gewicht. Ben voelde zich opeens ontzettend buitengesloten en was zich heel erg bewust van zijn verlies. Het plezier van vader en zoon leek elke reden voor zijn aanwezigheid daar opeens teniet te doen.

Hij maakte echter geen aanstalten om weg te gaan.

'Stomme uitslover,' mompelde hij toen Cole het zitje keurig en heel beheerst weer op de grond zette en doorging met een andere oefening.

De rest van de middag gebeurde er eigenlijk niets opzienbarends. Cole bleef fitnessen en Jacob speelde met zijn puzzeltje. Hij keurde het zware geval naast hem op de grond geen blik waardig, maar Ben bleef desondanks naar het tafereel voor hem turen. Toen Sandra Cole terugkwam van haar werk besloot hij zich op haar te richten. Haar humeur leek niet te zijn verbeterd en ze stond bij het aanrecht aardappelen te schillen alsof het aan die piepers te wijten was dat haar leven zo ellendig was. Ze kwam haar man niet melden dat ze weer thuis was en als Cole het al doorhad, gaf hij daar geen enkel blijk van. Ben bedacht dat het wel iets weg had van een saaie soap, waarin de personages niet veel uitvoerden en niets tegen elkaar zeiden. Toch ging er een soort hypnotiserende werking van uit. Hij merkte dat hij als het ware de zoeker in werd getrokken, kijkend naar het tomeloos fascinerende gebrek aan communicatie van het echtpaar en naar hoe ze hun dagen met nietszeggende activiteiten leken te vullen.

Bovendien kon hij op die manier vermijden om na te denken over zijn eigen leven.

Het werd alleen steeds moeilijker om het te kunnen volgen. Toen hij na een tijdje achteroverleunde, zag hij tot zijn schrik dat het al schemerde. Hij had helemaal niet gemerkt dat het al zo laat was. En had dus ook niet door dat hij daar al zo lang zat.

Hij masseerde zijn stijve nek en besloot zijn boeltje te pakken, want hij had weinig trek om straks door een donker bos te moeten lopen. Hij wilde net zijn lens opbergen toen hij de gestalte in de tuin, waarvan hij nog wel kon zien dat het Cole was, in het schuurtje zag verdwijnen.

Daar was hij destijds ook naar binnen gegaan na die oefeningen met die automotor vlak boven Jacobs hoofd, herinnerde Ben zich, en hij kon zich dan ook niet bedwingen om nog eventjes door de zoeker te kijken. Het houten schuurtje doemde voor hem op en vulde zijn hele blikveld. In een van de zijwanden zat een raampje, maar vanaf deze afstand kon hij met geen mogelijkheid naar binnen kijken. Hij nam zich voor dat hij alleen even zou wachten tot Cole weer naar buiten kwam en misschien dat hij door de deuropening dan iets van de binnenkant kon opvangen.

Een kwartier later was hij inmiddels niet nieuwsgierig meer, maar vooral ongeduldig. Het was al behoorlijk donker, maar niets wees erop dat Cole op korte termijn naar buiten zou komen. Ben vroeg zich af wat die kerel daar in godsnaam aan het doen was en had net bedacht dat er misschien nog een deur was, toen het schuurdeurtje openzwaaide.

Cole strompelde de tuin in. Zijn T-shirt zat tegen zijn lijf geplakt en was donker uitgeslagen en drijfnat, alsof hij net een duik in een zwembad had genomen. Bij zijn polsen, benen en nek zaten vuurrode, opgezwollen striemen. Zelfs op zijn voorhoofd liep er een, alsof hij een zakdoek heel strak om zijn hoofd had geknoopt. Zijn gezicht was pafferig en glansde van het zweet, terwijl hij met een hand op de deurkruk naar adem bleef staan happen.

'Jezus christus,' wist Ben nog net uit te brengen.

Hij kon met geen mogelijkheid bedenken wat de man daarbinnen kon hebben uitgevoerd. De schuur was verre van groot... Op dat moment bedacht hij pas dat hij had willen proberen om via de deuropening iets van de binnenkant te zien. Hij kon in het donkere vierkant in de zoeker vaag een mechanisch uitziend geval onderscheiden, maar op dat moment trok Cole de deur achter zich dicht.

Hij hinkte nog erger dan normaal toen hij naar Jacob liep. Hoewel hij nog steeds behoorlijk buiten adem was, zei hij wel iets tegen de jongen en wees ondertussen naar de spoiler en de motorkap die hij daar eerder had neergelegd. Toen Jacob niet opkeek van zijn speeltje, bukte Cole zich en pakte het af. Bens vinger drukte als vanzelf op de ontspanner om Jacobs kwade reactie vast te leggen. Cole zei nog iets tegen zijn zoon, maar het had al geen zin meer. Ben wist uit ervaring dat Jacob op het punt stond om een vreselijke driftbui te krijgen en zelfs op deze afstand hoorde hij de gefrustreerde uithalen toen Jacob het speeltje terug probeerde te pakken. Cole hield het nog een paar tellen vol en gaf het toen alsnog terug.

Jacob maakte zich helemaal klein en drukte het tegen zijn borst aan. Cole keek op hem neer, maar als hij al iets voelde, viel dat niet van zijn gezicht af te lezen. Hij pakte de motorkap op, bleef er even peinzend mee in zijn handen staan en plaatste hem toen boven op de stapel. Dat duurde best even, tot hij blijkbaar eindelijk tevreden was met hoe het ding lag en vervolgens dezelfde handelingen uitvoerde met de spoiler.

En daar stond Cole dan midden in zijn achtertuin naar het resultaat van zijn inspanningen te kijken.

Hij vertrok geen spier toen de keukendeur openging en Sandra de tuin in kwam. Ze had een gespannen en onaangename blik op haar gezicht terwijl ze naar de rug van haar man staarde. Ben vroeg zich af of hij enig idee had wat er achter zijn rug gebeurde wanneer hij op zijn werk was. Vast niet. Cole was namelijk nogal een bezitterig type.

Als hij er ooit achter zou komen, zou hij haar waarschijnlijk vermoorden.

Sandra zei iets. Hoewel Ben haar niet kon verstaan, was het duidelijk dat het haar hoog zat. Cole antwoordde niet. Zijn vrouw maakte een boos handgebaar in de richting van de keuken en zei toen nog iets, waar Cole wederom niet op reageerde. Het eten is klaar. Nee, verbeterde Ben zichzelf terwijl hij probeerde te liplezen. Je *focking* eten is klaar. Cole snauwde haar zonder zich om te draaien iets toe, waar zij onmiddellijk op reageerde. Ze nam zo te zien wat gas terug en Ben zag op haar gezicht iets wat zowel haat als angst kon zijn. Het weerhield haar er echter niet van om duidelijk zichtbaar de woorden 'fuck you' tegen de rug van haar man te zeggen, waarna ze Jacob bij de arm pakte en hem meetrok naar de keuken. Hoewel Ben het natuurlijk niet zeker wist, had hij de stellige indruk dat ze de woorden alleen niet hardop had uitgesproken.

Het was nu echt bijna donker. Hij kreunde toen hij zijn rug rechtte, masseerde die even en begon snel alles op te ruimen. Toen hij zich opmaakte om door het donkere bos naar de auto terug te gaan, zag hij de schaduw van Coles gestalte nog steeds in de tuin staan.

13

Bij elk bezoekje kreeg hij langzaam maar zeker meer zicht op het reilen en zeilen bij de familie Cole, en de vaste routines en gebruiken die ze erop na hielden. Letterlijk zag hij er natuurlijk maar één kant van, namelijk alles wat er zich aan de achterzijde van het huis afspeelde, maar hij kon daaruit redelijk wat conclusies trekken over hoe de rest eruitzag. Elke keer dat hij tijd genoeg kon vrijmaken om de anderhalf uur lange autorit naar het bos te maken, kreeg hij beetje bij beetje een steeds duidelijker beeld, totdat hij net als Jacob een legpuzzel in elkaar zette, alle stukjes van hun leven in elkaar kon passen. En geleidelijk aan begonnen al die afzonderlijke brokjes zich samen te voegen tot een groter plaatje.

Doordeweeks waren Cole en Jacob al weg tegen de tijd dat hij daar aankwam. Hij ging ervan uit dat Jacob door de gemeentelijke schoolbus zou zijn opgehaald en dat zijn vader naar zijn werk ging. Dat maakte bovendien allemaal deel uit van het voorste deel van hun huiselijke leven, het deel dat Ben nooit te zien kreeg. Het enige wat hij dan zag, was dat ze er niet waren. En de uren die ze in de tuin doorbrachten natuurlijk.

Voor zover hij kon beoordelen, had Cole Jacobs leven niet nog een keer in gevaar gebracht. Het zware brok staal dat hij die ene keer boven het hoofd van zijn zoon had opgetild, lag op dezelfde plek als waar hij het had laten vallen. Ben vond het steeds lastiger zichzelf ervan te blijven overtuigen dat wat hij gezien had geen incident kon zijn geweest. Coles overige activiteiten volgden een strak schema. Terwijl Jacob zich verdiepte in zijn puzzelspeeltjes, was zijn vader of aan het fitnessen of het schroot aan het herschikken. Hij bleef onderdelen verplaatsen en deed dat elke keer zó zorgvuldig dat Ben zich echt begon af te vragen of hij nou gek was dat hij niet zag wat voor zin dat had. Misschien dat het iets met de hoek of positie ten opzichte van elkaar te maken had? Als hij het door Coles ogen zou kunnen zien, zou het hem misschien duidelijk worden waarom die man het deed. Op een gegeven moment overwoog hij zelfs de mogelijkheid dat die hele stapel schroot misschien wel een soort geïmproviseerd beeldhouwwerk was en hij probeerde zich Cole als amateurkunstenaar voor te stellen. Maar hoe hij het ook probeerde te beredeneren, uiteindelijk kwam hij altijd weer uit bij zijn allereerste theorie.

Die kerel was gewoon van lotje getikt.

Het was hem inmiddels ook duidelijk dat hij zijn fitnessoefeningen altijd afsloot met een bezoekje aan de schuur. Zelfs op zondag, als hij de hele dag thuis was, ging hij daar pas op zijn vroegst aan het eind van de middag naartoe. Schijnbaar moest het per se al schemeren en Ben vroeg zich af welk deel van het beeld dat geleidelijk vorm begon te krijgen, schuilging achter die dunne houten wandjes. Hij speelde zelfs even met het idee om een keer een kijkje te nemen als de twee volwassenen allebei op hun werk waren, maar het vooruitzicht dat hij dan in het volle zicht van de buren over het hoge hek zou moeten klimmen, was hem toch net iets te riskant.

Elke keer dat Cole volkomen bezweet en helemaal onder de rode dikke striemen naar buiten kwam, alsof hij gegeseld was, zette hij ook steevast een stuk schroot voor Jacob neer, bijna als een offerande. Daarna ging hij vlak bij de jongen zitten en praatte tegen hem. Ben zou er alles voor over hebben gehad om ze niet alleen te kunnen zien, maar ook te horen. Wat ook altijd hetzelfde was, was dat Cole uiteindelijk na een tijdje zijn mond hield en dan vol verwachting naar zijn zoon keek, duidelijk in afwachting van een antwoord. En wanneer dat niet kwam, stond hij rustig op en bestudeerde de grote stapel brokstukken om hem heen, alsof hij zijn eigen verroeste koninkrijkje aanschouwde. Helaas moest Ben altijd opstappen voor Cole daar genoeg van kreeg, dus hij kon alleen maar gissen naar wat er daarna gebeurde.

Zo zag het vaste patroon van Cole en Jacobs leven in de achtertuin er dus uit. Behalve in het weekend kwamen ze ook altijd pas 's avonds naar buiten.

Overdag had Sandra Cole dus het rijk alleen.

Er kwamen zo te zien nooit vrienden of buren langs en als de man die hij die ene keer de tuin uit had zien sluipen terug was geweest, was dat gebeurd toen Ben er niet was. Ze leek amper huishoudelijk werk te doen, alleen de afwas en het bed opmaken. Ben zag haar het merendeel van de tijd in de keuken zitten met een kop koffie (oploskoffie, met melk en suiker) of gewoon rokend aan tafel een beetje voor zich uit staren.

Soms kleedde ze zich aan in de slaapkamer.

De eerste keer dat dat gebeurde, nam Ben aan dat ze dat ging doen omdat ze dan haar sigaret uitmaakte en de keuken uit liep. De vorige keren dat hij daar had gezeten, ging het licht in de badkamer dan meestal aan en kwam zij ongeveer een kwartier later volledig gekleed tevoorschijn, met nat haar dat ze vervolgens staand naast het aanrecht föhnde. Die ochtend was ze echter rechtstreeks naar de slaapkamer gelopen. Hij wachtte tot ze haar kleren had gepakt en weer naar buiten zou komen. In plaats daarvan knoopte ze haar ochtendjas los en gooide die op bed.

Door de weerspiegeling van het raam kon hij het niet goed zien, maar wat hij wel kon zien, was dat ze bloot was.

Ze liep naar de kaptafel en pakte iets. Haar borsten deinden mee op de beweging toen ze de deodorant vlug een paar keer over haar oksels liet gaan. Ze waren vol en zeker niet pront, maar ze hingen niet. Haar tepels waren klein en donker. Haar buik was plat en toen ze even later naar het raam kwam, zag hij dat er strepen overheen liepen, alsof het koordje van haar ochtendjas te strak had gezeten. Het keurige zwarte streepje schaamhaar eronder gaf aan dat ze geen echte blondine was.

Ben had toegekeken terwijl ze eerst haar ondergoed aantrok en daarna een kort rokje en een blouse. Ze was de kamer uit gelopen en terwijl hij wachtte of ze terug zou komen, begon een vogel ergens in de takken vlak boven hem opeens een hels kabaal te maken.

Hij rukte zich los van de zoeker en begon zenuwachtig te grinniken. *Shit!* Hij leunde naar voren om te kijken of ze al terug was, maar bedacht zich.

Wat ben ik in hemelsnaam aan het doen?

Er was geen enkele reden om haar te bespioneren terwijl ze zich aankleedde. Dat was niet de reden dat hij hier zat, maar terwijl hij dat tegen zichzelf zei, voelde hij ook een beklemmend gevoel van opwinding in zijn borstkas. Hij snapte alleen niet helemaal waardoor dat kwam. Sandra Cole was zeker geen schoonheid en hij was door zijn werk ook echt wel aan blote vrouwen gewend. Fotomodellen verkleedden zich meestal zonder enige gêne in zijn bijzijn en hij noch zij maakten daar een punt van.

Alleen wisten ze natuurlijk wel dat hij daar was.

Murray, jij stiekeme gluurder, dacht hij, maar zijn poging het weg te lachen mislukte jammerlijk. En hij hield evenmin op met die heimelijke tochten naar het bos achter hun huis. Net als dat het niet de laatste keer was dat hij Sandra Cole bespiedde.

Hij wist niet goed wat hij van haar moest vinden. Ze maakte een vervelde, ontevreden indruk en Cole en zij leken amper te communiceren. Ze behandelde Jacob ofwel volkomen onverschillig of met nauwelijks verholen ergernis. En tenzij Ben de aanwezigheid van de man die op die ochtend het huis uit was geslopen compleet verkeerd interpreteerde, ging ze ook nog vreemd. Toch had ze Cole geholpen zijn zoon terug te krijgen, en zelfs voor hem gelogen.

Zoals ze nog steeds loog.

In de week voor zijn eerstvolgende 'papadag' met Jacob werd er op het allerlaatste moment een fotoshoot afgezegd. Ben was de avond ervoor wezen stappen met een paar lui van het reclamebureau en toen hij de volgende ochtend naar de studio ging, had hij daar verschrikkelijke spijt van. Wat was begonnen als een borrel na het werk, was uitgegroeid tot een heuse slemppartij en bijna een wedstrijdje wie het volgende rondje zou geven. Op een gegeven moment waren ze met z'n allen half lazarus naar een Libanees restaurant afgetaaid omdat de mezze volgens een van hen daar 'zo onwijs lekker' waren. Ben hield niet echt van de Arabisch-mediterrane keuken, maar liet zich overhalen en was dus toch maar meegegaan. Het alternatief was namelijk in zijn eentje teruggaan naar een leeg huis.

Ze werden naar een tafel geleid door een serveerster die ondanks hun rumoerige entree volkomen onaangedaan bleef. Het was niet druk in het restaurant, maar ze werden naar een achterkamertje gebracht, zo ver mogelijk van de grote eetzaal vandaan. Er waren een paar andere gasten: een gezin en een tafeltje waar een stelletje zat. En een van hen was Keith.

Ben had hem voor het laatst gezien bij het feestje ter ere van zijn trouwdag. Hij had het door zijn werk en door al dat op-en-neergereis naar Tunford te druk gehad voor een afspraak en Keith had met zijn schaarse vrije tijd ook wel iets beters te doen. Bovendien voelden ze zich er allebei ongemakkelijk bij dat Ben nu wist van die affaire, waar Keith zich overduidelijk voor schaamde. En dat was – dat bedacht Ben nu pas – waarschijnlijk de werkelijke reden dat ze elkaar sindsdien niet meer hadden gesproken.

Door alle drank werd zijn eigen gêne die avond echter naar de achtergrond geduwd. En helaas gold dat ook voor zijn fijnzinnigheid. 'Keith!' had hij opgewekt uitgeroepen en pas toen hij de schuldbewuste en geschrokken blik op het gezicht van zijn vriend zag, besefte hij dat de vrouw met het donkere haar tegenover hem jong en slank was, en overduidelijk niet Tessa.

O shit! Het meisje van de platenmaatschappij.

Alleen was het nu al te laat en moest hij wel met een brede glimlach naar hen toe lopen. 'Hé! Ik had niet verwacht jou hier te zien.' Pas toen hij dat eruit had geflapt, realiseerde hij zich hoe tactloos dat klonk.

Keiths gezicht was vuurrood. 'Eh… Ben, dit is Jo.'

Ben gaf haar een hand. Het meisje zag er best aardig uit, maar ze had ook iets afstandelijks en koels, wat hem niet aanstond. Hij had zich verontschuldigd en was snel teruggegaan naar zijn eigen tafel en had de rest van de avond zijn best gedaan om niet hun kant op te kijken. Keith had hem later op weg naar buiten nog wel even gedag gezegd, maar Ben zag dat zijn vriend nog steeds van streek was.

Hij had nu al spijt dat hij ze tegen het lijf was gelopen, niet alleen omdat hij wist dat hij hun avondje had verpest, maar omdat het de boel tussen Keith en hem er niet makkelijker op maakte. Tot nu toe was Keiths affaire voor hem iets abstracts geweest, maar nu hij hen samen had gezien, voelde het bijna alsof hij medeplichtig was geworden. Niet dat hij nou vond dat Keith zo laakbaar bezig was – hij had hem er destijds godbetert zelf van proberen te weerhouden met Tessa te trouwen – maar goedkeuren kon hij het evenmin.

Toen hij de volgende ochtend op zijn werk kwam, was hij dan ook meer met zijn gedachten daarbij dan bij de shoot die die dag stond gepland. Tot Zoe hem dus had verteld dat die ook niet doorging. Blijkbaar was er tussen het modellenbureau en de ontwerper sprake van onenigheid over onbetaalde facturen en daardoor was die laatste op een soort zwarte lijst gezet.

'Je lijkt het niet eens echt erg te vinden,' zei Zoe nadat ze het hem had verteld.

Nee, want hij was in zijn hoofd inderdaad al bezig te bedenken of hij nog genoeg tijd had om naar Tunford te gaan. 'Ach, dat soort dingen gebeuren nu eenmaal.'

'Ja, dat weet ik ook wel, maar het is deze maand al wel de derde keer. Ik vind het bloedirritant.' Die andere sessies waren eerder verplaatst dan afgezegd, maar Zoe vatte alles persoonlijk op. Ben kende dat wel van vroeger, maar had daar tegenwoordig geen last meer van. Hij had de kansen die het bood juist aangegrepen. 'Ik zat me af te vragen of ik die ene man nog zou bellen die wel belangstelling had voor een paar portretfoto's,' opperde ze. 'Die schrijver. Hij heeft destijds gezegd dat zodra wij tijd hadden, hij bijna altijd beschikbaar was.'

Ben had moeite zich voor de geest te halen over wie ze het had. 'O… Nee, dat is te kort van tevoren, denk ik.'

'Ik kan het toch altijd vragen?'

'Nee, laat maar.' Hij merkte dat Zoe het maar niks vond. 'Weet je wat, waarom doe je het zelf niet?'

'Ik?'

'Ja, waarom niet? Je bent inmiddels echt wel goed genoeg, hoor.'

'Maar hij wil jou.'

'Nou, dan zeg je hem toch gewoon dat ik er geen tijd voor heb? Dat we helemaal volgeboekt zijn, maar dat jij wel een plekje voor hem hebt.'

Ze was nog niet overtuigd. 'Denk je dat hij daarin trapt?'

'Je zei net toch zelf dat je het altijd kon vragen. Nee heb je, ja kun je krijgen.' Hij had zijn jas al half aan terwijl Zoe daar duidelijk nog even over na moest denken.

'Wat ga jij dan doen?' vroeg ze.

'O, ik moet nog een paar dingetjes uitzoeken.'

'Kan ik je daar niet mee helpen?'

'Nee, dat hoeft niet.' Hij stond al bij de deur. 'Bel die schrijver nou gewoon even en kijk wat hij zegt. Ik zie je morgen wel weer, oké?'

Ze knikte wel, maar het zat haar zo te zien nog niet helemaal lekker. Hij besloot op weg naar Tunford eerst nog eventjes langs een elektronicazaak te gaan en het was dan ook al laat in de ochtend toen hij eindelijk bij het bos aankwam. Hij parkeerde op zijn inmiddels vaste plekje voor het half overwoekerde hek en pakte zijn tas en de telelens uit de achterbak. Een wat ouder echtpaar met een yorkshireterriër wierp hem een achterdochtige blik toe toen hij door alle zware apparatuur nogal onhandig over het vervallen muurtje stapte. Hij zette zijn meest vertrouwenwekkende glimlach op en hoopte maar dat ze hem niet hadden herkend of beseften wat al die spullen waren die hij bij zich had.

Tegen de tijd dat hij bij de schuilplaats stond, was het inmiddels weer aan het motregenen. Hij stelde de camera en de lens op met een waterdichte hoes eromheen. Het was koud en nat onder de bomen, een voorbode van het naderende begin van de winter. Ben zat al snel te rillen, maar zodra hij de camera scherp stelde op het huis, voelde hij de spanning in zijn lijf ook toenemen. Sandra stond in haar ochtendjas in de keuken en hij kon haar door de weerkaatsing van de tuin in de ruit maar half zien. Hij schroefde een polarisatiefilter voor de lens om daar minder last van te hebben. Ook dat was een recente aankoop, en een dure bovendien, maar aangezien hij op die manier wel een deel van de reflectieproblemen kon oplossen, was dat het meer dan waard. Hij zag meteen al dat hij inderdaad veel verder het huis in kon kijken.

Hij moest even zoeken voor hij het opnameapparaatje in de grote tas had gevonden, net als het reversmicrofoontje dat hij die ochtend bij de elektronicazaak had aangeschaft. Hij stopte de uitgang van de microfoon in het apparaatje en de andere kant in zijn mobieltje. Hij had het al even getest en wist dus dat zijn stem maar ook die van degene die hij belde, zou worden geregistreerd. De geluidskwaliteit liet te wensen over, maar dat was nu niet het belangrijkste, want het was hem vooral om het bewijsmateriaal te doen.

Hij wierp snel een blik om zich heen omdat hij zeker wilde weten dat er niemand in het bos was. Het laatste waar hij nu behoefte aan had, was een pottenkijker uit de buurt die zijn hond uitliet. Gerustgesteld richtte hij zich weer op de camera. Sandra Cole zat nog steeds in de keuken te roken. Aan de muur, nog geen anderhalve meter achter haar, hing een telefoon. Ben had haar daar wel eens mee zien bellen, dat wil zeggen: de paar keer dat zij gebeld werd, want ze nam nooit zelf het initiatief. Het toestel hing weliswaar achter in de keuken, maar door het polarisatiefilter kon hij het allemaal behoorlijk goed zien. Hij bleef door de zoeker kijken, drukte op het opnameknopje van het apparaatje en toetste het nummer in.

Het gerinkel in zijn oor leidde bijna gelijktijdig tot een zichtbaar geïrriteerde blik van de kant van Sandra. Ze schoof haar stoel achteruit en nam op.

'Ja?' Het iele geluid van haar stem liep synchroon met de beweging van haar mond. Op de achtergrond hoorde hij het schelle geluid van de radio. Dat zette hem even op het verkeerde been, omdat hij er stom genoeg van was uitgegaan dat het in de keuken in het echt net zo stil was als het hem voorkwam. Hij wierp een blik opzij om te controleren of het opnameapparaatje aan stond en ook werkte.

'Met Ben Murray,' zei hij. 'Ik wilde je er even aan herinneren dat ik dit weekend Jacob mag zien.'

De microfoon voelde als een ijskoud knoopje aan tegen zijn oor.

Deze opzet was een tussenoplossing die hij een paar dagen geleden had verzonnen, want hij moest op zijn minst proberen om zijn omgangsregeling veilig te stellen. Hij wist dat nog een man-tot-manconfrontatie met Cole zinloos was en op deze manier kon hij in ieder geval aantonen dat hij het echt had geprobeerd. En misschien dat hij Sandra zelfs zover zou krijgen per ongeluk iets belastends over haar man te zeggen. Het aflasten van die klus eerder vandaag betekende dat hij nu de kans kreeg niet alleen haar reactie te horen, maar ook te zien.

Hij probeerde het irritante stemmetje in zijn achterhoofd te negeren dat hem ervan beschuldigde dat hij Cole alleen maar wilde ontlopen omdat hij bang voor hem was.

'Dus het is goed als ik zondagochtend Jacob kom ophalen?' zei hij snel.

Hij hoorde een geïrriteerde zucht aan de andere kant van de lijn en zag via de telelens dat haar borstkas op en neer ging. 'Ben je nou echt dom, of wat?'

'Ik heb het recht om hem eens in de vier weken te zien, en dat is dus aanstaande zondag.'

Ben keek toe terwijl ze een trekje van haar sigaret nam en een vinnig rookwolkje uitblies. Haar ochtendjas was half opengevallen. 'Ja, en?'

'Nou... De vorige keer mocht ik hem niet meenemen. Bedoel je te zeggen dat dat deze keer weer niet mag?'

Hij wilde het bewijsmateriaal van de opname zo duidelijk mogelijk hebben, maar ofwel Sandra was van nature wantrouwend aangelegd of iets in zijn toon verried hem, want toen ze antwoordde was ze duidelijk op haar hoede. 'Zoals ik al tegen die man van maatschappelijk werk heb gezegd, was je de vorige keer dronken en te laat. Je was niet in staat hem mee te nemen.'

'Ik was ruim op tijd, zo nuchter als maar kan en jouw echtgenoot bedreigde me. Je was erbij, dus dat weet jij net zo goed als ik.' Hij probeerde zijn boosheid in te tomen. 'Mag ik Jacob zondag nou zien of niet?'

Er viel een korte stilte. Hij zag dat ze op haar lip beet. 'Hij is verkouden.'

'Verkouden?'

'Ja, dat zei ik inderdaad. Verkouden. Misschien zelfs wel griep. Je weet toch wel wat dat is?'

'Dus je bedoelt dat ik hem niet mag zien?'

'Ik zei net toch al dat hij niet lekker is. Hij ligt in bed.'

Hij had Jacob de avond ervoor nog in de tuin zien zitten en hij maakte toen niet de indruk dat hij verkouden was. 'Heb je de huisarts dan al gebeld?'

Ze nam nog een laatste trek van haar sigaret en draaide zich om om hem uit te drukken in iets wat achter haar op tafel stond. 'Nee, nog niet. We zien het nog even aan.'

Ze leunde tegen de muur, met haar rug naar het raam. *Draai 's om.*

'Wat zei je?' zei ze.

Ben besefte tot zijn schrik dat hij het hardop had gezegd, maar ze had zich inderdaad omgedraaid. Ze had een diepe frons op haar voorhoofd en ondersteunde met haar hand de elleboog van de arm waarmee ze de telefoon vasthad. 'O, niks. Wanneer kan ik hem dan wel zien?'

'Hoe weet ik dat nou? Ik ben toch geen helderziende. Je weet nooit hoe lang een kind daar last van houdt.'

Ben probeerde zijn woede in te slikken. 'Misschien dat ik je man dan even kan spreken?'

Ze keek uit het raam. Naar de schroothoop. 'Die zit op zijn werk.'

Ja, dat weet ik. 'Dan bel ik hem wel als hij weer thuis is.'

'Hij werkt tot heel laat.' Ben begreep dat hij zojuist al zijn kansen had verspeeld om Cole nog te spreken te krijgen, want vanaf nu zou zij er wel voor waken dat ze de telefoon als eerste opnam.

Vreemd genoeg bespeurde hij van haar kant ditmaal echter geen vijandigheid. Hij keek naar haar, naar hoe ze daar met haar blote benen in haar korte ochtendjas in de keuken stond. Ze had het koord van de telefoon om een van haar vingers gewonden terwijl ze wachtte tot hij weer iets zou zeggen, maar ze wist natuurlijk niet dat hij haar kon zien.

'Ben je daar nog?' vroeg ze.

'Ja.'

Er viel weer een stilte. Ze beet op haar duimnagel en het leek zelfs alsof ze glimlachte. Hij vroeg zich af waarom ze niet ophing. En meteen daarop waarom hij dat zelf niet deed.

'Wilde je soms nog iets vragen?' Hoewel ze overduidelijk de draak met hem stak, klonk er ook iets flirterigs door in haar woorden. Hoewel hij zich net nog zo opgetogen had gevoeld, maakte dat gevoel nu acuut plaats voor onzekerheid.

'Nee, ik denk het niet.'

Hij wist niet zeker of het geluid dat hij hoorde gelach was. 'Nou, lazer dan toch lekker op, joh.' En na die woorden hing ze op.

Hij stopte de band, spoelde hem meteen een stukje terug en luisterde naar de opname. Haar laatste opmerking dat hij kon oplazeren, klonk nu nog neerbuigender. Wat een rare vorm van loyaliteit, bedacht hij, vreemdgaan maar tegelijkertijd voor je echtgenoot opkomen. Hoewel het telefoontje niets bruikbaars had opgeleverd, was hij niet teleurgesteld. Hij borg de cassetterecorder en het microfoontje op en zette zijn mobiel uit omdat hij niet wilde dat zijn ringtone straks misschien door het bos zou schallen. Toen hij weer een blik op het huis wierp, was er niemand meer in de keuken en brandde het licht in de badkamer.

Hij probeerde zijn handen warm te blazen. *Godsamme, het is echt stervenskoud, zeg.* Hij haalde zijn thermos tevoorschijn en schonk wat koffie in. Die had hij vanochtend thuis al gezet, voor het geval de mogelijkheid om naar Tunford te gaan zich plotseling zou voordoen, en hij had stiekem ook gehoopt dat de shoot misschien niet de hele dag zou duren. Hij was nu blij met die vooruitziende blik. Door het wolkje stoom dat van de hete koffie opsteeg, zag hij op een gegeven moment een schimmige gestalte de tuin in lopen: Sandra Cole. Hij diepte een Mars op uit zijn tas. Toen hij weer keek, zag hij haar van het hek achter in de tuin naar de achterdeur teruglopen.

Het stoomwolkje van de koffie vervloog toen hij erop blies. Hij nam een slok en vertrok zijn gezicht omdat de koffie nog steeds loeiheet bleek te zijn. Het voelde alsof zijn keel in brand stond en hij zoog sissend wat koele lucht naar binnen ter verlichting van de pijn. Hij nam nog een slok, maar nu wat voorzichtiger en toen hij de mok liet zakken, zag hij opeens een man in de achtertuin staan. 'Shit,' riep hij uit en hij morste daarbij hete koffie over zijn jas. Hij wierp de mok opzij en liet de Mars op de grond vallen. Toen hij zich eenmaal goed voor het fototoestel had geïnstalleerd, was de man het huis al in gegaan. Ben maakte snel een hele zwik foto's met de motordrive, maar hij wist eigenlijk al dat hij te laat was. Bovendien zat het polarisatiefilter er nog op, dus het was sowieso de vraag of er iets op te zien zou zijn.

'Shit, shit, shit!'

Hij zag Sandra Cole samen met de man de keuken uit lopen. Ben richtte de camera op de slaapkamer, stelde scherp en wachtte.

'Kom op nou! Toe nou, alsjeblieft!'

En ja hoor, de deur van de slaapkamer ging open en Sandra verscheen met de man in haar kielzog. Ben schakelde de motordrive uit en nam twee foto's van het stel terwijl ze de slaapkamer in kwamen. Hij kon zien dat ze aan het praten waren. Het polarisatiefilter verminderde de weerspiegeling van de ruiten en hij kon dus behoorlijk veel details onderscheiden. De man leek een stuk langer dan Sandra, had donker haar en hij was niet dik maar ook niet dun. Ben gokte dat hij ergens eind dertig was. Hij grijnsde toen hij naar haar toe liep. Ze zette een stapje achteruit en antwoordde, maar beantwoordde zijn glimlach niet. De grijns van de man verdween. Hij zei iets en liep weer naar haar toe, maar ze schudde haar hoofd. Hij haalde zijn schouders op en knikte zo te zien met tegenzin.

Nu glimlachte ze opeens wel terwijl ze naar hém toe liep. De man had nog steeds een frons op zijn gezicht, maar die verdween zodra ze haar hand op zijn kruis legde.

Klik.

Ze duwde hem naar het bed toe. Hij lachte toen ze op het randje ging zitten en zijn riem begon los te maken. Ze trok zijn broek omlaag. Klik. Hij stond nu voor haar, in zijn onderbroek. Ook die trok ze omlaag. Zijn gezwollen lid sprong naar voren. Ze zei iets waar ze allebei om moesten lachen. Klik. Ze streelde zijn geslachtsdeel en bleef hem de hele tijd aankijken, tot ze zich naar voren boog en het in haar mond nam.

Klik. Klik, klik, klik, klik, klik.

Het rolletje was vol. Ben vloekte terwijl hij wachtte op het automatische terugspoelen, boos door de kostbare seconden die hij daardoor verloor. Hij haalde het filmpje eruit, smeet het in zijn tas en pakte snel een nieuw.

De man had de rest van zijn kleren inmiddels ook uit. Ben was stiekem blij te zien dat hij een buikje had. Sandra was nu ook naakt. Hij zag nu dat de strepen die over haar witte buik liepen waarschijnlijk zwangerschapsstriemen waren. Ze ging op haar rug op bed liggen. De man kroop op zijn knieën over de sprei naar haar toe. Ze spreidde haar benen toen hij op haar ging liggen. Ze schoven wat heen en weer, waarna de man pompende bewegingen met zijn heupen begon te maken. Sandra tilde haar benen wat verder op en omklemde zijn middel ermee.

Ben moest nog een nieuw filmrolletje pakken.

En ook dat was al bijna vol voordat de man ophield met bewegen en zich op het bed naast haar liet vallen. Sandra richtte zich op een elleboog op, met haar rug naar het raam. Haar bovenlichaam vormde een mooie boog tot aan haar billen. De man kwam half overeind en pakte zijn broek. Hij haalde een pakje sigaretten tevoorschijn, bood haar er een aan en stak ze vervolgens allebei op.

'Goh, wat een romanticus, zeg,' zei Ben hardop grijnzend tegen zichzelf. Toen de sigaretten op waren, kleedden ze zich allebei aan, ieder aan een eigen kant van het bed. De man stopte zijn overhemd in zijn broek en pakte zijn jasje. Sandra trok een T-shirt aan. Ze keek met een nieuwe sigaret in haar mond toe terwijl de man zijn portemonnee tevoorschijn haalde en een paar biljetten op de kaptafel legde. Ze snauwde hem iets toe, hij lachte en legde er toen nog een paar bij.

Ben deed zijn mond dicht en maakte nog een paar foto's.

Tegen de tijd dat ze beneden kwamen, was hij alweer een filmrolletje verder. Net als de vorige keer ging Sandra eerst naar buiten en gebaarde de man vervolgens dat de kust veilig was. Ze deed het hek naderhand op slot, maar ging niet meteen terug het huis in. Ze keek omhoog naar de heuvel waar Ben zat en hij was er heel even vast van overtuigd dat ze recht zijn kant op zou kijken en zijn aanwezigheid daar zou opmerken. Ze richtte haar blik echter op een heel andere plek.

Ze trok vervolgens zo hard aan de sigaret dat haar wangen hol werden. Ze staarde met een gespannen, meedogenloze blik op haar gezicht naar de autowrakken in de tuin. En toen pakte ze plotseling het dichtstbijzijnde stuk schroot op en begon eraan te sjorren. Toen ze het eenmaal los had weten te wrikken, werd het schurende geluid van het metaal door de wind Bens kant op gevoerd. Ze smeet het voorwerp opzij en begon aan de rest te trekken, maar stopte er al snel mee. Ze vertrok haar lippen tot een grimas en keek even naar haar handpalm voor ze eraan zoog. Haar woede-uitbarsting leek te zijn weggeëbd en ze staarde lusteloos naar wat ze net had gedaan. Toen ze met haar gewonde hand vermoeid over haar voorhoofd streek, bleef er een bloedveeg achter.

Ze nam nog een laatste, verslagen trekje van de sigaret, die ze al die tijd was blijven vasthouden, smeet hem weg in een spoor van vonkjes, draaide zich om en liep het huis in.

Bens donkere kamer hing vol met nog half natte afdrukken van twintig bij vijfentwintig. Ze hingen aan een lijntje en leken door het gedempte rode licht een beetje op surrealistisch wasgoed. Zijn doka thuis had lang niet zo'n goede ventilatie als die in de studio en de sterke chemicaliën prikten dan ook achter in zijn keel. Ben hing de laatste foto op, zette de ventilator een tandje hoger en bekeek het resultaat. Hij was best tevreden over die nieuwe telelens. De foto's van de slaapkamer waren korrelig, maar hij had ook niet anders verwacht. Zelfs met dat filter ervoor kon je natuurlijk niet verwachten dat er, als je vanuit het licht door een ruit heen een veel donkerder ruimte fotografeerde, veel van de resolutie overbleef.

Maar het resultaat kon er best mee door.

Hij bekeek een van de afdrukken die al bijna droog waren: Sandra Cole zat op de rand van het bed en boog zich voorover naar de man die voor haar stond. Haar lippen waren getuit van inspanning en haar gezicht was een beetje verwrongen, alsof ze moest gapen. Zij en de slaapkamer zelf waren duidelijk herkenbaar. Ben richtte zich op de volgende afdruk. Daarop zag je dat de man geld op de kaptafel achterliet; zijn portemonnee zweefde in de lucht, op weg terug naar zijn broekzak. De volgende foto toonde hem terwijl hij het huis verliet en daarop kon je zijn gezicht ook wat beter zien. Ben bestudeerde de foto wat langer, haalde hem los van de knijper en liep naar zijn archiefkast. Hij opende een lade en bladerde door de mappen, tot hij bij de foto's kwam die hij een paar weken geleden had gemaakt, toen Sandra's mannelijke bezoeker via het tuinhek was weggeglipt. Hij vergeleek die foto met de nog niet volledig droge afdruk die hij net had ontwikkeld en schoot spontaan in de lach. Hij had het net nog niet helemaal kunnen geloven, maar er was geen twijfel over mogelijk.

Het was niet dezelfde man.

14

'Het maakt niet uit wanneer je me antwoordt, als het maar wel vandaag nog is.'

Ben keek op van het reflectiescherm dat hij aan het ontmantelen was. Zoe stond vlak bij hem te wachten, met een zwaar statief in haar handen en een getergde blik op haar gezicht.

'Hè, wat zei je?'

Ze zuchtte en richtte haar blik even omhoog. 'Ik vroeg je of je wilt dat ik dit in de auto leg.'

'O ja. Ja, graag.'

Ze bleef hem verwachtingsvol aanstaren. 'En mag ik de autosleutels dan misschien ook even?' vroeg ze vervolgens, omdat hij het nog niet doorhad. 'Of heb je liever dat ik een ruitje intik?'

Hij viste ze uit zijn zak. 'Sorry, ik was er niet helemaal bij.'

'Ja, vertel mij wat,' mompelde ze stuurs, waarna ze naar buiten liep.

Ben masseerde de rug van zijn neus even. Hij was korzelig en doodmoe. Ze waren hier voor een reclamecampagne voor een nieuw merk spijkerbroek 'die je altijd en overal aan kunt' – zoals de reclame zou verkondigen. Ze waren een hele tijd bezig geweest om de juiste locatie te vinden, eigenlijk al sinds vlak na Sarahs overlijden, en waren kortgeleden op deze zestiende-eeuwse kapel ergens in Sussex gestuit, vooral vanwege de prachtige glas-in-loodramen achter het altaar. Ze hadden er een bruiloftsset van gemaakt, waarbij iedereen behalve de bruid er op zijn paasbest uitzag. Zij was namelijk gekleed in een witte spijkerbroek, een wit T-shirtje en een witte sluier. De klus had op zich vrij rechttoe rechtaan moeten zijn, ware het niet dat Ben een doos filters was vergeten mee te nemen die hij wel nodig had. Normaal gesproken had dat niet eens erg hoeven zijn, omdat hij Zoe dan had kunnen vragen die alsnog te gaan halen, maar de doos stond in de doka bij hem thuis, en die doka lag vol met foto's van Sandra Cole. En dus had hij zelf moeten gaan en de fotomodellen, visagisten en een nogal licht ontvlambare artdirector in de kapel moeten achterlaten. Tegen de tijd dat hij terugkwam keek die laatste, met wie Ben het meestal goed kon vinden, bijna scheel van frustratie en Zoe was des duivels omdat Ben haar daar had achtergelaten en zij dus ook de volle laag had gekregen.

De fotosessie was uiteraard vreselijk uitgelopen en had tot laat in de avond geduurd. Ben was achteraf blij dat ze van tevoren al besloten hadden met kunstlicht te werken om het zonlicht na te bootsen dat zogenaamd door de glas-in-loodramen moest vallen, en het wat dat betreft dus ook geen probleem was toen het begon te schemeren. Zoe en hij moesten de laatste spullen nog opruimen, maar toen Zoe de camera en het statief waar hij per ongeluk tegenaan schopte maar net had weten op te vangen, besloot hij dat het welletjes was. De predikant was de enige met een sleutel en dus lapte Ben voor dit ene keertje zijn eigen stelregel aan zijn laars dat hij nooit materieel onbeheerd achterliet, sloot de grote zware houten deuren zonder de rotzooi verder op te ruimen, en zette koers naar het hotel.

Hij had nu echter spijt dat ze het de vorige avond niet alsnog hadden afgemaakt. Het verhuurbedrijf had de grote studiolampen waarmee ze de kapel hadden verlicht inmiddels opgehaald en zonder de warmte die daarvan afkwam was het opeens erg koud en klam. Ze hadden allebei hun jas aangehouden en te midden van de donkere stenen muren hadden hun ademwolkjes wel iets weg van ectoplasma. Hij wist dat hij zich onprofessioneel had gedragen en dat, als hij in de toekomst nog zaken wilde doen met dit reclamebureau, zijn foto's straks verdomd goed zouden moeten zijn.

Maar het allerergst vond hij nog dat het onnodig veel extra tijd had gekost.

Hij liep met het reflectiescherm naar de auto. Zoe had de achterbak al opengemaakt en hun weekendtassen aan de kant geschoven om ruimte te maken. Haar haren waren sinds kort zo blond dat haar donkere wenkbrauwen nog eens extra opvielen.

Ze richtte zich net op toen hij bij de auto kwam. 'Wat is dit?' Ze had de tas met de telelens erin in haar hand. Haar vraag was eigenlijk overbodig want je kon wel raden wat erin zat.

'Een lens.'

Zoe snoof. 'Ja, hallo! Dat zie ik ook wel. Zo te zien ook een behoorlijk grote. Mag ik hem even zien?' Ze was gewend om met zijn fotospullen om te gaan en had de rits dus al half open. 'Wow, wat is dit er voor een? Een vierhonderd millimeter?'

Hij voelde zich behoorlijk betrapt. 'Nee, zeshonderd...'

'Zes? Jeetje, wat ben jij van plan? Ben je opeens gaan sterren kijken of zo?' Ze keek met een grijns naar hem op. 'Want waar zou je anders zo'n joekel voor nodig hebben? Je werkt toch niet opeens voor de roddelpers, hè?'

Bens gezicht was vuurrood. 'Nee. Ik wilde gewoon wel eens zo'n ding hebben.' Hij hoorde zelf hoe suf dat klonk en bedacht dat hij beter met een gevatte opmerking had kunnen reageren. In plaats daarvan pakte hij de lens van haar over en stopte hem terug in de tas. 'Kom op, we hebben hier al genoeg tijd verspild. We hebben nog een hele hoop te doen.'

Ze staarde hem aan. 'O ja, sorry hoor! Maar ja, ík ben niet degene die gisteren die pokkenfilters is vergeten, hè?' Ze liep stampvoetend terug naar de kapel.

Nou, dat heb je mooi opgelost, Murray, dacht hij bij zichzelf terwijl hij de achterbak dichtsmeet.

De rit terug naar Londen verliep in een gespannen stilte. Hij wist dat hij eigenlijk zijn excuses moest aanbieden, maar kon zich er niet toe zetten. Hij probeerde zichzelf wijs te maken dat hij zich nergens voor hoefde te schamen, dat het echt gewoon maar een telelens was en dat hij die bovendien voor een goed doel gebruikte. Maar wie probeerde hij nou helemaal voor de gek te houden? Toen ze bij haar flat waren, zette hij de auto aan de kant. Ze stapte uit zonder verder nog iets te zeggen en had een ijzige gezichtsuitdrukking toen ze haar tas van de achterbank pakte.

'Tot morgen,' zei hij. Ze smeet het portier dicht zonder op of om te kijken.

Shit! Hij stond op het punt om achter haar aan te lopen, maar er was iets anders wat hem dwarszat en hem afleidde toen hij haar de sleutel in de voordeur zag steken. Hij keek naar haar geblondeerde haar en haar wenkbrauwen die door het scherpe contrast bijna zwart leken en opeens zag hij de naakte Sandra Cole voor zich, zoals ze er een paar dagen geleden in de slaapkamer had uitgezien. Ergens hoorde hij het geluid van de voordeur die dichtsloeg wel, maar het drong niet echt tot hem door.

Toen hij optrok en wegreed, was hij Zoe al vergeten.

Het was al na twaalven tegen de tijd dat hij in Tunford aankwam. Hij had zich niet bewust voorgenomen hier weer naartoe te gaan, maar aan de andere kant had hij zich ook geen moment afgevraagd wat hij zou gaan doen nadat hij Zoe had afgezet. Hij dacht liever helemaal maar niet meer na over zijn beweegredenen. Toen hij langs het weiland bij het bos kwam remde hij even af, maar reed uiteindelijk toch door. Er zou toch niemand thuis zijn, dus dan had het ook weinig zin om het huis te bespieden. Jacob zat als het goed was op school, Cole was op zijn werk op het autokerkhof en Sandra was in de pub. Bij die laatste gedachte voelde zijn keel opeens zo droog aan dat hij amper nog kon slikken en hij kon er niet meer omheen dat hij al die tijd donders goed had geweten waar hij naar op weg was.

Hij zette de auto op de parkeerplaats bij de kroeg en schakelde de motor uit, maar maakte geen aanstalten om naar binnen te gaan. The Cannon zat op een hoek, nog geen paar honderd meter van het huis van de Coles. Het was een vierkant compact blok van grijsbruin baksteen, iets nieuwer dan de rest van de wijk, maar nog steeds wel het vreselijke soort jarenzestigbouw. Boven de deur hing een slecht geschilderd uithangbord. Ben keek ernaar en vroeg zich weer af wat hij in hemelsnaam aan het doen was. Zijn hart bonkte in zijn keel. Hij wist dat het verstandiger was om nu snel door te rijden, voordat iemand hem zag, maar hij was hier nu eenmaal en weggaan voelde om de een of andere reden ook als een laffe daad. Hij besloot er dus maar niet langer bij stil te staan, stapte uit, deed de auto op slot en liep naar binnen.

Het tapijt in het halletje was versleten en plakte een beetje onder zijn zolen. Er zaten twee deuren tegenover elkaar, de ene leidde naar de bar zelf, de andere naar de zogenoemde lounge. Ben besloot die laatste eerst maar te proberen. Het was een langgerekte ruimte, geheel in bruintinten uitgevoerd: houten meubels, een bruine vloer en bruine overgordijnen. Het rook er muf, naar schraal bier. Er was niemand en voor de bar hing een metalen rolluik. Hij liet de deur achter zich dichtzwaaien en liep door naar de andere ruimte.

Boven de formica tafeltjes, waaraan een paar mannen bier zaten te hijsen, hing een blauwe rookwaas. Het luid ketsende geluid kwam van twee skinheads van middelbare leeftijd die aan het biljarten waren. Er brandde licht boven de bar, maar hij zag geen barpersoneel.

Een paar van de mannen keken even ongeïnteresseerd zijn kant op toen hij in de deuropening bleef aarzelen. Niemand leek hem te herkennen. Hij probeerde zo relaxed mogelijk naar de toog te lopen. In plaats van vloerbedekking lag er hier een lichtgekleurde linoleumvloer die zijn beste tijd had gehad. Uit een jukebox aan de muur schalde een uptempo-nummer van Elvis, waardoor je nog van enig leven in de tent kon spreken.

'Bar, Sandra!' riep een man die aan een tafeltje ernaast zat te dominoën toen Ben voor de glanzend opgepoetste houten toog bleef staan. *Hmm, dit is bij nader inzien misschien toch niet zo'n heel goed idee.* Hij kon zich niet eens meer herinneren waarom hij ooit op het idee was gekomen en wilde zich net omdraaien toen er achter de bar een deur openging.

Sandra Cole schrok zichtbaar toen ze hem daar zag. Ze perste haar lippen tot een verbeten streepje, wat goed bij haar geëpileerde wenkbrauwen paste. 'Wat kom jij hier doen?'

Afgezien van het meest voor de hand liggende antwoord, kon hij zo snel niets zinnigs verzinnen. 'Heb je een pilsje voor me?'

Ze bleef hem aanstaren en leek even te overwegen of ze zijn verzoek zou negeren, maar pakte toen toch een glas, zette dat onder

de elektronische biertap en drukte op een knopje. Ze zei niets terwijl ze wachtte tot het glas vol was. Ben vermoedde dat ze zich
net als hij niet goed raad wist met de situatie.

Of misschien had ze hem ook echt niets te zeggen.

Ze zette het volle glas voor hem neer. 'Eén tachtig.'

Ben haalde zijn portemonnee tevoorschijn, overhandigde haar
een biljet en vroeg in een opwelling: 'Wil je er zelf misschien ook
een?'

Ze wierp een behoedzame blik over zijn schouder. 'Nee.' Ze gaf
hem het wisselgeld en kruiste haar armen afwerend voor haar borsten. Ze had geen lippenstift op en haar lippen waren wat schraal
en roze. Ineens merkte hij dat hij het jammer vond dat hij haar
die ochtend niet had gezien toen ze zich aankleedde.

Ze bleef hem onverstoorbaar aankijken. 'Wat kom je hier doen?'

Het was raar om haar opeens weer echt te horen praten na het
pantomimespel dat hij inmiddels van haar gewend was. Hij nam
snel een slok om zijn verwarring te maskeren. Het bier was zo
koud dat het nergens naar smaakte. Hij zette het glas weer neer
en zei: 'Och, ik was toch in de buurt. Ik dacht, laat ik even vragen hoe het met Jacob is.'

'Steven maakt het prima.'

'Hoe is het met zijn verkoudheid?'

'O, dat wisselt.'

'Ik neem aan dat het erger wordt zodra ik hem wil zien, maar
dat hij daarna meteen opknapt, hè?'

Een van haar mondhoeken vertoonde iets wat je een zweem van
een glimlach zou kunnen noemen. Ze haalde haar schouders op.
Haar borsten gingen even omhoog en kwamen daarna weer tot
rust op haar armen, die ze nog steeds voor haar borst had geslagen. Ben nam nog een slok van zijn biertje en vroeg zich af hoe
ze zou reageren als hij zou zeggen dat hij van haar bijverdiensten
op de hoogte was. Die gedachte sterkte hem vreemd genoeg en hij
merkte tot zijn verbazing dat hij een stijve kreeg. Tot zijn schrik
voelde hij zich zelfs even zo geil dat hij wat licht in zijn hoofd
werd.

Mijn god, wat stoppen ze hier in het bier?

Hij bespeurde ook een heel subtiele verandering van haar kant, alsof ze instinctief aanvoelde dat er iets aan de hand was. In plaats van de terloopse afgunst straalde ze nu eerder iets zelfbewusts uit. Ze boog haar hoofd lichtjes opzij en bewoog haar armen zodat haar borsten nog wat verder naar voren kwamen.

'Heb je enig idee wat hij zou doen als hij wist dat je hier was?'

Ze hoefde natuurlijk niet te zeggen over wie ze het had. Ben nam nog een slok van het smakeloze bier. 'Ja, maar hij weet het toch niet?'

'En als ik het hem nou vertel?'

Hij zette zijn glas weer neer. 'Volgens mij vertel jij hem lang niet alles.'

'Wat bedoel je daarmee?'

Nu was het zijn beurt om zijn schouders op te halen. Hij zag dat er iets onzekers in haar blik was geslopen en voelde hoe zijn onderbuik daar meteen op reageerde. Op dat moment ving hij vanuit zijn ooghoeken alleen een beweging naast hem op.

'Alles goed, San?'

Het was een van de biljartspelers, die Ben dreigend aankeek terwijl hij het vroeg.

'Ja hoor, Willie. Niks aan de hand.' De man bleef echter staan waar hij stond. Hij was klein en stevig en hij hield zijn keu bovenhands vast terwijl hij Ben zorgvuldig opnam.

'Ben jij niet die eikel die Johns joch had?' vroeg hij op luide toon.

De muziek hield natuurlijk niet als vanzelf op, maar Ben had niettemin het gevoel alsof iemand op de pauzeknop had gedrukt. Het gebabbel, het dominospel – iedereen brak zijn bezigheden af en richtte zich op deze nieuwe bron van vermaak.

'Hé, ik heb geen zin in gedoe, Willie,' beet Sandra hem toe.

De man negeerde haar. Ben zag nu pas dat hij niet echt kaal was en dat er stoppeltjes op zijn schedel groeiden. Zijn partner, eveneens met zijn keu in de hand, was inmiddels naast hem komen staan. 'Wat mot jij hier?'

'Ik drink een biertje, dat zie je toch?' Toen Ben zijn eigen woorden hoorde, was hij eigenlijk best onder de indruk van zichzelf.

Op de jukebox zette Matt Monro 'Born Free' in. Hij was een beetje duizelig door deze onverwachte opwelling van roekeloosheid.

De man die dus blijkbaar Willie heette, bleef hem aangapen. 'We motten jou hier niet.'

Ben staarde terug en pakte zijn glas alsof hij zich daarmee wilde wapenen. 'Dat kan me niks schelen.'

Het was alsof hij van een afstandje verwonderd naar zichzelf keek, maar hij kreeg tegelijkertijd een rood waas voor zijn ogen en werd verteerd door een soort blinde agressie. Het voelde alsof iemand zijn ledematen en hoofd vol bloed had gepompt. Slechts een heel dun laagje van verstand weerhield hem nog. Hij duwde er voorzichtig tegenaan om te voelen of het meegaf, op zoek naar elk mogelijk excuus om door het lint te gaan.

'Willie, je hebt al een waarschuwing aan je broek. Nog eentje en je mag er niet meer in,' hoorde hij Sandra zeggen en hij zou zich pas later afvragen waarom ze zijn kant had gekozen. Op het moment zelf drong de betekenis van haar woorden niet goed tot hem door. De andere man en hij keken elkaar aan en stonden op het punt elkaar te lijf te gaan.

Zijn maatje spuugde op de grond. 'Achterlijke gladiool uit de grote stad.' En met die opmerking draaide hij zich om.

De tintelende spanning in de barruimte leek daarmee doorbroken en alle klanten richtten zich weer op hun biertjes en dominostenen. Ben keek naar de twee skinheads die terugliepen naar het biljart, nog nagrinnikend om de belediging van de ene. Het voelde alsof hij zojuist boven aan een afgrond was ontwaakt. Hij zette zijn bierglas op de toog en zag dat zijn hand trilde.

Sandra Cole schudde haar hoofd. 'Als je echt levensmoe bent, moet je zaterdagavond terugkomen.'

Hij zei niets. Het liefst zou hij om een cognac hebben gevraagd, maar hij wilde zich niet laten kennen en was ook doodsbang dat die twee straks zouden terugkomen. Zijn glas was nog halfvol en hij nam een flinke teug. Het bier was ietsje warmer geworden, maar smaakte nog steeds buitengewoon smerig.

Sandra bleef hem aankijken. 'Wat kwam je hier nou eigenlijk doen?'

Ik weet het niet. Het begon hem langzaam te dagen waaraan hij net ternauwernood was ontsnapt. Hij wilde nu vooral zo snel mogelijk weg daar. 'Ik geef het niet op, als je dat maar weet,' zei hij. Hij had echter meteen al spijt van die zinloze branie. Sandra Cole keek hem weer met een volkomen blanco gezichtsuitdrukking aan, maar het viel hem nu pas op dat ze ook gewoon afgepeigerd was.

'Dat moet jij weten,' zei ze en na die opmerking draaide ze zich om en liet hem aan zijn lot over.

Ben leegde zijn glas. Niet dat hij daar nou bijster veel zin in had, maar hij wilde ook niet de indruk wekken dat hij het hazenpad koos. Hij zette het lege glas terug op de bar en liep zonder op of om te kijken langs de biljarttafel de pub uit.

Gelukkig kwam er niemand achter hem aan, maar tegen de tijd dat hij in zijn auto zat en was weggereden, brak het zweet hem pas echt uit. Hij kwam weer langs hun huis, zag dat de schroothoop in de voortuin nog groter was geworden en ook was verplaatst sinds de vorige keer dat hij hier was geweest, en volgde vervolgens de weg naar het bos. Hij zette de auto stil op de plaats waar hij hem altijd neerzette en schakelde de motor uit.

Tjeezus, wat ben jij een stomme idioot!

Hij deed zijn ogen dicht en liet zijn voorhoofd op het stuur rusten. Mijn god, hoe had hij zo dom kunnen zijn? Het had weinig gescheeld of hij had van heel erg nabij kennisgemaakt met twee paar laarzen en twee biljartkeus. Die gedachte alleen al zorgde ervoor dat zijn maag zich weer zowat omkeerde. Een ruzie in de kroeg was andere koek dan een wat agressieve voetbalwedstrijd... Maar ditmaal was hij er niet alleen klaar voor geweest, hij had er zelfs op aangestuurd. En dat had niets met moed te maken, maar was gewoon ontzettend stom. Alleen had het hem op dat moment allemaal niets meer kunnen schelen. Wat misschien nog wel ongelofelijker was, was dat hij er nog ongestraft mee weg was gekomen ook.

Misschien is dat ook wel het hele eieren eten, bedacht hij. Dat het je allemaal geen moer meer interesseert.

Hij schrok op door het plotselinge gekletter van de regen op de voorruit. Dikke druppels zo groot als centen sloegen te pletter tegen het glas. Hij zag het zwartblauwe wolkendek dat zich boven hem samenpakte, als een dekzeil dat vol water is gelopen en steeds verder doorbuigt. Het begon nog harder te plenzen en hij zag al snel bijna niets meer. Hij staarde naar de kortstondige stromen water die zich op de ruit voor hem vormden en naar het opspattende water van de motorkap. Hij kon zich wel voor de kop slaan. Toch zakte het ergste gevoel van zelfkastijding al snel weg en was hij bij nader inzien eerder opgelucht dan verbaasd toen hij besefte dat hij eigenlijk helemaal geen spijt had van wat hij net had gedaan. Nee, zelfs niet van het feit dat hij de confrontatie met die biljarters was aangegaan.

Je bent al bijna net zo erg als Cole, gaf hij zichzelf nog een veeg uit de pan, maar hij kon niet ontkennen dat hij niettemin blij was dat hij niet was afgegaan in het bijzijn van Coles vrouw. *Hé, ze is een slet, weet je nog?* Hij probeerde woede te voelen, maar het mocht niet baten. En op dat moment realiseerde hij zich op een nogal pijnlijke manier opeens iets heel anders.

Want hij had voor het eerst sinds Sarahs overlijden een erectie gehad.

Zijn eerste reactie was vooral verbazing. Hij probeerde zichzelf streng toe te spreken, maar hij was ergens ook gewoon te opgelucht om zich er schuldig over te voelen. *Ha! Er zit dus toch nog leven in.* Tja, dat was tenminste iets.

Snel draaide hij het sleuteltje om in het contact en reed naar huis.

15

Door de zoveelste slapeloze nacht kwam hij er bij toeval achter dat Jacob helemaal niet meer naar school ging.

Hij had voor Sarahs overlijden eigenlijk nooit last gehad van slapeloosheid, maar sindsdien, en vooral de afgelopen paar weken, werd hij er helaas steeds vertrouwder mee. Hij viel wel in slaap zodra hij naar bed ging, maar werd meestal omstreeks drie uur 's nachts wakker en was dan ook meteen klaarwakker, iets wat hij op een wat humaner tijdstip graag zo moeiteloos zou weten klaar te spelen. Er was nooit een aanleiding, geen lawaai of iets wat hij de schuld kon geven, maar opeens was de slaap zo ver te zoeken dat het voelde alsof hij al uren op was. Hij lag dan een poosje te kijken naar de verlichte cijfers van de digitale wekkerradio naast zijn bed en hoe die het verstrijken van de nachtelijke minuten met stille, oneindig langzame tikjes aftelde. Hij wachtte tot de ene minuut met een zacht klikgeluidje overging in een volgende. De cijfers leken gevangen te zijn in een elektronisch kooitje waar de tijd lukraak in en uit tikte, alsof er veel meer dan zestig seconden in pasten, tot Ben er vast van overtuigd was dat de klok echt stilstond. En dan veranderden de cijfers alsnog en begon het hele wachten gewoon weer opnieuw.

Zijn gedachten hadden wel iets weg van een volautomatische filmprojector die hem op beelden trakteerde, die door het donker van allerlei nare venijnige stekels werden voorzien. Hij dacht terug aan zijn stoerdoenerij in de pub en kon dat nu alleen nog maar als stom puberaal gedrag zien. Wat een aanstellerij, niet meer dan bluf om te verhullen dat hij juist op het vlak waar het er wel toe deed, geen poot durfde uit te steken. Hij dacht terug aan de keren dat Cole en hij elkaar hadden gezien en schaamde zich opeens heel erg. Hij had het elke keer laten afweten. Op klaarlichte dag kon hij zichzelf nog wijsmaken dat Cole een goed getrainde soldaat was en dus ook gewend was aan geweld, dat hij labiel gedrag vertoonde en dat hem uitdagen neerkwam op zelfmoord. Helaas maakte het duister korte metten met dat soort redeneringen.

De keiharde waarheid was dat hij gewoon bang voor hem was.

Hij herinnerde zich een ruzie op straat waar hij als student getuige van was geweest. Een groepje mannen had op de stoep voor een kroeg staan ruziemaken en net toen Ben de straat overstak omdat hij er part noch deel aan wilde hebben, was de vlam pas echt in de pan geslagen. Hij had gezien hoe een van hen op de grond viel en dat de anderen zijn hoofd vervolgens als een soort voetbal hadden gebruikt. De doffe klap waarmee zijn schedel op de stoep terechtkwam, was zelfs aan de overkant van de straat goed te horen. Toen het opstootje zich naar de straat zelf dreigde te verplaatsen, had Ben zich zo snel mogelijk uit de voeten gemaakt. Hij had helaas alleen nog wel gezien dat een van de relschoppers met beide voeten boven op het hoofd van het slachtoffer was gesprongen.

Hij had naderhand nooit iets over die knokpartij gehoord of gelezen, maar hij had het echt misselijkmakend gevonden en was ervan overtuigd dat hij iemand op een afschuwelijke manier aan zijn einde had zien komen. En net als hij nu van zichzelf walgde, vond hij het toen ook vreselijk dat hij niet had ingegrepen. *Lafaard!* Hij zag het allemaal weer voor zich, maar ditmaal met Cole als de dader en hijzelf die op de grond lag. Starend naar het plafond van de slaapkamer kreeg hij opeens een inval en dat ging gepaard met die stellige zekerheid die je om vier uur 's nachts opeens zo kunt voelen: dat het tussen hem en Cole niet goed zou aflopen. De ex-militair leek elke terughoudendheid die normale mensen ergens van weerhield, te hebben afgeworpen. Als Ben zou blijven volharden dat hij Jacob per se wilde zien, zou er vroeg of laat iets knappen, wanneer er niemand in de buurt was om in te grijpen.

En Ben wist zeker dat Cole, wanneer het zover was, pas zou ophouden als hij dood was.

Om zes uur gooide hij het dekbed van zich af en stond op. Het was nog donker. Hij klikte het licht aan en probeerde het wezenloze gevoel dat hem in zijn greep had van zich af te schudden. Hij nam een douche en mocht er voor een keertje ook echt lekker lang onder blijven staan. Hij merkte dat hij door de hete waterstroom meteen alweer wat loom werd en kwam even in de verleiding om terug naar bed te gaan. Hij wist echter dat hij zich dan als hij over een paar uur echt moest opstaan, alleen nog maar brakker zou voelen.

Hij besloot dus snel naar beneden te gaan en zette eerst de radio en vervolgens het koffiezetapparaat aan. Jacob vond het altijd leuk om naar ontbijttelevisie te kijken, maar Ben had niet het idee dat hij dat gewauwel nu aankon. Hij lepelde staand bij het keukenraam een bakje muesli naar binnen en wachtte op het belletje van het broodrooster. Er gloorde al licht aan de horizon, maar de zon liet nog op zich wachten. Hij zette het bakje in de gootsteen en smeerde wat margarine op zijn geroosterde boterham. Sarah had hem geleidelijk aan afgeleerd roomboter te eten en hij voelde zich nog steeds schuldig als hij iets op zijn brood smeerde dat naar cholesterol riekte.

Het was al bijna zeven uur toen hij klaar was met ontbijten. Hij moest later die ochtend in de studio zijn voor een klus voor een modetijdschrift en had dus nog wel even. Hij schonk nog een kop koffie in en ging aan de keukentafel zitten. Het peper-en-zoutstel stond nog op precies dezelfde plek als waar hij het gisteravond had neergezet. Aan de andere kant van de tafel zat een kring van de koffiemok die hij gisterochtend bijna had omgestoten. Hij had het eigenlijk meteen willen schoonmaken, maar was dat blijkbaar toch vergeten. Die vlek zou daar blijven tot hij er iets aan deed. Hij keek om zich heen. Alles zou precies zo blijven als het nu was, tenzij hij er iets aan deed. Er was niemand meer behalve hijzelf die zou zeuren dat hij de afwas niet had gedaan, niemand die een stoel verschoof of ook maar een lepel zou verplaatsen.

Hij schrok zelf toen het tot hem doordrong hoe verschrikkelijk eenzaam hij was.

Waarom verhuisde hij eigenlijk niet naar iets kleiners? Dit huis was veel te groot voor hem alleen en herinnerde hem bovendien alleen maar aan alles wat hij verloren was. Het huis zelf had geen enkele sentimentele waarde voor hem. Het hoorde bij het leven dat hij met Sarah had gehad, maar dat leven was nu voorgoed afgelopen. Het zou veel logischer zijn het te verkopen en naar een appartement te verhuizen dat groot genoeg was voor een doka, maar ook weer niet zo groot dat hij zich er verloren in zou voelen. Het was tijd om door te gaan, tijd voor een volgende stap, tijd om het zinkende schip te verlaten en een nieuw leven op te bouwen, in plaats van in de schaduw van het oude te blijven zitten.

Ja, dus... Waarom doe je dat dan niet? Hij wist het antwoord echt niet. Net zomin als hij kon uitleggen waarom hij Jacobs speelgoed en de kleren die Cole niet had gewild, had bewaard. Waarom had hij die niet weggedaan zoals hij dat met Sarahs spullen had gedaan? Hij wist dat die twee dingen met elkaar te maken hadden, maar was er nog niet aan toe dat onder ogen te zien.

Niet om zeven uur 's ochtends al.

Nee, wacht 's even, vijf over zeven alweer, bedacht hij na een blik op de klok. Hij hoefde pas over een paar uur naar de studio. *Oké, weet je wat? Ze kunnen allemaal de pot op. Ik ga gewoon.*

Hij liep meteen naar boven om zich aan te kleden.

Onderweg naar Tunford werd het langzaamaan iets lichter, maar het leek nog steeds alsof de zon er die dag net zo weinig zin in had als hij. Hij zette de verwarming op de allerhoogste stand in een poging de kou uit de auto te verdrijven. Met een beetje geluk kon hij de ergste spits vermijden en zou de rit die normaliter iets van anderhalf uur duurde, hopelijk wat korter zijn. Dus als het een beetje meezat kon hij er drie kwartier blijven en dat betekende dat hij het ontbijt in huize Cole waarschijnlijk nog net kon meepikken. Hij wist ergens ook wel dat deze autorit waarschijnlijk volkomen zinloos was, maar het stadje was een soort magnetische pool voor hem geworden; zodra hij even niets omhanden had, werd hij er als vanzelf naartoe getrokken.

Zijn ogen voelden droog aan als gevolg van de korte nacht en hij zat ook continu te gapen. Toen hij vlak voor de afslag naar Tunford een baan naar links opschoof, zag hij opeens een heel stel felrode zwaailichten. De afslag bleek afgezet met oranje pylonen en het was een drukte vanjewelste met allemaal wegwerkers en graafmachines.

Fijn, hoor. Dat heb ik natuurlijk weer. Via de volgende afslag kwam je uiteindelijk ook in Tunford uit, maar dat was wel een omweg en hij had toch al zo weinig tijd. Zijn humeur verslechterde met elke kilometer die hij aflegde en toen hij er bij de volgende afslag achter kwam dat Tunford niet stond aangegeven, kon hij helemaal wel iemand schieten. Hij pakte de kaart erbij en zag dat hij nu precies vanaf de andere kant kwam en ergens halverwege Tunford en het volgende dorp op de provinciale weg zou uitkomen. Hij smeet de kaart naast zich op de stoel en reed snel weer door, hoewel hij nu zo goed als zeker te laat zou komen, zodat Cole en Jacob al de deur uit zouden zijn. Sandra zou daarentegen waarschijnlijk nog wel thuis zijn. Misschien dat ze zelfs nog wel in bed zou liggen...

Hij had haar nog nooit zien opstaan.

Tien minuten later stond hij bij de kruising richting Tunford. Hij stopte voor het voorrangsbord en wachtte op een gaatje in het drukke verkeer. Een van de auto's die hem tegemoetkwam, was een halfverroeste Ford Escort. Hij had nog maar net bedacht: hé, dat lijkt Coles auto wel, of hij zag de man ook inderdaad achter het stuur zitten.

En Jacob zat naast hem.

De auto stoof in een wolk van uitlaatgassen voor hem langs. Hij dacht nog echt even dat Cole zijn zoon misschien zelf naar school bracht, maar op de een of andere manier leek dat hem sterk. Hij voelde ook iets van spijt dat hij Sandra's ochtendritueel nu dus weer niet te zien zou krijgen, maar hij zette de richtingaanwijzer automatisch al om naar de andere kant en reed achter Cole aan.

Hij zorgde dat er een paar andere auto's tussen hem en de Escort in zaten, maar al ver voor de met prikkeldraad afgeschermde muur van het autokerkhof in zicht kwam, wist hij al dat ze daar naartoe gingen. Hij reed zelf door toen Cole afsloeg, wachtte tot de auto uit het zicht was verdwenen, draaide vervolgens om en zette zijn eigen auto een eindje verderop in de berm.

Vanaf daar kon hij mooi zien wie er in en uit reed. Hij merkte dat hij steeds woedender werd op zichzelf dat het kwartje niet eerder was gevallen. Hoe kon hij nou niet hebben doorgehad waar Cole mee bezig was? Hij had al die tijd gewoon maar aangenomen dat als Cole op zijn werk was, Jacob ook niet thuis was. Hij herinnerde zich nu pas weer die smeervlekken en de donkere vegen op Jacobs kleren en kon zichzelf wel voor de kop slaan. Hij had kunnen weten dat Cole niets of niemand tussen zijn zoon en hem zou dulden.

Ook geen school.

Ben bleef de ingang in de gaten houden en pakte zijn mobieltje. Het nummer van Jacobs casemanager stond in zijn lijst met contacten. Hij kreeg een vrouw aan de lijn die hem vertelde dat Carlisle er nog niet was. Hij hing op en probeerde het tien minuten later nog een keer en wachtte daarna nog eens tien minuten, waarbij hij zich niet liet weerhouden door de toon van de receptioniste, die steeds bitser begon te klinken. En uiteindelijk nam Carlisle dan toch zelf op. Aan de manier waarop hij dat deed, was al te horen dat hij het niet helemaal vertrouwde. *Nou, dat is je geraden ook!* Ben besloot meteen van wal te steken. 'Jacob gaat helemaal niet meer naar school, hè?'

Hij hoorde Carlisle aarzelen. 'Van wie hebt u dat gehoord?'

'Dat doet er niet toe. Klopt het?'

Ben probeerde zich in te houden terwijl hij op een antwoord wachtte. 'Ja, er zijn inderdaad wat problemen geweest wat betreft schoolverzuim, maar...'

'Hoezo "verzuim"? Hij gaat toch helemaal niet meer?'

'Meneer Murray, het lijkt me...'

'Heb ik gelijk of niet?'

Weer een korte stilte. 'We houden de situatie scherp in de gaten.'

'Mijn god, wat bedoel je daar nou weer mee?'

'Precies wat ik zeg. En vloeken lijkt me niet nodig, meneer Murray.'

Ben ademde diep in voor hij antwoordde. 'Oké, het spijt me.' Hij wachtte nog even tot zijn neiging om te gaan schreeuwen echt was weggezakt. 'Hoe lang speelt dit al?'

'Dat kan ik u helaas niet zeggen.'

'Als jij het me niet vertelt, vraag ik het gewoon rechtstreeks aan de school, hoor.'

'Ik vrees dat ik echt…'

'Is hij er überhaupt al een keer geweest sinds hij bij Cole woont? Nee, hè?'

Carlisle zat er duidelijk mee in zijn maag. 'Eh… Nou… Ja, eerlijk gezegd… Nee, ik dacht het niet.'

Ben durfde nu echt even niets te zeggen, uit angst voor wat hij anders misschien zou uitkramen.

'Het is niet helemaal duidelijk of Jacob nou wel of niet gezond genoeg is om naar school te kunnen.' Zo te horen schoot Carlisle in de verdediging. 'Meneer en mevrouw Cole… Of nee, mevrouw Cole beweert dat hij een virus onder de leden heeft. We hebben haar gewaarschuwd dat ze dan een doktersverklaring dient te overleggen, omdat we anders genoodzaakt zijn de leerplichtambtenaar ervan op de hoogte te stellen.'

Ja, en dat maakte vast heel veel indruk. Ben staarde naar het autokerkhof aan de overkant. 'Cole neemt hem mee naar zijn werk. Daarom komt hij nooit op school, niet omdat hij "een virus" onder de leden heeft.'

'Hoe weet u dat?' De maatschappelijk werker klonk opeens weer uiterst formeel en vooral ook wrevelig.

'Omdat ik op dit moment voor zijn werk sta. Ze zijn daar allebei, mochten jullie dat eerst zelf nog willen nagaan.'

'U hebt ze daar daadwerkelijk gezien?'

'Ja.'

Hij merkte dat Carlisle daar een redelijke verklaring voor probeerde te bedenken. 'Misschien is er thuis niemand die op de jongen kan passen.'

Nu was Bens geduld echt op. 'O! In godsnaam! Als hij gezond

223

genoeg is om naar een autokerkhof te gaan, is hij ook gezond genoeg om naar school te kunnen! Hij mankeert helemaal niets! Cole weigert hem gewoon naar school te laten gaan!'

'Meneer Murray, het spijt me, maar ik zie niet waarom u opeens zo'n expert zou zijn wat betreft de motieven van de heer Cole. En ook al heeft hij Jacob vandaag meegenomen naar zijn werk...'

'Dat heeft hij.'

'... ook al is dat het geval, we kunnen geen overhaaste conclusies trekken op basis van een enkel incident.'

'Het is geen incident, man! Zijn vrouw speldt jullie die onzin over een virus alleen op de mouw om te zorgen dat hij zijn gang kan gaan. En daar trappen jullie nog in ook!'

'We trappen helemaal nergens in, meneer Murray.'

'Waarom doen jullie dan niks?'

'Als we de indruk hebben dat dat nodig zou zijn, zullen we zeker stappen ondernemen, maar we bereiken niets met ondoordacht handelen en we hebben op dit moment niet het idee dat we moeten ingrijpen. Het is een uiterst gevoelige kwestie en we willen niet de indruk wekken dat...'

'De indruk wekken? Aha, daar gaat het dus om!? Jullie zijn alleen maar bang voor een slechte pers.'

Toen Carlisle antwoordde hoorde Ben duidelijk dat hij nu zijn woede probeerde in te tomen. 'Ik ga me door u niet de les laten lezen over hoe ik wel of niet mijn werk dien te doen, meneer Murray. En als u het niet erg vindt, moet ik nu echt nodig aan het werk.'

'Ga je nog iets doen aan Cole of niet?'

'We zullen het onderzoeken. Dag, meneer.'

'Wacht nou ev...!' begon Ben nog, maar Carlisle had al opgehangen. 'Klootzak!' Ben smeet het mobieltje tegen het dashboard aan, wat een luid plastic kraakgeluid opleverde. Hij probeerde zich in te houden maar bleef het ding tegen het dashboard rammen, telkens iets harder, alvorens het op de passagiersstoel naast hem te kwakken.

Vervolgens staarde hij een tijdje razend en niets ziend door de voorruit. Hij stelde zich voor dat hij Carlisles kantoor in zou benen en de man tegen de muur zou pinnen, terwijl hij hem haarfijn uitlegde wat hij precies van hem vond. Vervolgens beeldde hij zich in dat hij het autokerkhof op zou lopen en de confrontatie met Cole zou aangaan. Hij probeerde zich voor te stellen dat hij hem tegen de vlakte zou slaan, maar hij zag ondanks de woede wel in dat dat niet erg waarschijnlijk was. Zijn aanval van boosheid werd wat getemperd toen de kille werkelijkheid tot hem doordrong, en dat was dat hij daar machteloos in zijn auto zat zonder dat hij iets kon uitrichten.

Hij piekerde zich suf en bleef naar het hek turen.

Hij schrok door het rammelen van zijn maag op uit zijn gepeins. Hij ging wat meer rechtop zitten en probeerde zijn stijve spieren uit te rekken. Zijn maag knorde nog een keer. Pas toen hij besefte dat hij honger had, wist hij opeens ook waar hij nu eigenlijk had moeten zijn.

O, shit! Die shoot.

Hij keek op zijn horloge, vloekte hardop en wilde zijn mobieltje pakken, maar het defecte toestel op de stoel naast hem leek hem bijna uit te lachen. Hij probeerde het nog wel, maar het ding was echt compleet naar de mallemoer. Hij smeet het op de grond terwijl hij zijn hand uitstak om het sleuteltje in het contactslot om te draaien. 'Godverdegodverdegodver!'

Toen hij de weg op schoot, leverde dat een keihard boos getoeter achter hem op. Hij negeerde de bestuurder van de auto en reed zo snel mogelijk door, in de hoop dat hij ergens een telefooncel zou zien. Maar er was niets behalve weilanden en hekken. Op een gegeven moment stond hij weer bij dezelfde kruising als waar hij Coles auto eerder die ochtend had gespot en besloot door te rijden naar Tunford voor een telefooncel. Hij bedacht zich op het allerlaatst, sneed de bocht af en reed met piepende banden de andere kant op. Hij voelde de auto onder zich trillen terwijl hij via de rechterbaan over de snelweg scheurde. Hij kon gelukkig doorrijden en pas toen hij Londen naderde, werd het zo druk dat het verkeer meer weg had van een dikke, stroperige modderstroom. Toen hij eindelijk bij de studio aankwam, kon hij nergens parkeren en moest hij nog een heel eind doorrijden voor hij eindelijk een plekje vond.

Hij holde terug naar het kantoorpand en rende met twee treden tegelijk de trap op. Hij was buiten adem en zweette als een otter toen hij eindelijk de deur van de studio opengooide, met zijn excuses al in de aanslag.

Zoe keek op van de stoel waarin ze een tijdschrift zat te lezen. Verder was er niemand.

Hij bleef in de deuropening staan uithijgen. 'Waar is iedereen?'

Zoe richtte zich weer op haar tijdschrift en begon lukraak wat pagina's om te slaan. 'Weg.'

'Hoezo weg? Waar naartoe dan?'

'Weet ik veel. Ik neem aan naar een plek waar er wel een fotograaf is.'

'Shit.' Hij liet zich tegen de deurpost zakken. 'Had je ze niet kunnen vragen even te wachten?'

Ze smeet het tijdschrift naast zich neer en sprong overeind. 'Kolere, wat denk je dan dat ik gedaan heb? Het is verdomme half-drie, ja! Waar was je in godsnaam?'

Hij deed de deur dicht. 'Ik werd opgehouden.'

'Opgehouden? Nou, fijn hoor! Jij wordt opgehouden en ik mag me verontschuldigen en weer een of ander kutsmoesje verzinnen. Vervolgens krijg ik over de telefoon de volle laag van die klotefotoredacteur – die je trouwens, dat zei hij me nog, die fotomodellen wel in rekening gaat brengen – en ondertussen sla ik ook nog een modderfiguur omdat ik geen idee heb waar je uithangt! Je was niet thuis en ik kon je ook niet bereiken op je mobiel! Tjeezus, wat had ik dan nog meer moeten doen?'

Zijn keel deed pijn. Hij veegde het zweet van zijn gezicht. 'Ja, oké, ik weet het. Het spijt me.'

'Ja, het spijt mij ook, Ben.' Ze hief haar handen, maar liet ze bijna meteen weer zakken omdat ze zich blijkbaar bedacht. 'Ik vraag me alleen wel af wat jou de laatste tijd bezielt. En ik heb het niet alleen over vandaag. Het enige wat ik tegenwoordig nog lijk te moeten doen, is steeds maar weer mijn verontschuldigingen voor jou aanbieden. Je komt te laat, je vergeet dingen. En als je dan aan het werk bent, ben je er niet bij met je kop! Het lijkt wel alsof het je allemaal geen moer meer kan schelen!'

'Hé, ik weet dat ik het heb verknald, en ik heb al gezegd dat het me spijt. Kunnen we het nu gewoon vergeten, Zoe?'

'Nee, dat kunnen we niet!' bitste ze terug. 'Ik probeer het al weken te negeren! En ik heb er nu echt tabak van!'

'Nou, dan zoek je toch een ander baantje. Niemand dwingt je om hier te blijven, hoor!'

Haar gezicht was lijkbleek geworden. Ze staarde hem aan en liep naar de kapstok.

'Sorry. Sorry!' zei Ben. Ze bleef zwijgen terwijl ze haar tas van de bank pakte. 'Zo bedoelde ik het niet, oké!'

Ze liep langs hem heen naar de deur.

'Zoe...' Hij legde een hand op haar arm. Ze schudde hem van zich af en weigerde hem nog steeds aan te kijken. 'Hé, kom op nou...' Hij stak zijn hand nog een keer uit.

'Blijf van me af, eikel!'

Ze klemde haar trillende lippen stijf op elkaar en probeerde de tranen in te houden.

'Het spijt me echt,' herhaalde hij. 'Dat had ik niet moeten zeggen.'

'Nee, dat klopt. Lul!'

'Mag ik wel weggaan bij de deur, of wil je er nog steeds vandoor?'

Ze zette een paar stappen achteruit, liet haar tas weer op de bank vallen en bleef met een norse blik voor hem staan. Ben streek met een hand door het natte haar dat tegen zijn voorhoofd plakte. Het had weken geduurd voor de stekeltjes weer wat waren aangegroeid. 'Ik weet dat ik me de laatste tijd niet altijd aan de afspraken hou...'

Zoe snoof.

'En ik weet ook dat ik het jou daarmee heel lastig heb gemaakt. Maar ik heb gewoon heel erg veel aan mijn hoofd en ik moet echt een paar dingen uitzoeken. Maar ik beloof dat ik mijn best zal doen mijn zaakjes op orde te krijgen, oké?'

Ze durfde hem nu pas aan te kijken, maar was duidelijk niet

onder de indruk. 'Denk je nou echt dat ik zaagsel in mijn kop heb?'

'Hoe bedoel je?'

'O, schei nou toch uit, Ben! Je sleept opeens een waanzinnig grote telelens met je mee, je bent nooit thuis, je komt continu te laat en moet altijd nodig ergens naartoe. Je hoeft geen genie te zijn om te weten wat je aan het doen bent, hoor.'

En je dacht zelf nog wel dat je zo subtiel te werk ging. Hij probeerde wat tijd te winnen door zijn jas eerst uit te trekken en die op te hangen. Vervolgens trok hij zijn overhemd, dat tegen zijn rug zat geplakt, uit zijn broek. 'Ze verdienen hem niet.'

Zoe hoefde hem niet te vragen over wie hij het had. 'Is het daar niet een beetje laat voor, Ben? Het spijt me echt voor je, maar ze hebben hem al. Daar zul je vroeg of laat toch mee moeten leren leven.'

Ben schudde zijn hoofd.

'Wat heb je eraan om ze met een telelens te gaan bespieden?'

Hij gaf geen antwoord.

'Jezus christus, Ben! Zie je dan niet dat je geobsedeerd begint te raken? En terwijl jij de stiekeme gluurder aan het uithangen bent, gaat je carrière er wel aan, hè!'

'Nou, nu overdrijf je een beetje,' zei hij gepikeerd, maar hij wist niet helemaal zeker op welk deel van haar uitspraak dat sloeg. Hij voelde dat zijn wangen rood werden.

'O ja? En wat ga je er dan mee bereiken?'

'Ik wil hem terug.'

Het was voor het eerst dat hij het hardop zei en ook aan zichzelf durfde toe te geven. Hij werd op slag een beetje bang dat hij het lot nu tartte, alsof alle goden en pure domme pech hun krachten zouden bundelen.

Zoe stond op het punt tegen hem in te gaan, maar zag ervan af. Ze plofte neer op de bank. 'Ik hoop dat je enig idee hebt waar je precies mee bezig bent, Ben.'

Ja, ik ook. Ben liep naar de koelkast en schonk een glas water in voor zichzelf. Zoe bleef hem aankijken terwijl ze zorgelijk op haar duimnagel beet. 'Kan ik iets voor je doen?'

Hij was geroerd door haar aanbod. 'Nee, dank je wel. Je hebt al meer dan genoeg gedaan.'

Ze knikte, maar ze leek er niet helemaal bij met haar gedachten. 'Mag ik jou dan nog om een gunst vragen?'

'Ja, natuurlijk. Wat is er?'

'Die shoot morgen. Vind je het erg als ik wegga zodra ik je heb geholpen met alles klaarzetten?'

'Nee, niet als jij dat wilt,' antwoordde hij, blij dat hij meteen iets voor haar terug kon doen. Hij vulde zijn glas bij. 'Heb je iets anders of zo?'

Ze bestudeerde haar kapotte nagel. 'Nee, niet echt, maar Daniel is een van de modellen en ik wil hem liever even niet zien.' Ze haalde haar schouders quasinonchalant op. 'We hebben vorige week nogal ruzie gehad.'

Het duurde even voor hij begreep over wie ze het had: Daniel, het fotomodel dat Zoe destijds op dat strand een lift naar huis had gegeven. Ben wist niet eens dat hij er morgen bij zou zijn, of misschien was hij het gewoon weer vergeten. En dat Zoe iets met hem had, had hij al helemaal niet doorgehad.

Ik ben mijn greep op de werkelijkheid echt aan het kwijtraken. 'O,' zei hij. 'Wat vervelend.'

'Ach, nou ja, dat gebeurt soms, hè.' Ze stond op en rekte zich uit, alsof het haar helemaal niet dwarszat. 'Soms lopen dingen niet zoals je dat zou willen, hè?'

Ben dronk zijn glas leeg en deed alsof hij haar niet had gehoord.

Cole wist het autoportier met enige moeite boven op de kapotte motorkap te tillen en schoof het net zo lang heen en weer tot het goed bleef liggen, bestudeerde het geheel en verschoof het toen nog een eindje opzij. Hij pakte nog een tweede, ditmaal onherkenbaar auto-onderdeel op, legde dat erbij en doorliep daarbij precies hetzelfde weloverwogen proces, voor hij eindelijk tevreden was met hoe het ding lag. De schroot maakte deel uit van allerlei 'nieuwe' onderdelen die hij pakweg een week geleden op de kop had getikt. Het was 's avonds inmiddels al zo vroeg donker dat hij niet veel tijd meer had om dan nog iets te doen, maar in het weekend was hij altijd in de achtertuin te vinden en voegde de nieuwste aanwinsten dan net zo zorgvuldig toe aan de rest als een postzegelverzamelaar dat met een originele Penny Black zou doen.

Jacob zat zoals altijd een paar meter verderop in zijn autozitje, in een dikke donsjas die tot aan zijn kin was dichtgeritst. Hij was ook nu weer bezig met een puzzelspeeltje dat hij steeds optilde en op en neer schudde. De enige concessie die zijn vader aan het weer had gedaan, was dat hij nu een trainingsbroek in plaats van een korte broek droeg. Het was zo koud dat je hun adem in de lucht kon zien, als de uitlaatgassen van twee biologische motoren.

Ben maakte een kommetje van zijn handen en blies erop, zonder zijn ogen van de beelden in de zoeker af te halen. Het was echt godvergeten koud. De wollen muts die hij tot over zijn oren had getrokken en de met fleece gevoerde Gore-Tex jas, bleken geen van beide bestand tegen de kou. Zijn vingers waren bovendien totaal verkleumd omdat hij de camera moest bedienen, omdat dat met handschoenen aan te veel gestuntel zou opleveren. Hij probeerde het topje van zijn neus warm te wrijven en overwoog even nog wat koffie te pakken. Hij probeerde zuinig te zijn met het beetje wat hij had, omdat hij als die eenmaal op was totdat hij weer achter het stuur van de auto kon plaatsnemen, niets warms meer had.

Zijn langetermijnplannen wonnen het pleit en hij duwde zijn handen zo diep mogelijk in zijn jaszakken. 'Kom op, doe nou iets,' zei hij tegen het uitvergrote beeld van Cole, maar natuurlijk gaf de man er geen enkel blijk van dat hij daar gehoor aan zou geven. Hij bleef met dezelfde nauwgezette, zorgvuldig uitgevoerde handelingen doorgaan met het herschikken van het schroot. Het leek alsof hij bij het verplaatsen van alle gemangelde objecten eerst controleerde of ze in elkaar zouden passen. Ben voelde weer iets aan zijn onderbewuste knagen. Hij probeerde de vluchtige gedachten te vangen, maar ze waren al weg voor hij zijn vinger erop kon leggen. Hij zuchtte ongedurig toen Cole het gebutste portier oppakte dat zo-even nog goed leek te hebben gelegen, het optilde en ermee naar de andere kant van de tuin liep.

'Het is maar schroot, hoor,' mompelde hij voor zich uit. 'Wat heeft dit nou voor zin?'

Hij besloot zich maar weer op het huis zelf te richten. Cole en Jacob waren al in de tuin geweest toen hij hier eenmaal aankwam, maar hij had Sandra nog niet gezien. Aangezien de slaapkamergordijnen nog dicht waren, nam hij aan dat ze nog in bed lag. Hij hoopte maar dat ze genoot van het uitslapen. Hij had haar gisteravond nog gesproken om haar eraan te herinneren dat zijn maandelijkse bezoekdag met Jacob er weer aan zat te komen. Ook dat telefoongesprek had hij opgenomen. Ze had hem verteld dat Jacobs verkoudheid weer wat was verergerd, maar ze hadden geen van beiden moeite gedaan de schijn op te houden dat die leugen puur een formaliteit was. Ze hadden een plagende toon aangeslagen, bijna flirterig zelfs. Toen Ben had opgehangen, had hij weer een stijve gehad.

Hij staarde naar de dichte gordijnen en probeerde ze met pure denkkracht open te krijgen. Maar ze bleven dicht. Ach, kan mij het ook schelen, dacht hij. Hij leunde achterover en pakte de thermos met koffie. De hete stoom condenseerde op zijn wangen toen hij het plastic kopje met zijn handen omklemde en zijn schouders naar zijn oren bracht. De boslucht voelde klam aan en het was een beetje nevelig. Ergens vlak bij hem kraste een kraai, maar afgezien daarvan leek het bos al in winterslaap te zijn verzonken. De herfstkleuren hadden afgelopen week definitief plaatsgemaakt voor de miezerige zwart- en bruintinten van de winter, een seizoen en een kleurenschema waar Ben zelfs in goede tijden al behoorlijk depressief van werd, laat staan als hij er, zoals tegenwoordig, ook nog eens hele dagen moest doorbrengen. De eikenboompjes waartussen hij zich schuilhield waren, afgezien van een paar dode bladeren die zich als vroege kerstversiering nog aan de takken vastklampten, al zo kaal als wat. Hij voelde zich ook lang niet meer zo onzichtbaar, hoewel de takken dicht genoeg op elkaar hingen en het hem sterk leek dat iemand hem daar zou opmerken. Althans, zolang ze maar niet echt vlakbij stonden. Het maakte hem wel onzekerder wanneer hij hier nu zat en de paar keer dat hij mensen in het bos had gehoord, had hij zich niet durven verroeren tot hij zeker wist dat ze weg waren.

Hij haalde een extra grote Snickers uit zijn zak en scheurde de wikkel eraf. De chocola was door de kou nogal hard en bros geworden. Hij nam snel een slok koffie om de taaie smurrie weg te spoelen en merkte helaas te laat dat die al lauw was.

Hij trok een vies gezicht, maar dronk het toch maar op. Hij stopte het restant van de reep terug in zijn zak en keek weer door de zoeker. De gordijnen boven waren nog steeds potdicht. Hij kantelde de camera een fractie omlaag, zodat hij de achtertuin met Jacob en Cole weer in beeld kreeg.

Cole was zo te zien begonnen aan de balletachtige bewegingen die deel uitmaakten van zijn vaste warming-up. Ben keek ongeïnteresseerd met een half oog naar de rek- en strekbewegingen. Hij had dit inmiddels al zo vaak gezien, maar had hem nooit meer iets zien doen waarmee hij Jacob in gevaar bracht. Hij geloofde eigenlijk ook niet meer dat dat nog zou gebeuren. Dat ene voorval waar hij destijds getuige van was geweest, leek zelfs voor Cole te riskant om het er nog een keer op te wagen.

Hij weigerde de vraag die daar logischerwijs uit volgde echter te stellen, namelijk waarom hij ze dan bleef bespieden.

De wetenschap dat Cole en Jacob overdag samen op het sloopterrein waren, omringd door al die geplette en gehavende autowrakken, had Bens beeld van vader en zoon op de een of andere manier blijvend veranderd. Dat had deels met jaloezie en woede te maken, dat Cole zo egoïstisch was en zoveel tijd met zijn zoon doorbracht. De manier waarop ze elkaar in de tuin ogenschijnlijk leken te negeren, kwam hem nu opeens juist als heel vertrouwd voor, waarbij ze zich zo bewust waren van elkaars aanwezigheid, dat die als het ware vanzelfsprekend was. Er waren zelfs momenten dat hij meende dat Coles merkwaardige gedrag en het feit dat Jacob uren achtereen bezig kon zijn met die puzzelspeeltjes van hem op de een of andere manier met elkaar te maken hadden, dat de schijnbaar zo individuele bezigheden hetzelfde doel hadden.

Zodra hij zich echter op dat soort gedachten betrapte, riep hij zichzelf meteen tot de orde en bracht zichzelf in herinnering dat

Jacob autistisch was en Cole al met één voet in het gesticht stond. Waarop de volgende vraag zich opdrong, of hij zelf ook niet langzaam aan het doordraaien was.

Hij leunde achterover en wreef verveeld in zijn handen in de hoop dat hij het wat warmer zou krijgen. Vanuit zijn ooghoeken ving hij een beweging op de bovenverdieping van het huis op. Hij boog zich snel naar voren en merkte dat hij er opeens weer zin in kreeg toen hij door de zoeker zag dat het gordijn met een ruk werd opengetrokken. Sandra Cole kneep haar ogen tot spleetjes tegen het plotselinge licht en draaide zich ook meteen weer om. Ben nam aan dat ze nu naar beneden zou gaan, maar ze ging op de rand van het bed zitten en wreef over haar slapen. Hij grijnsde.

Zware nacht gehad?

Hij schroefde het polarisatiefilter snel voor de lens en stelde opnieuw scherp, waardoor de rest van de slaapkamer zich voor hem ontvouwde. Sandra's haar zat door de war en de uitgroei vormde een grillige donkere lijn op het midden van haar hoofd. Haar smoezelige ochtendjas zat losjes om haar middel en viel open toen ze met haar handen door haar haren streek. Hij kreeg een borst en een tepel te zien en toen ze haar armen liet zakken, deed ze geen moeite die te bedekken. Zijn vinger drukte als vanzelf op de ontspanner toen ze met een vermoeid gebaar overeind kwam. Haar ochtendjas hing nog steeds open. Voor ze zich afwendde en de kamer uit liep, ving hij nog net een glimp op van haar navel en het zwarte plukje haar eronder.

Meteen daarna lichtte het matglazen ruitje van de badkamer op. Ben wachtte, zich amper bewust van de ijskoude camera onder zijn vingertoppen. *De slaapkamer. Ga nou terug naar de slaapkamer!*

Het licht in de badkamer floepte uit. En ja hoor, de deur van de slaapkamer ging inderdaad weer open. Haar haar was nat en zat als de pels van een otter strak achterovergekamd op haar hoofd. Het viel hem op dat het nepblond donkerder was en een bijna metalige zweem over zich had. Haar gezicht zag er zonder make-up aanmerkelijk jonger en minder uitgeblust uit.

Ze had niet de moeite genomen haar ochtendjas dicht te knopen en liet hem nu van haar schouders glijden. Haar tepels waren stijf. Hij vroeg zich stilletjes af of ze had gedoucht en kreeg meteen antwoord op zijn vraag toen ze de ochtendjas gebruikte om haar rug af te drogen. Ze liet het kledingstuk daarna op bed vallen, opende een van de kaptafellades en zocht daar ogenschijnlijk iets. Helaas vond ze het niet, want ze duwde die met een ongedurig gebaar weer dicht en pakte iets wits van de grond. Een slipje. Ze schudde het ding even uit voor ze het aantrok. Zijn oog werd weer als vanzelf getrokken naar de zwangerschapsstriemen op haar blote buik.

Ze trok een beha aan, die ze eveneens van de vloer raapte, en een strakke spijkerbroek. Ze wiegde met haar heupen om hem over haar billen te kunnen trekken en ritste hem dicht met een snel en kort rukje. Vervolgens pakte ze een crèmekleurige trui van een stoel en trok die aan terwijl ze ondertussen de kamer uit liep.

Hij bleef naar de slaapkamer staren tot hij zeker wist dat ze niet meer zou terugkomen. Hij richtte zich op en merkte toen pas dat zijn gezwollen lid pijnlijk klemzat in zijn broek. Hij probeerde het inmiddels vertrouwde smoezelige gevoel van zich af te zetten dat hij altijd kreeg wanneer hij haar bespiedde, probeerde een wat comfortabeler houding aan te nemen en haalde de half opgegeten Snickersreep tevoorschijn. Hij nam snel een hap en keek met een schuin oog de heuvel af. Hij zag de minuscule figuurtjes van Cole en Jacob nog steeds in de tuin onder aan de helling.

Cole stond achter Jacob. Het motoronderdeel hing vlak boven het hoofd van het jochie.

Ben zag in een oogwenk de intens gespannen houding van de man en het overduidelijk loodzware gewicht dat een beetje heen en weer wiegde. De brok chocola in zijn mond veranderde acuut in een viezige homp klei. Hij dook voorover naar de camera en probeerde met zijn verkleumde vingers verwoed op de juiste knopjes te drukken en te draaien. 'O, kom op nou, alsjeblieft, alsjeblieft,' fluisterde hij omwille van Jacobs veiligheid, maar waarschijnlijk ook omdat hij voldoende tijd wilde hebben om dit met zijn camera vast te leggen.

De tuin schoot in een wazige flits voor zijn ogen langs, voordat het hem eindelijk lukte en hij Jacob en Cole haarscherp voor zich zag. Hij schakelde snel over op een andere sluitertijd, terwijl Cole het motoronderdeel langzaam steeds een eindje hoger wist op te tillen. Zo te zien was dit al zijn allerlaatste opdrukoefening. Het polarisatiefilter zat nog voor de lens, maar dat kon nu even niet anders. Hij zag hoe de spieren in Coles hals opzwollen en zijn mond zich in een stille grimas samentrok. Ben zette de motordrive aan en drukte op de ontspanner en hoopte vurig dat er nog genoeg foto's op het rolletje zaten.

Voordat Cole opzijboog en het gewicht op de grond liet vallen, maakte de camera al het bekende zoemgeluidje. Het zware gevaarte stuiterde vlak naast Jacob op de grond en op datzelfde moment was het rolletje inderdaad op en begon de camera automatisch terug te spoelen.

Hoeveel heb ik er? Zou het genoeg zijn? Hij had geen flauw idee. Hij haalde het filter snel van de lens, deed er een nieuw filmpje in en maakte meteen weer een hele zwik foto's van Cole, die uitgeput vooroverleunde, met zijn handen op zijn bovenbenen. Ben zorgde ervoor dat het grote brok metaal naast Jacob goed in beeld was.

Na een tijdje richtte Cole zich op en strompelde weg. Ben leunde zelf ook half uitgeput achterover. Hij merkte nu pas dat hij nog steeds chocola in zijn mond had. Hij spuugde die op de grond. De rest van de reep lag al voor zijn voeten. Hij keek naar het plastic in zijn hand en schudde de wikkel even heen en weer om zeker te weten dat hij zich geen dingen verbeeldde.

Verdomme!

Zo had hij het alsnog bijna gemist. Al die tijd, al die weken en toen het eindelijk zover was, was het hem bijna ontgaan omdat hij het te druk had met kijken naar een vrouw die zich aankleedde!

Wat ben jij een sneue klootzak, zeg. Hij keek langs de camera de heuvel af en zag de nu kleine gestalte van Cole de schuur in gaan. Ben wist dat hij, wanneer hij straks weer naar buiten zou komen, een van zijn monologen tegen Jacob zou afsteken. Hij zag achter het keukenraam iets bewegen, waarschijnlijk was Sandra daar bezig. Ondanks de vieze smaak die hij had over wat hij net had gedaan, merkte hij dat hij toch nieuwsgierig was en leunde bijna als vanzelf weer naar voren om door de zoeker te turen en zo weer indirect deelgenoot te worden van hun leven. En vervolgens haalde hij doelbewust de lens van de camera.

Hij pakte zijn spullen bij elkaar, stond op en klapte het stoeltje in. Hij keek snel om zich heen om te controleren of hij echt niets was vergeten. Deze schuilplaats van platgetrapt gras voelde al bijna even vertrouwd als zijn eigen huis.

Maar hij zou hier niet meer terugkomen.

De koffie en de adrenaline hadden zijn blaas inmiddels bereikt, dus hij liet zijn tas en de lens achter bij het eikenbosje en liep weg om nog snel even te plassen. De hete stoom van zijn urine steeg als een geel zuur op van het dode gras. Hij schudde de laatste druppels eruit en had net zijn broek dichtgeritst toen er vlak achter hem in het struikgewas iets opdook wat keihard blafte.

Hij dacht eerst dat het Coles bulterriër was, maar het bleek een kleinere, witte te zijn: een bastaard-jack russell. Het beest begon hysterisch te keffen en te grommen en hupste net buiten het bereik van zijn voet voor hem op en neer, terwijl Ben zich ietwat opgelucht tegen een boomstam liet zakken.

'Bess! Kom 's hier!'

Er kwamen twee mannen op hem af. O, verdomme! Dat ben ik net vergeten te checken, bedacht hij, waarop zijn opluchting op slag verdween. *Dit is de eerste keer dat ik ben vergeten te kijken of er niemand in het bos was...* De hond trippelde weg en stootte alleen nog een laag gegrom uit.

'Sorry, hoor,' zei de man die de hond net had geroepen. Hij gaf het beest dat nog steeds zat te grommen een voorzichtige por met zijn voet. 'Hé, stil 's jij!'

Ben wist zich te beheersen en vooral niet te kijken naar het eikenbosje waar zijn spullen half verscholen op de grond lagen, inclusief het filmpje met die laatste foto's van Jacob en Cole. 'O, dat is helemaal niet erg, hoor. Ik schrok me alleen maar halfdood.' En hij wist zowaar een glimlach op zijn gezicht te toveren.

'Ja, dat beessie kan soms flink tekeergaan,' beaamde de man en

Ben veerde bijna zichtbaar op toen hij aanstalten maakte om weer door te lopen. Zijn metgezel stond echter als aan de grond genageld en staarde Ben met argusogen aan.

'Dat is die vent van de kroeg, die tegen Willie Jackson heeft gezegd dat hij de klere kon krijgen,' zei hij nu. 'Die kerel die Johns joch had.'

De stilte in het bos was zo beklemmend dat Ben het gevoel had dat de bomen op hem afkwamen. Ben merkte dat de glimlach op zijn gezicht leek te zijn bevroren, maar hij kon zijn mond niet meer bewegen. De man die hem had herkend was klein van stuk, met een vale huid en een ratachtige smoel die er moe en wat ziekelijk uitzag. Ben kon zich hem niet uit de kroeg herinneren, maar hij had toen ook wel wat anders aan zijn hoofd gehad. De jack russell was even verderop in het natte gras aan het snuffelen en maakte zo nu en dan een klein sprongetje.

Het baasje van de hond was ook blijven stilstaan. Hij was ouder dan zijn metgezel, waarschijnlijk ergens in de vijftig, en had de lichaamsbouw van iemand die duidelijk gewend is met zijn handen te werken. Hij wierp een blik opzij in de richting van het huis van de Coles, dat je vanaf waar ze nu stonden onder aan de heuvel kon zien liggen. Zijn gezicht verried geen enkele emotie toen hij Ben aankeek en vroeg: 'Wat was je hier aan het doen?'

'Dit is toch een openbaar bos, of niet soms?' Ben zag vanuit zijn ooghoeken dat de hond naar de schuilplaats toe trippelde.

'Hé, hij vroeg je wat je hier te zoeken hebt,' zei de kleinere van het stel, waarbij hij de woorden heel langzaam uitsprak, alsof hij het tegen een zwakzinnige had.

Ben hoorde de hond bij het eikenbosje rondscharrelen. Hij probeerde het roekeloze gebrek aan angst van destijds in de pub op te roepen, maar het lukte hem niet. 'Ik ben gewoon een ommetje aan het maken, dat mag toch wel?'

De kleinere van het stel vloekte hartgrondig en zei vervolgens: 'Nou, dat doe je dan maar ergens anders.' Hij had zijn vuisten gebald, die op knoestige stukjes bot leken en al net zo klein uitgevallen waren als hijzelf. Hij zette meteen daarop een gretig stapje naar voren, maar werd tegengehouden door de oudere man.

'Laat nou maar, Mick.'

Mick draaide zich kwaad naar hem om. 'Niks laat maar! Wat mot die klootzak hier in ons bos?'

'Hij doet hier niks en hij gaat al weg.' De man bleef Ben al die tijd strak aankijken en gebaarde met zijn hoofd in de richting van de weg. 'Toe maar. Wegwezen hier.'

Ben aarzelde. De hond was luid keffend in het eikenbosje verdwenen en toen hij even later weer tevoorschijn kwam, zwiepten de takken heen en weer. Er vlogen wat druppeltjes in het rond toen het beest door het hoge gras naar hen toe kwam rennen. 'Ja ja, is goed. Ik ga al.'

Toen hij wegliep hoorde hij de rotte eikels onder de zolen van zijn wandelschoenen knarsen. Hij was van plan om een eindje verderop te wachten tot ze weg waren, zodat hij dan alsnog zijn spullen in veiligheid kon brengen. Hij had echter nog maar een paar stappen gezet of de kleinere vent versperde hem de weg. 'O nee! Jij gaat helemaal nergens naartoe.'

'Mick,' waarschuwde de oudere man hem.

'Hij wil ons gewoon in de zeik zetten door hier rond te banjeren!'

'Daar heb jij niets mee te maken, Mick. Dat is aan John, niet aan ons.'

'Waarom brengen we die hufter niet even naar beneden en laten we John dit oplossen?'

Bens mond was kurkdroog geworden. 'Hé, ik zei toch al dat ik ga. En ik kom echt niet meer terug, hoor.'

De grijns van het mannetje was eerder een sneer. 'Ja, nou, dat is je geraden ook!'

Ben overwoog heel even of hij het op een rennen zou zetten, maar dat ging hem toch te ver. De oudere man leek eventjes na te denken en knikte toen kortaf. De man die Mick heette gaf Ben een por.

Ben sloeg zijn hand weg. 'Ik zei toch al dat ik zou gaan.'

De grijns van de ander verdween, maar voor hij iets kon zeggen, kwam de oudere van de twee tussenbeide. 'Oké dan, kom maar mee.'

Ben dacht aan het filmpje dat even verderop in de tas op hem lag te wachten. Zonder verder nog iets te zeggen, draaide hij zich om en liep de heuvel af omdat hij hen koste wat kost weg wilde hebben bij dat kwetsbare rolletje celluloid.

De heuvel was glibberig van de modder, met hier en daar alleen wat doornstruiken en verdwaalde plukjes hei. Die eerste moesten ze ontwijken, zodat ze schuin de heuvel af liepen. Toen ze onder aan het pad uitkwamen, konden ze het huis dan ook niet meer zien. Ben liep voor zijn escorte uit. Zijn gedachten waren ontspoord, alsof hij in z'n vrij doelloos doorliep, zonder verder nog te letten op zijn omgeving. Hij waagde het er één keer op om snel nog even achterom te kijken naar het bos. De bomen leken al zo ver weg en kwamen hem totaal niet meer bekend voor. Zelfs de plek van waaruit hij ze al die dagen had bespied, herkende hij niet meer.

Hij bevond zich nu aan de andere kant van de lens.

Recht voor zich zag hij het hoge gaashek van de achtertuin. Vanaf deze kant gezien vormde de hoop schroot een perfecte barricade, zodat niemand van buitenaf kon zien wat er daarachter gebeurde. Toen hij dichterbij kwam, hoorde hij Coles stem opeens. Ben vroeg zich meteen af hoe lang hij alweer uit de schuur was.

'... in alles, alles past in elkaar,' hoorde hij Cole zeggen, maar hij kon door de hoog opgestapelde autowrakken de man zelf niet zien. Ben stelde zich voor hoe hij naast Jacob gehurkt zou zitten en hem met een ernstige blik aankeek. Ben vertraagde zijn pas en luisterde. 'Je kunt het niet zien. Je moet gewoon kijken, maar wel op de juiste plaats, en ook écht goed kijken. En als je het dan eenmaal ziet, dat patroon...'

'John!' Het scharminkelige ventje legde zijn hand tegen het hek en schudde het gaas even heen en weer. 'John! Er is iemand voor je!'

Cole brak zijn verhaal af. Ze wachtten hem gedrieën bij het hek op, zonder dat ze veel van de tuin konden zien. Ben merkte dat hij aan het doordraaien was, dat hij zijn greep op de werkelijkheid kwijt leek te zijn, alsof hij een buitenlichamelijke ervaring had. Hij hoorde iets vanuit de tuin en zag even later de bulterriër over de laagste schroothoop springen en hun kant op denderen. Het hek schudde heen en weer toen de hond zich ertegenaan wierp. Hij bleef met zijn voorpoten tegen het hek aan staan grommen en op dat moment kwam Cole zelf tevoorschijn en was Ben met een schok weer terug in het hier en nu.

Ze keken elkaar over de metalen schroot heen aan.

'Hij liep daar een beetje stiekem in het bos rond te neuzen, John.' Mick kon zijn opwinding zo te horen amper bedwingen. 'Ik dacht dat je 'm wel even zou willen spreken.'

Cole zei niets. Vanwege zijn slechte knie moest hij zich ietwat stuntelig via een doorgang tussen twee stapels schroot heen wurmen. Hij haalde een sleutelbos uit een van de zakken in zijn trainingsbroek. Zijn hoofd was vuurrood en het fleece van zijn sweatshirt was donker uitgeslagen van het zweet. Hij deed het hek van het slot en zwaaide het open. De bulterriër schoot direct naar buiten. Ben zette zich schrap, maar hij leek vooral in de jack russell geïnteresseerd te zijn. De kleinere hond trok zijn staart tussen de benen en drukte zich plat tegen de grond, terwijl hij zich door het bakbeest liet besnuffelen. En alsof ze dat hadden afgesproken, schoten ze vervolgens allebei tegelijkertijd het lange gras in.

'Bess!' riep de oudere man.

'O, dat gaat wel goed, hoor,' zei Cole, maar hij bleef Ben ondertussen aankijken. Ben was zelf naar het gat tussen de twee schroothopen gelopen, in een poging een glimp van Jacob op te vangen. Vlak voor de voeten van het jochie lagen een gebutste radiateur en een wieldop; het leken wel offerandes.

'Jacob!' De jongen keek met een lege blik op en Ben voelde dat er iets in hem brak. *O, god. Hij weet niet eens meer wie ik ben.*

Op dat moment verscheen er echter een glimlach op Jacobs gezicht. Hij duwde zichzelf omhoog uit het autozitje en rende door de tuin naar hem toe. Ben wilde al door het hek stappen, maar hij kreeg opeens geen adem meer omdat Cole de zijkant van zijn hand op zijn borstkas had laten neerkomen. Ben deinsde achteruit en Jacob bleef stokstijf staan waar hij stond, zijn glimlach verdwenen.

'Ik had je toch gezegd dat ik je hier nooit meer wilde zien,' zei Cole.

Ben probeerde niet laten merken hoeveel pijn hij had. 'Ik mag hem toch wel even zien!'

'Jij mag helemaal niks.'

'En hij dan? Mag hij ook niks meer?'

'Vanaf nu ben ik degene die bepaalt wat wel of niet goed voor hem is.'

'Zoals dat hij niet meer naar school mag, bedoel je?'

Cole staarde hem aan zonder een keer met zijn ogen te knipperen. 'Hij is mijn zoon. En ik laat me door niemand vertellen wat ik wel en niet met hem mag doen.'

Nog voor Ben iets kon zeggen, hoorde hij weer iets in de tuin. Hij draaide zich om en zag dat Sandra Cole tussen de schroothopen door moeizaam hun kant op kwam. Ze droeg dezelfde kleren als die hij haar zojuist zelf had zien aantrekken. Alleen leek dat nu weken geleden.

Ze bleef bij het hek staan. 'Hoe gaat 't, Sandra?' vroeg Mick verlekkerd.

Ze negeerde hem, wierp een blik op Ben en wendde zich toen tot haar man. 'Wat is hier aan de hand?'

'Breng Steven naar binnen,' zei Cole haar.

'Waarom?'

'Breng hem naar binnen.'

'Jezus christus, John...'

'Nu meteen.'

Ze werd rood, draaide zich om, pakte Jacobs hand en trok hem ruw mee. Jacob kermde en probeerde zich te verzetten. 'Nee nee nee nee nee!' Ze sloeg er geen acht op en sleepte het gillende jochie mee naar de achterdeur. Bij het trapje aangekomen, tilde ze hem aan zijn pols op en trok de achterdeur vervolgens met een luide klap dicht.

Ben draaide zich om naar Cole. Hij stond te trillen op zijn benen, maar ditmaal van woede in plaats van angst. 'Het kan je helemaal geen moer schelen wat wel of niet goed voor hem is. Jij denkt alleen maar aan jezelf!'

Cole zette een stap in zijn richting. 'John, doe nou geen domme dingen, hè,' zei de oudere man met hoorbare tegenzin, maar

Cole luisterde niet eens. Ben zette instinctief een stap achteruit en walgde meteen al van zijn eigen lafheid.

O, barst ook maar, dacht hij, terwijl hij uithaalde naar Cole.

De man wist zijn vuist moeiteloos te ontwijken, omklemde Bens arm net boven de elleboog, draaide de andere onder zijn uitgestrekte arm door en voor Ben het goed en wel doorhad, stond hij met zijn gezicht tegen het hek gedrukt. Het gaas deed pijn aan zijn gezicht toen hij ertegenaan smakte. Het volgende wat hij registreerde, was dat zijn arm achter zijn rug tussen zijn schouderbladen werd gedrukt en vervolgens een ontiegelijke pijn in zijn onderrug toen zijn nieren een oplawaai te verstouwen kregen.

Hij kreeg nog twee opduvels op dezelfde plek en als hij zijn blaas niet net in het bos had geleegd, zou dat nu alsnog vanzelf zijn gebeurd. Het deed zo'n pijn dat de schreeuw in zijn keel bleef steken, maar bijkomen was er niet bij, want op dat moment werd hij alweer met een ruk achteruit getrokken. Hij ving een glimp op van Coles gezicht, dat zelfs nu nog volkomen blanco was, voor een vuist zich vlak onder zijn ribbenkast in hem boorde.

Het voelde echt alsof zijn hart even stilstond. Hij klapte voorover en het enige wat hij nog zag waren Coles knieën, gevolgd door een explosie van sterretjes en opnieuw helse pijn.

Hij zag tollende beelden van de lucht en de grond langsflitsen en ergens merkte hij nog net dat hij contact maakte met iets hards. Hij voelde aarde onder zijn handen en meteen daarna leek het juist alsof iemand hem optilde. Het grijze vlak boven hem werd opgevuld door allemaal donkere gestalten. Een keiharde klap leek zijn gezicht te verbrijzelen en weer viel hij achterover. Hij hoorde het gekraak van zijn eigen schedel terwijl de man uit de kroeg er met beide voeten bovenop sprong. Hij bleef op de stoep liggen, terwijl er hersenweefsel en bloed door de barsten in zijn hersenpan naar buiten stroomden. Hij kon de scheuren met zijn handen voelen: ze waren breed, diep en koud, zaten vol steentjes en gruis en het leek zelfs alsof hij de sporen van fietsbanden kon voelen.

Vlak bij hem hoorde hij geschreeuw. Ondanks de vlijmende pijn in zijn borstkas probeerden zijn longen lucht te krijgen en alsof hij daardoor een soort blokkade had opgeheven, rolde hij als vanzelf op een zij en leegde zijn maag. Er zat bloed bij. Hij betastte zijn neus. Die voelde raar aan. Zijn mond was dik en opgezwollen en zat ook onder het bloed. Het geschreeuw hield maar niet op. Hij keek omhoog en zag dat Sandra Cole beide armen om de borstkas van haar man had geslagen en hem probeerde tegen te houden. De oudere van het tweetal stond ernaast en had een hand op Coles schouder gelegd, alsof hij hem op die manier hoopte te weerhouden. De kleinere man stond stralend van opwinding toe te kijken.

'John, laat hem nou, of wil je hem soms doodslaan?' krijste Sandra. 'Laat hem nou gaan, je hebt al genoeg aangericht!'

'Ga weg.' Coles blik was op Ben gericht.

'Hoezo? Zodat je iedereen kan laten zien hoe verrot sterk je wel niet bent? Denk je dat dat iemand hier iets kan schelen?'

Hij duwde haar met een plotselinge draaibeweging ruw van zich af. Ze viel tegen een van de hekpalen aan, zó hard dat het hele hek op en neer ging.

'Kom op, John. Zo is het wel genoeg, hè,' zei de oudere man, maar hij deed geen enkele poging hem echt tegen te houden. Ben probeerde overeind te komen, maar alles draaide en tolde nog steeds en zijn armen en benen leken wel vaatdoeken.

Cole pakte hem bij zijn kraag en tilde hem half van de grond. 'De volgende keer ga je er echt aan.' Hij liet hem los. Ben probeerde de golf van misselijkheid die de beweging teweegbracht, weg te slikken. Cole wendde zich tot zijn vrouw, die met haar hand om het gaas stond geklemd. De schaafwond op haar wang bloedde behoorlijk.

Hij stak een vinger naar haar op en zei: 'Waag het niet ooit nog tegen me in te gaan,' waarna hij hinkend en wel terug de tuin in liep. Sandra Cole streek met een hand over haar wang en staarde naar het bloed erop.

'Gaat het, Sandra?' vroeg de oudere man haar.

Ze ontweek zijn blik. 'Wat denk je?' Ze duwde zich vervolgens, nog steeds wat wankel op de been, van het hek af en volgde haar man naar binnen.

De kleinere vent slaakte een kreetje. 'Sodeju hé! Sodeju nog an toe!' Hij richtte een koortsachtige blik op Ben. 'Ik wil wedden dat jij het wel uit je kop laat om hier nog een keer te komen!'

Hij zette met gebalde vuisten een stapje naar voren. Ben probeerde overeind te komen.

'Laat hem nou maar met rust, Mick.'

De kleinere man draaide zich verbaasd om naar zijn metgezel. 'Hoezo? Kom op nou, Bri...'

'Ik zei: laat hem met rust!' Hij liep naar Ben toe en stak hem een grote zakdoek toe. 'Ik wist niet dat het hierop uit zou draaien.'

Ben sloeg zijn hand weg en was nu het liefst in huilen uitgebarsten. 'Wat dacht je verdomme dan dat hij zou doen?'

De man bleef even voor hem staan, stopte de zakdoek weer weg en liep naar het pad. Hij floot schel en riep zijn hondje met luide stem.

Uit het struikgewas een eindje verderop klonk wat geritsel. De jack russell sprong al snel tevoorschijn en kwam met zijn tong uit zijn bek hun kant op trippelen. Hij liep vlak achter zijn baasje over het pad terug naar het bos. Het onderdeurtje van het stel liep enigszins beteuterd een paar stappen achter hen aan.

Ben zag nu pas de gezichten van allerlei mensen die via de schuttingen en muren van nabijgelegen huizen de hele boel hadden gadegeslagen. Ze verdwenen een voor een, hun handen daarbij in onschuld wassend. Hij kwam overeind, maar was nog steeds kotsmisselijk en kon amper op zijn benen staan. Hij bleef even tegen het hek aan leunen. Zijn lippen en neus waren opgezet en hij voelde nu pas dat een paar tanden loszaten. Hij voelde voorzichtig met het puntje van zijn tong en wreef ondertussen over zijn beurse maagstreek. Hij draaide zich om en spuugde een bloederige fluim op de grond. En op dat moment zag hij dat hij niet alleen was.

De bulterriër stond vanaf de andere kant van het pad naar hem te loeren.

Ben keek om zich heen, op zoek naar iets om zich mee te kunnen verdedigen, een stok, iets, wat dan ook, maar hij zag niets. Hij waagde het erop nog eventjes naar de hond te kijken. Het dier gromde laag vanuit zijn keel. Ben duwde zich langzaam van de schutting af. Hij probeerde elk oogcontact met het beest te vermijden en zette aarzelend een stapje.

De hond kwam meteen op hem af.

Hij viel achterover tegen de schutting en probeerde met zijn voet uit te halen om te voorkomen dat het dier zich op zijn kruis en romp kon storten. De bulterriër maakte het geluid van een cirkelzaag die nodig geolied moet worden toen hij Bens voet in zijn bek nam en keihard met zijn kop begon te schudden. Ben greep het gaas vast om te voorkomen dat hij onderuit zou gaan en hing daar eventjes met gespreide armen, alsof hij gekruisigd was. Het voelde alsof zijn voet in een bankschroef zat. De tanden van het dier boorden zich dwars door het dikke leer van zijn wandelschoenen. Toen hij nog een keer probeerde te schoppen, liet het monster los, maar zijn bek schampte langs Bens kuit en hij beet dwars door zijn broekspijp in het been eronder. Hij hoorde weer geschreeuw en zag de twee mannen terug komen rennen. Het teefje rende voorop en begon bij het hek aangekomen meteen opgewonden te keffen, waarna de bulterriër zich boven op haar stortte. Het mormel slaakte een schril kreetje toen ze op haar rug werd gegooid.

'Af, klotebeest. Af!' riep de oudere man, die keihard kwam aanrennen. Toen het hondje steeds hysterischer begon te klinken, begon hij het grotere beest te schoppen. En toen was Cole er opeens weer. Hij duwde de andere man opzij en pakte de bulterriër bij zijn halsband. De hond stootte een droog kuchje uit toen Cole hem achteruit trok en hem zodanig vasthield dat alleen zijn achterpoten de grond nog raakten. De bulterriër deed nog een uitval naar het teefje, maar Cole gaf hem een fikse tik op zijn kop en schudde hem een keer hard heen en weer. Happend naar adem, met een bek vol kwijl, gaf de bulterriër het uiteindelijk dan toch op.

'O nee, o nee, o jezus, nee hè,' jammerde de oudere man, die op zijn knieën naast zijn hond op de grond was gezakt. De jack russell maakte nog een paar stuiptrekkingen, maar zijn witte vacht zat onder het bloed dat uit zijn nek en buik gutste. 'Kijk nou toch, kijk nou toch!' Hij tilde haar voorzichtig op en drukte het hond-je tegen zijn borst. Het lijfje schokte nog een paar keer. Zijn jas was doorweekt van het bloed, terwijl hij met dezelfde zakdoek die hij net nog aan Ben had aangeboden, het bloeden probeerde te stelpen. 'John, dat klotebeest van je, ik maak 'm af! Ik zweer je dat ik 'm afmaak!'

Cole had de bulterriër nog steeds bij zijn halsband vast, waar van die dikke zilverkleurige noppen op zaten. Het beest hijgde luidruchtig, maar was zo te zien een stuk minder woest. Cole staar-de zonder enige emotie neer op de jack russell, draaide zich toen om en duwde zijn eigen hond door het hek terug de tuin in.

'Hup! Naar binnen, jij.'

De hond rende heftig kwispelend met zijn korte stompe staart de tuin in, op de voet gevolgd door Cole.

Het baasje van de jack russell zat snikkend met het bijna roer-loze lijfje van zijn hond in zijn armen. 'Hoorde je wel wat ik zei?' riep hij tegen Coles rug. 'Ik meen het! Ik ga dat...'

Meteen daarop volgde een oorverdovende knal. Een zwerm vo-gels vloog verschrikt op. Ben en de twee andere mannen stonden als aan de grond genageld, terwijl de echo van het schot langzaam wegstierf. De kleinere van het stel, die het nu blijkbaar niet meer zo grappig vond, rende naar het hek toe om in de tuin te kunnen kijken.

'O, shit! O, shit!'

Ben hobbelde er ook naartoe en deed zijn best om over alle au-towrakken heen te kijken. De bulterriër lag midden in de tuin. Er was niet veel meer over van zijn kop en slechts een van zijn poten bewoog nog, maar ook dat hield al snel op.

Cole stond met een jachtgeweer in de hand op zijn hond neer te kijken.

'Kolere, John, je had hem toch niet hoeven doodschieten!' Mick klonk volkomen ontdaan.

Cole klapte het geweer open en liet een patroon op de grond vallen. 'Het is mijn hond. Dat maak ik zelf wel uit.' En terwijl hij dat zei, keek hij Ben weer aan. Hij klapte het geweer dicht en hinkte naar de achterdeur.

'Klootzak,' zei de oudere man, die nog steeds met zijn levenloze hond op de grond zat. Ze zaten allebei onder het bloed. 'Klootzak.'

Het schriele mannetje pakte zijn kompaan bij de arm. 'Kom maar, Brian.'

Ze liepen samen weg. Ben wachtte tot ze een flinke voorsprong hadden en liep toen pas achter ze aan.

16

De advocate nam ruim de tijd om alle foto's te bekijken. Ze kreeg een diepe frons op haar voorhoofd toen ze de foto's zag waarop Cole de automotor vlak boven Jacobs hoofd tilde en haar wenkbrauwen schoten omhoog toen ze de beelden van Sandra Cole en de man in de slaapkamer zag. Ze wierp Ben een ondoorgrondelijke blik toe voor ze de rest bekeek.

Hij wachtte in stilte tot ze klaar was en probeerde ondertussen niet te verzitten. De stoel was goed bekleed, maar zelfs na een week had hij nog pijn in zijn onderrug. De kneuzingen bij zijn neus en mond waren zo goed als verdwenen en hij was uiteindelijk geen tanden kwijtgeraakt, maar de huid onder zijn ogen was nog steeds niet helemaal normaal van kleur. En soms werd hij echt gek van de kriebel bij zijn kuit, waar de hond hem flink te grazen had genomen en wat een wond had opgeleverd die maar langzaam heelde.

Uiteindelijk was Usherwood dan toch klaar met het bekijken van alle foto's. Ze legde het stapeltje op het bureaublad en schikte het geheel met een afwezige blik in haar ogen. 'Nou...' Ze zuchtte diep en schraapte haar keel. 'Ik snap nu waarom u zich zorgen maakt.'

Hij wachtte tot ze verder zou gaan, maar ze keek weer naar de foto's en beet in gedachten verzonken op haar onderlip. 'Hoe lang houdt u het huis eigenlijk al in de gaten?' Ze keek hem niet aan toen ze dat vroeg.

Ben voelde dat zijn gezicht rood kleurde. 'Al een tijdje.' Hij weigerde erover uit te weiden of zich ervoor te verontschuldigen.

Ze lachte minzaam. 'Misschien is het maar goed dat de privacywetten dan niet nog strenger zijn dan ze al zijn.'

'Daar zou ik me geen moer van hebben aangetrokken.' Het kwam er wat feller uit dan hij had gewild.

De advocate keek naar de bovenste foto op de stapel, alsof die haar iets kon vertellen wat ze niet allang wist. Ze raakte met haar vingertoppen de scherpe metalen kartelranden aan die op de foto te zien waren, zó voorzichtig dat het bijna leek alsof ze bang was dat ze zich eraan zou snijden. 'Maar wat verwacht u van mij?'

'Ik wil weten hoe ik Jacob terug kan krijgen.'

Ze duwde de foto's zuchtend opzij. 'Ik vrees dat dat niet zo eenvoudig is. Rechtbanken houden er niet van om kinderen bij hun ouders weg te halen, of in dit geval, bij de vader. En in Jacobs geval komt daar nog een recente traumatische gebeurtenis bij, omdat hij al uit een vertrouwde omgeving is weggehaald. Het is uitermate onwaarschijnlijk dat ze hem nog zo'n ingrijpende verandering zullen willen aandoen, tenzij men echt meent dat er geen enkele andere optie voorhanden is.'

'Hoezo geen andere optie? Hem in een dump vol schroot laten zitten met een stiefmoeder die het niet zo nauw neemt met de huwelijkse trouw en een vader die verd...' Hij slikte het woord in en zei snel: '... die gek is?'

'Ik zeg ook niet dat er niets zal gebeuren, maar een kind weghalen bij zijn ouders wordt echt als een allerlaatste optie gezien. Ze moeten er dan oprecht van overtuigd zijn dat Jacob een reëel risico loopt als hij daar blijft.'

'En dat Cole een brok staal van zo'n honderd kilo vlak boven zijn hoofd houdt, is dus geen reëel risico?'

'U hebt zelf toegegeven dat de jongen lichamelijk gezien niets mankeert, noch dat hem iets is gebeurd. Ik wijs u alleen maar op de feiten, meneer Murray.'

'Ja, ja, ik weet het. Het spijt me.' Hij probeerde wat gas terug te nemen. 'Maar wat zullen ze dan wel doen?'

Usherwood leunde achterover. 'Als u uw zorgen eenmaal kenbaar hebt gemaakt aan de daartoe bevoegde instanties zullen ze een evaluatievergadering beleggen om te beslissen of en zo ja, hoe ze moeten ingrijpen. Als ze van mening zijn dat er inderdaad een gerede kans bestaat dat Jacob iets zou kunnen overkomen, fysiek of mentaal, kunnen ze besluiten een zogenoemde gezinsvoogd aan te stellen. En als ze het risico dermate groot vinden, kan er daarna bij de rechtbank een aanvraag voor een ondertoezichtstelling worden ingediend. Dan wordt het kind uiteindelijk aan een pleeggezin toegewezen. Maar dat gebeurt uitsluitend in zeer uitzonderlijke gevallen. En dat is dit niet.'

'Dus er is geen enkele kans dat ze hem aan mij zouden toewijzen,' was zijn matte antwoord.

Er gleed een zeldzame blik van medeleven over haar gezicht. 'Het spijt me. Maar u kunt altijd een verzoek indienen voor een wijziging in het ouderlijk gezag. Maar ik moet daarbij wel opmerken dat er echt heel wat nodig is voordat ze Jacob blijvend bij zijn vader zouden weghalen. Dat zullen ze pas doen wanneer ze vermoeden dat de situatie zó ernstig is dat de jongen met geen mogelijkheid op een enigszins verantwoorde manier bij zijn vader kan blijven wonen. En ik kan er denk ik maar geen beter geen doekjes om winden: dat lijkt me in dit geval geen waarschijnlijk scenario.'

'En die foto's dan? Leggen die dan helemaal geen gewicht in de schaal?'

Ze pakte ze weer op, maar schudde haar hoofd al terwijl ze er een paar voor zich uitspreidde. 'Dat zijn echtgenote vreemdgaat... met meerdere mannen,' voegde ze eraan toe, waarbij ze haar mondhoeken vertrok, 'zal beschouwd worden als iets wat geheel losstaat van deze kwestie, ongeacht de vraag of ze er wel of niet geld voor krijgt. Ook hoeren mogen immers kinderen hebben. En wat betreft Cole...' Ze bladerde door de foto's tot ze er bij eentje kwam waarop hij het brok metaal vlak boven Jacobs hoofd balanceerde. De foto was door het polarisatiefilter niet helemaal scherp, maar Ben was allang blij dat hij dit had.

'Ja, dit toont aan dat zijn zoon aan risico's wordt blootgesteld, maar het blijft een incident. Er is geen enkel bewijs dat hij dit nog een keer zal doen.'

Ze stak haar hand meteen op om Bens bezwaren voor te zijn. 'Ja, de tuin ligt vol schroot, dus hij zal te horen krijgen dat hij dat moet opruimen. Ja, hij heeft roekeloos gedrag vertoond tijdens zijn fitnessoefeningen, dus hij zal te horen krijgen dat hij in de toekomst voorzichtiger moet zijn. De meest serieuze aanklacht is nog dat Jacob niet naar school gaat, maar als de heer Cole op dat punt zijn leven betert, zal zelfs dat hem niet al te zwaar worden aangerekend. Ik weet dat u beweert dat hij mentaal labiel is en gevaarlijk, maar op dit moment hebt u geen enkel bewijs om dat te staven. Dit is niet eens voldoende om een psychologisch onderzoek te rechtvaardigen.'

Ben kreeg een bittere smaak in zijn mond. 'En mij verrot slaan en zijn eigen hond afknallen?'

'Ik meen dat u zei dat u was begonnen met slaan. En dat er ooggetuigen bij waren.'

Ben keek naar zijn handen die in zijn schoot lagen. 'En die hond dan?'

'Ik vrees dat als de politie geen reden ziet om in te grijpen, we daar verder weinig aan kunnen doen.'

Ben wreef met een vermoeid gebaar over zijn ogen en liet de onverteerbare waarheid tot zich doordringen.

Nadat hij die dag zijn spullen in het bos had opgehaald, was hij heel langzaam naar het dichtstbijzijnde politiebureau gereden. De brigadier van dienst fleurde zichtbaar op toen hij daar toegetakeld en onder het bloed was komen binnenstrompelen, maar zodra hij erachter kwam met wie hij te maken had, was dat meteen afgelopen.

Ben vroeg zich even af of er in Tunford nog iemand rondliep die hem niet verachtelijker vond dan iets wat je van je schoenzool zou schrapen.

'Wat had u eigenlijk in dat bos te zoeken, meneer?' vroeg de brigadier.

'Ik was aan het wandelen,' had Ben geantwoord, waarbij hij hem recht in de ogen had gekeken. De politieman wachtte zwijgend of hij daar nog iets aan wilde toevoegen. Naarmate de vragen gaandeweg steeds sceptischer en vooringenomen werden, had hij echt geprobeerd zich in te houden. 'Het klinkt eerlijk gezegd als zelfverdediging van zijn kant, meneer,' had de agent hem op een zeker moment op bijna beledigend beleefde toon meegedeeld. 'Als ik u was, zou ik maar blij zijn dat u het er nog zo goed van af hebt gebracht.'

Ben begreep op dat moment dat hij zijn tijd verdeed, maar hij weigerde zich erbij neer te leggen. 'Hij heeft zijn eigen hond doodgeschoten!'

'Misschien was dat eerder een kwestie van maatschappelijk verantwoord gedrag, meneer. Als die hond u inderdaad heeft aangevallen zoals u net beweerde, had hij sowieso moeten worden afgemaakt.'

'En dan doet het er dus niet toe dat hij een geweer afvuurt terwijl er een klein kind in de buurt is?'

'Niet zolang hij er een vergunning voor heeft en ik ga ervan uit dat dat zo is. Hij is een degelijke vent, meneer. En dat kun je echt niet van iedereen zeggen. Bovendien weet hij hoe je een geweer moet hanteren.' Er verscheen een minzaam lachje om de mond van de brigadier. 'En het wemelt in dat bos inderdaad van het ongedierte.'

Ben had het daar maar bij gelaten. Zijn hele lijf deed pijn, hij was bekaf en hij wist dat hij nodig naar die hondenbeet en zijn gebroken neus moest laten kijken.

Maar bovenal wilde hij Tunford op dat moment zo snel mogelijk achter zich laten.

'Rijdt u wel voorzichtig, meneer?' riep de brigadier hem nog na. 'U ziet er behoorlijk toegetakeld uit. Straks wordt u nog gearresteerd.'

Usherwood zat Ben zorgelijk aan te kijken. 'Ik weet dat u dit liever niet wilt horen, maar ik kan u alleen maar zeggen wat er naar alle waarschijnlijkheid zal gebeuren. Er bestaan in dit soort gevallen nu eenmaal heel duidelijke procedures.'

Ben wist met enige moeite een glimlach op zijn gezicht te toveren. 'Ik ben eerlijk gezegd vooral verbaasd te horen dat er meer van dit soort gevallen bestaan.'

De advocate keek weer naar de foto's voor haar op tafel. 'Zou ik deze mogen houden?'

Hij knikte. Van de paar beste had hij een paar afdrukken gemaakt en alle andere, waaronder die van Sandra Cole, zowel naakt als met kleren aan, had hij verbrand.

'Ik zeg niet dat de bevoegde instanties het bewijs meteen van tafel zullen vegen. Dit zal er op zijn minst voor zorgen dat ze de druk op Cole opvoeren om ervoor te zorgen dat u weer contact mag hebben met Jacob.' Het klonk bijna alsof Usherwood hem een troostprijs in de maag wilde splitsen.

'En wat gebeurt er als hij dat blijft weigeren?' Hoezo áls, dacht hij bij zichzelf. 'Zullen ze hem Jacob dan alsnog afnemen?'

'Nee, maar uw wettelijke recht op contact met de jongen blijft overeind. En uiteindelijk zal hij daar toch mee moeten instemmen.'

Ben wreef heel voorzichtig over zijn neus, die nog steeds beurs was. 'U hebt hem zelf ontmoet. Kreeg u toen de indruk dat het een man is die gevoelig is voor het woord "moeten"?'

Hij stond op en wachtte haar antwoord niet af. 'Ik bel u nog wel.'

Nu er geen reden meer was om naar het bos achter hun huis te hoeven, leken de dagen opeens ellenlang te duren. Hij had geen flauw idee wat hij met al die tijd aan moest en stortte zich dus maar op zijn werk. Zoe was zichtbaar opgelucht dat ze weer op hem kon rekenen en vatte het op als een teken dat alles bijna weer normaal was. Ben wist zelf echter niet meer wat 'normaal' was. Normaal was iets wat bij het verleden hoorde, iets van vóór Sarahs overlijden, misschien wel voor altijd. Voor zover hij al iets voelde, was hij nu meer dan ooit de weg kwijt. Het leek alsof hij puur op de automatische piloot leefde. Hij praatte, at en ging uit, maar zonder dat zijn omgeving werkelijk tot hem doordrong. Hij kon niet eens zeggen of hij nou gedeprimeerd was, want eigenlijk voelde hij niets en was totaal afgestompt. Het was alsof hij in een heel groot huis woonde, maar slechts in een van de vele kamers kwam. Soms was hij zich er wel degelijk van bewust dat er nog andere kamers waren, die wachtten tot ze in gebruik werden genomen, maar hij voelde niet de minste behoefte om zijn mentale eenkamerflat te verlaten. Waarom niet? Omdat hij niet wilde nadenken over wat zijn volgende stap zou zijn.

En onder ogen te moeten zien dat er helemaal geen volgende stap was.

Hij had het einde van het pad bereikt, zonder ook maar iets te hebben bewerkstelligd. Want Cole zou zich niet bedenken. Misschien dat hij net zou doen alsof als hij daartoe gedwongen werd, maar alleen maar totdat hij weer met rust gelaten zou worden, waarna Ben zich weer in precies dezelfde positie zou bevinden als nu. De enige manier waarop hij nog bij Jacob in de buurt zou kunnen komen, was via een telelens.

En die weg had hij al bewandeld.

Twee weken na zijn bezoekje aan Ann Usherwood was hij nog geen steek wijzer. Hij had geen flauw idee wat hij moest doen en had dus ook geen contact met haar opgenomen. Dat had toch geen enkele zin. En zo ging hij als een soort robot door het leven, tot er op een dag opeens iemand naar de studio belde. Zoe nam op en bedekte de hoorn al snel met haar hand.

'Ben, iemand voor jou. Een man. Hij wil zijn naam niet geven, maar hij zegt dat het belangrijk is.'

Hij stond op dat moment op een trapje om een lamp te verwisselen. 'Zeg maar dat ik even bezig ben.'

Hij hoorde het haar herhalen. Het fotomodel stond verveeld in de spiegel te kijken terwijl de styliste, een wat nerveus type, aan haar kleren frunnikte. 'Vind je dat dit topje wat strakker moet? Zal ik het op haar rug vastspelden?' Ze trok de stof strak tussen de schouderbladen van de jonge vrouw, zodat het bloesje zich over haar borsten spande.

Het zou Ben eerlijk gezegd worst wezen, maar hij probeerde dat niet te laten blijken.

'Hij zei dat ik je moest zeggen dat hij Quilley heet,' hoorde hij Zoe zeggen.

Ben was even totaal van de kaart.

'Hé, hallo… Ben! Wil je hem nou spreken of niet?'

Hij stapte van het trapje op de vloer. Toen ze de telefoon aan hem gaf, merkte hij pas dat hij de lamp nog steeds in zijn hand had. Hij wist even niet wat hij ermee moest en legde die uiteindelijk maar op de vensterbank.

'Zal ik dit nou vastspelden of niet?' vroeg de styliste.

Hij maakte een vaag handgebaar naar Zoe dat zij dat maar moest beslissen. Ze keek hem wat verwonderd aan voor ze zich omdraaide. Hij bracht de telefoon naar zijn oor. 'Ja?'

'Dag, meneer Murray. Dat is lang geleden, hè?'

Hij was bijna verbaasd hoe ziedend hij op slag was. Het voelde net zo heftig als een aanval van hoge koorts en hij was een ogenblik lang totaal onthand. 'Wat wil je van me?'

'Gewoon even een praatje maken, dat is het enige. Bent u daar nog, meneer Murray?'

Er schoten zoveel beledigingen en beschuldigingen door zijn hoofd dat hij weer niets kon uitbrengen. Als de privédetective nu voor hem had gestaan, had hij hem waarschijnlijk bij de keel gegrepen. 'Ik heb jou helemaal niets te zeggen,' zei hij met verstikte stem.

'Goh, ik hoor dat het u nog steeds erg hoog zit. U had het niet zo persoonlijk moeten opvatten. Het was puur een zakelijke kwestie, meer niet. Zoals ik u toen al zei, zit ik in de informatiebusiness en als de een niet wil kopen, bied je je waar aan een ander aan.'

'Dat kan me geen moer schelen. Je bent geen knip voor de neus waard. Weet je wat jij bent? Tuig van de richel.'

Hij was zich nog net bewust van het feit dat Zoe, het fotomodel en de styliste hem alle drie stonden aan te gapen. Hij draaide hun de rug toe.

'Uiteraard staat het u vrij te denken wat u wilt,' antwoordde Quilley. 'Maar laat ik dan maar meteen ter zake komen, voor u te hard van stapel loopt. Nu we het namelijk toch over informatie hebben: ik ben onlangs op wat informatie gestuit waar u wellicht belangstelling voor hebt. Ja, ik durf zelfs te stellen dat ik vrij zeker weet dat dat het geval is.'

Bens nieuwsgierigheid won het van zijn opwelling om de hoorn op de haak te smijten. 'Over Jacob?'

'Indirect, ja. Of misschien ook wel rechtstreeks, dat hangt ervan af hoe je het bekijkt. Laten we zeggen dat het te maken heeft met de huidige stand van zaken.'

'Wat dan?'

Hij hoorde Quilley grinniken. 'Ja, dat is natuurlijk de hamvraag, hè. Waar logischerwijs de vraag uit volgt hoe graag u dat wilt weten.'

'Waarom zou ik überhaupt geloven dat je iets voor me hebt?'

'Ik zou denken dat uitgerekend u die vraag niet zou hoeven stellen, meneer Murray. U hebt immers persoonlijk ondervonden dat ik nogal goed ben in graaf- en spitwerk. Vooral als ik weet dat er... tja, hoe zal ik het zeggen... iets op te graven valt.'

'Waarom heb je daar dan al die tijd mee gewacht?'

'Nou, laat ik het maar houden bij de constatering dat ik merk dat ik professioneel gezien even in wat rustiger vaarwater ben beland. En toen heb ik dus besloten me op een aantal losse eindjes te richten en dat eens uit te zoeken.'

'Je bedoelt dat je geen werk meer hebt.' Ben kon zijn leedvermaak niet verbloemen. 'Je krijgt zeker niet bijster veel klanten meer doorverwezen, hè?'

'Daar hoeft u zich echt geen zorgen over te maken, meneer Murray. Feit is dat ik iets in de aanbieding heb. We moeten nu alleen nog vaststellen of u het ook wilt kopen.'

'Dat weet ik pas als ik een idee heb van wat het is.'

'Ja, maar als ik u dat zou zeggen, zou ik mijn positie verzwakken, nietwaar? Ik vrees dat u me toch op mijn woord zult moeten geloven.' Zo te horen speet het hem echter niet heel erg.

Ben beet op zijn onderlip. 'Hoeveel wil je er voor hebben?'

'Tja, meneer Murray, dat is uiteraard geheel onderhandelbaar.'

'Ja, dat snap ik, maar ik heb nog niet gezegd dat ik het ook wil hebben. Ik weet wat Cole aan het doen is, als dat het enige is wat je me te bieden hebt.'

Er viel een korte stilte, gevolgd door een grinnikje. 'Wie zei dat het iets met hem te maken heeft? Maar luister,' ging Quilley verder, terwijl Ben het nog niet helemaal kon bevatten, 'slaapt u er maar gewoon een paar nachtjes over. Stel uzelf de vraag hoeveel uw stiefzoon u waard is. En als u daar eenmaal uit bent, bel me dan gerust terug.'

De privédetective wachtte even omdat hij zeker wilde weten dat

Ben hem begreep. 'Maar als ik zo vrij mag zijn, wil ik u toch nog één ding adviseren,' voegde hij eraan toe. 'Als ik u was, zou ik er niet te lang mee wachten. Het was me wederom een waar genoegen, meneer Murray.'

Ben had diezelfde avond met Keith in de kroeg afgesproken. Het was er stampvol borrelaars uit de City en er was nergens een zitplaats te bekennen, maar na een tijdje wist hij een hoekje tussen de sigarettenautomaat en de bar te bemachtigen. Hij bestelde een pilsje en wachtte. Keith was te laat. Toen hij eindelijk dan toch kwam aanzetten, waren zijn haren en overjas wit van de sneeuwvlokjes. 'Het is nog niet eens kerst en het sneeuwt al,' beklaagde hij zich terwijl hij zijn jas afveegde. Ben zei niets. Het vooruitzicht van een Kerstmis zonder Sarah of Jacob voelde aan alsof hij in een zwart gat was gestapt. Dat was nog zoiets waar hij maar liever helemaal niet aan dacht.

Maar blijkbaar was het zo'n dag dat hij ongewild dingen voor zijn kiezen kreeg, want Keith zei meteen daarop: 'Ik kan trouwens helaas niet al te lang blijven.' Hij schudde zijn jas van zijn schouders. 'Ik eh... heb zo nog een afspraak met iemand.'

'Met Jo, bedoel je?'

'Ja... Wil je nog iets drinken?'

'Nee, nee, ik heb nog. Zal ik iets voor jou bestellen?' Ben draaide zich naar de bar om zodat Keith even kon bijkomen van de pijnlijke vraag. Zijn affaire was overduidelijk nog niet doodgebloed, maar erover praten zat hem blijkbaar ook nog steeds niet lekker.

'Wat zei Quilley nou precies?' vroeg Keith. Hij haalde het schijfje citroen uit de tonic die Ben hem aanreikte en begon erop te sabbelen. Dat stilde je honger, had hij Ben verteld. Want daar had die verhouding in ieder geval wel voor gezorgd: hij dronk minder en probeerde af te vallen. Zelfs de sigaren waren verleden tijd. Ben vroeg zich wel eens af of Tessa ondanks al die veranderingen echt niets vermoedde, iets wat Keith zichzelf bleef wijsmaken.

Hij vertelde hem in het kort hoe het gesprek met de privédetective was verlopen. Keith nipte aan zijn drankje en luisterde aandachtig, de jurist ten voeten uit. 'Nou, dan heb je twee opties,' concludeerde hij toen Ben klaar was. 'Je kunt hem zeggen dat hij de tyfus kan krijgen, of hem betalen en dan maar hopen dat hij ook echt iets voor je heeft. En als je dat laatste doet, moet je van tevoren bedenken hoeveel je daarvoor overhebt en hoe je kunt voorkomen dat Quilley je een oor aannaait.'

'Dus jij vindt dat ik het risico wel moet nemen?'

'Kun je het dan gewoon vergeten en naast je neerleggen?'

Ben schudde beschroomd zijn hoofd.

'Nou, dan heb je je antwoord al. Zorg er alleen wel voor dat je enig idee hebt van wat hij te bieden heeft vóór je hem het geld geeft, want anders neemt hij dat doodleuk aan om je vervolgens te zeggen dat Cole 's ochtends graag cornflakes eet. Als hij echt iets weet en inderdaad op zwart zaad zit zoals jij denkt, zal hij je heus wel een aanwijzing geven. En als hij dat niet doet, probeert hij je inderdaad alleen maar een poot uit te draaien.'

'Als dat zo is, vermoord ik hem.'

Keith deponeerde het schijfje citroen in een asbak. 'Ja en dan krijg je Jacob zeker terug, hè.'

Bens woede was alweer weggezakt. Na het vacuüm van de afgelopen twee weken voelden zulke heftige emoties aan alsof hij na lange tijd te hebben gevast opeens iets heel vets binnenkreeg. 'Ik heb geen enkele garantie dat ik überhaupt iets heb aan wat hij me dan ook te vertellen heeft.' Hij zag het eigenlijk niet meer zitten.

'Nee, maar er is maar één manier om daarachter te komen.'

Ben staarde in zijn glas bier, maar trof ook daar geen inspiratie aan.

'En als je besluit het erop te wagen, geef hem dan in ieder geval niet de indruk dat je heel happig bent. Want hij zal sowieso proberen je zo veel mogelijk geld uit de zak te kloppen.'

'Hij waarschuwde me dat ik er niet te lang over na moest denken.'

'Ja, hij gaat je natuurlijk niet vertellen dat hij haast heeft, hè? Nee, als ik jou was zou ik hem lekker een paar daagjes laten zweten. Laat hem maar even in de rats zitten.' Keith keek op zijn horloge. 'Hé, het spijt me echt maar eh… ik moet gaan.'

'Waar hebben jullie afgesproken?'

Keith probeerde zijn gêne over de hele situatie te maskeren en was opeens heel druk in de weer met zijn glas neerzetten op de sigarettenautomaat en het aantrekken van zijn jas. 'O, gewoon een restaurant ergens in Soho. En nee, geen Libanees,' voegde hij er spottend aan toe.

'Wat heb je Tessa dan gezegd?'

Hij had meteen al spijt van zijn vraag en Keith stond hem volkomen verbouwereerd aan te kijken. 'Ze denkt dat ik moet overwerken. Afgezaagd, hè?' Hij glimlachte wrang. 'Hé, en hou me wel op de hoogte, oké?'

Ben knikte. Hij keek zijn vriend na, met zijn dure jas die nog nat was en zijn dunner wordende haar, dat ook al echt een kaal plekje boven op zijn hoofd vormde. Hij hoopte dat hij Keiths avond niet had verpest. En op dat moment moest hij opeens aan Tessa denken, die thuiszat met haar twee zoons, en hij kreeg acuut medelijden met haar. Hij hoopte voor Keith dat ze het waard was. Toen hij ook medelijden met haar voelde opborrelen, riep hij zichzelf tot de orde.

Moet je mij nou horen, dacht hij bij zichzelf en probeerde niet ten prooi te vallen aan een nieuwe aanval van zelfmedelijden. Waarom zou ik nou medelijden hebben met anderen?

Hij dronk zijn biertje op. En toen, omdat het nog steeds sneeuwde en hij toch niets beters te doen had, besloot hij er gewoon nog eentje te bestellen.

Hij hield zich de hele volgende dag aan Keiths advies voor hij eindelijk toegaf aan de drang om Quilley terug te bellen. Dat hij weer hoop koesterde, zat hem dwars en toen hij het bandje van het antwoordapparaat hoorde, kon hij het gevoel van ontgoocheling bijna niet aan. Hij wachtte tien minuten en probeerde het toen nog een keer, maar er nam nog steeds niemand op. Hij bleef het die hele middag proberen, maar werd elke keer getrakteerd op de opgenomen stem van de secretaresse die hem vroeg zijn naam en nummer in te spreken. Hij hing elke keer op zonder iets te zeggen. Toen hij aan het begin van de avond nog steeds geen gehoor kreeg, legde hij zich er maar bij neer dat hij het morgenochtend pas weer kon proberen.

Maar ook toen kreeg hij weer het antwoordapparaat.

Ditmaal liet hij wel een berichtje achter en vroeg Quilley kortaf hem terug te bellen. Hij voelde zich daarna iets beter, wetend dat hij nu niet meer terug kon. Nu was het de beurt aan de privédetective.

Alleen belde Quilley niet terug.

Ben wachtte nog een dag en probeerde het toen zelf nog maar weer een keer. Hij belde vanuit huis en daarna nog een keer vanuit de studio, waar Zoe en hij met de voorbereidingen voor een shoot bezig waren. Hij was inmiddels zo gewend geraakt aan het antwoordapparaat dat hij helemaal verbaasd was toen er opeens alsnog werd opgenomen.

De secretaresse klonk nog bitser dan in zijn herinnering. 'Nee, die is er niet,' beet ze hem toe toen hij naar Quilley vroeg. En daar liet ze het bij.

'Wanneer verwacht je hem terug?'

'Geen idee.'

'Later vandaag nog of morgen pas?'

'Ik zei net toch al dat ik dat niet weet.'

Hij probeerde niet uit zijn slof te schieten. 'Is er dan een ander nummer waarop ik hem misschien kan bereiken?'

Een hoongelach. 'Nou, nee… Tenzij je het ziekenhuis wilt bellen.'

'Hij ligt in het ziekenhuis?' Een deel van zijn paranoia verdween op slag toen hij begreep dat er dus helemaal geen duistere motieven scholen achter de afwezigheid van de privédetective. 'Wat is er dan met hem?'

'Hij is in elkaar geslagen.'

De paranoia keerde in alle hevigheid terug. 'Door wie?'

'Hoe weet ik dat nou?'

'Wanneer is dat dan gebeurd?'

'Weet ik veel, een paar dagen geleden,' snauwde ze. 'Hé, het heeft geen enkele zin om mij uit te horen, want ik werk niet meer voor die vent. Hij is me nog twee maanden salaris schuldig en daar kan ik nu natuurlijk wel helemaal naar fluiten. Ik kwam hier alleen maar even mijn spullen ophalen. Ik weet niet waarom ik net de telefoon opnam, waarschijnlijk uit gewoonte.'

Hij hoorde dat ze op het punt stond om op te hangen. 'Kun je me dan op zijn minst nog even zeggen in welk ziekenhuis hij ligt?' Ze zuchtte geërgerd, maar verbrak de verbinding pas nadat ze hem dat had verteld. Ben liet de telefoon langzaam zakken. Er waren vast en zeker tientallen mensen die Quilley graag een lesje zouden leren, zei hij tegen zichzelf. Het had misschien niets te betekenen. Misschien dat het zelfs gewoon een zakkenroller of zoiets dergelijks was geweest.

Nee, dat ging er bij hem niet in.

De shoot stond pas voor over een paar uur gepland. Hij beloofde Zoe dat hij echt op tijd terug zou zijn en besloot snel naar het ziekenhuis te gaan. Het duurde even voor hij de afdeling waar Quilley lag had gevonden. Hij had zich voorbereid en al een vaag smoesje verzonnen voor het geval ze hem niet bij hem zouden laten, maar het bezoekuur bleek de hele dag te duren en hij werd niet tegengehouden toen hij de kamer in liep.

Het bed van de detective werd gedeeltelijk afgeschermd door gestreepte gordijntjes. Hij lag plat op zijn rug in een gekreukt blauw ziekenhuishemd en merkte Bens komst niet op. Naast hem stond een standaard met een infuus eraan. Zijn gezicht was zo bont en blauw dat het leek alsof hij minstens het slachtoffer was geworden van een brand of iets. Zijn neus zat in het verband, net als een van zijn oren. Het haar eromheen was weggeschoren. Zijn holle wangen en onderkin waren bedekt met een waas van zilverkleurige stoppeltjes.

Hij lag naar het plafond te staren. Toen Ben naast zijn bed kwam staan, wierp hij hem een korte blik toe en wendde zijn hoofd vrijwel direct weer af. Hij gaf geen enkel blijk van herkenning of interesse.

'Ik hoorde van je secretaresse dat je hier lag,' zei Ben.

Quilley bleef zwijgen.

'Ik ben Ben Murray,' voegde hij er maar aan toe, omdat hij niet zeker wist hoe erg de man eraan toe was.

'Ik weet wie je bent.' Zijn schorre stem klonk heel zwakjes. Hij bleef onderwijl naar het plafond boven zijn bed turen.

'Ze zei ook dat je in elkaar was geslagen.' Ben wachtte even. 'Door wie?'

Stilte.

'Was het Cole?'

Misschien dat er heel eventjes iets in de ogen van de detective oplichtte, maar dat was dan ook echt het enige.

'Ja, hè?'

'Laat me met rust.'

Ben zag dat een paar van zijn voortanden ontbraken. Hij ging op de leuning van de vinyl stoel naast het bed zitten. 'Heb je de politie ervan op de hoogte gesteld?' Geen reactie. 'Je hebt hem verteld dat je iets had gevonden, hè? Wat heb je gedaan? Heb je gezegd dat je het mij zou vertellen als hij je niet een aanzienlijk geldbedrag gaf? En toen? Was je van plan te kiezen voor degene die je het meeste geld bood, of wilde je van twee walletjes eten? Alleen koos Cole ervoor je een flink pak rammel te geven, hè.'

Quilley weigerde hem nog steeds aan te kijken, maar zijn kin trilde.

Ben leunde naar voren en rook ontsmettingsmiddel en ongewassen lichaamsgeur. 'Maar wat had je nou ontdekt?'

De detective bleef strak naar het plafond staren, maar het trillen van zijn mondhoeken verergerde. Het leek alsof zijn adamsappel zich zodra hij slikte door zijn huid zou boren.

'Ik wil je er best voor betalen,' zei Ben.

Quilley deed zijn ogen dicht. Vanuit een ooghoek liep een traan zijn oor in.

'Alsjeblieft. Het is belangrijk. Heeft het met Cole te maken?'

Het zag ernaar uit dat Quilley ook die opmerking ging negeren, maar uiteindelijk schudde hij amper zichtbaar zijn hoofd.

'Wat was het dan? Ging het over zijn vrouw? Ik weet dat er mannen over de vloer komen als Cole op zijn werk zit. Is dat het? Of is het iets anders?' Maar Quilley gaf geen kik meer. Ben slaakte een diepe zucht en probeerde de frustratie van zich af te zetten. 'Waarom weiger je het me te vertellen? Ben je bang voor hem?'

De detective wendde zijn hoofd af.

Ben stond op. Hij had van tevoren gedacht dat hij een soort genoegdoening zou voelen om te zien dat de detective er zo aan toe was. Dat was echter niet zo, maar om nou te zeggen dat hij medelijden met hem had... Nee.

Hij liep zonder verder nog iets te zeggen de kamer uit en besloot eventjes langs de verpleegkundigenpost te gaan. Er zat een gezette jonge vrouw achter, die druk bezig was met het noteren van iets. Ze keek op toen hij stil bleef staan voor de balie.

'Ik ben een vriend van meneer Quilley. Weet iemand wat er met hem is gebeurd?'

Het duurde even voor ze begreep over wie hij het had. 'O, u bedoelt die man die in elkaar geslagen is? Nee, ik geloof het niet. Hij zegt dat hij het zich niet kan herinneren. Maar gezien de ernst van zijn verwondingen lijkt het me sterk dat het één iemand kan zijn geweest. Hij heeft erg veel inwendig letsel. Hij mag van geluk spreken dat hij nog leeft.'

17

Hij voelde Tunford aan hem trekken, zelfs nadat hij al voorbij de afslag was. Hij bleef nog een paar kilometer denken aan wat er achter hem lag, alsof een deel van zijn hersenen achterom bleef kijken hoe het in de verte steeds kleiner werd.

Er lag ook meer sneeuw hier, vuilwitte, smeltende hopen naast het asfalt, die de kale bomen en het dode gras als een schimmel bedekte. Ben had de verwarming op de hoogste stand gezet, maar de klamme kou was desondanks in zijn kleren getrokken.

Of misschien was die kou wel gewoon in hem getrokken.

Het industrieterrein ademde een verlaten zondagse sfeer uit en in het plaatsje zelf viel zo te zien al evenmin iets te beleven. Er waren een paar rijtjeshuizen waarvan de ruiten versierd waren met engelenhaar en gekleurde kerstballen, maar in het grauwe licht bood het geen al te overtuigende aanblik. Toen hij de straat in reed waar het echtpaar Paterson woonde, zag hij dat er sinds de vorige keer nog een paar dichtgetimmerde huizen waren verdwenen. In het stuk straat dat alleen nog maar bestond uit half ingestorte huizen en hopen steen, was men al tot ver voorbij het midden gevorderd en de bulldozers en graafmachines leken geduldig tussen de hopen steen te wachten tot ze de rest ook te lijf konden gaan.

Ben parkeerde voor het huis en klopte op de deur. In de plantenbak op de vensterbank zat alleen nog maar wat aarde. De ruit erboven was beslagen. Hij stampte een paar keer met zijn voeten op het stoepje en voelde hoe de bedompte omgeving zijn longen vulde.

De deur werd geopend door Ron Paterson, die hem gedag knikte en meteen een stapje achteruitzette om hem binnen te laten.

Het rook in de keuken weer, of nog steeds, naar gebraden vlees. In de kleine open haard zag hij wat gloeiende kooltjes liggen. Het was heerlijk warm binnen en de kou in zijn lijf was al bijna verdreven.

Paterson deed de keukendeur snel dicht. 'Geef je jas maar hier.' Ben trok hem uit, waarna de man naar de trap liep en hem over de leuning hing. 'Weet u zeker dat u het niet erg vindt dat ik langskom?' vroeg Ben zodra hij weer terug de keuken in kwam.

'Dan had ik het echt wel gezegd.' Hij knikte in de richting van de tafel. 'Ga zitten.'

Ben had de dag ervoor gebeld of het goed was als hij even langskwam. Paterson had hem gevraagd vóór het middagmaal te komen, omdat ze dan warm aten, maar hij had Ben niet gevraagd naar de reden van zijn bezoekje. Het sprak voor zich dat het met Jacob te maken had.

'Hoe gaat het met Mary?'

Paterson stond bij het aanrecht met de waterkoker. 'Ze ligt momenteel in het ziekenhuis.'

'O, jee. Het is toch niet ernstig?' Ben was ervan uitgegaan dat zijn echtgenote gewoon nog boven was.

'We wachten nog op de uitslagen van de onderzoeken.' Hij zei het heel nuchter en liet verder niet merken wat het met hem deed. Hij drukte op het knopje van de waterkoker. 'Zin in een kopje thee?'

Hij pakte een theepot en twee mokken en kwam daarna aan tafel zitten. 'Wat kan ik voor je doen?'

'U hebt de vorige keer dat ik hier was iets gezegd wat me aan het denken zette. Over Sandra Cole.'

'Ik heb zoveel gezegd.'

'U zei dat u iets over haar had gehoord, maar u maakte uw zin destijds niet af. Ik vroeg me af waar dat over ging.'

Ben had zich dat op de terugweg van het ziekenhuis opeens herinnerd. Hij wist dat hij dit hele eind misschien had afgelegd voor iets wat wellicht een nutteloze roddel bleek te zijn, maar om nou te zeggen dat hij het zondags zó druk had dat hij hier geen tijd voor had...

Paterson zoog wat lucht tussen zijn tanden door. Hij keek Ben niet aan, maar gaf evenmin de indruk dat hij zijn blik ontweek. 'O, dat waren slechts geruchten.'

'Maar wat voor geruchten?'

'Ik hou niet van roddelen.'

'Het zou belangrijk kunnen zijn.'

Daar dacht Paterson even over na. 'Waarom?'

Ben vertelde hem wat er gebeurd was. Jacobs grootvader hoorde hem zwijgend aan. Hij stond op een gegeven moment op om de waterkoker uit te zetten, maar maakte geen aanstalten om thee te zetten. Afgezien daarvan verroerde hij zich echter niet terwijl Ben hem over Coles bezigheden in de achtertuin vertelde, en over die van Sandra in de slaapkamer. Ben vertelde hem ook dat Jacob niet meer naar school ging en wat er gebeurd was toen de twee mannen hem in het bos hadden aangetroffen. Hij verzweeg niets, behalve dan dat hij kortstondig op een zijspoor was beland doordat hij zich had laten opgeilen door Sandra Cole. Hij wilde vooral benadrukken hoe vreemd en labiel Coles manier van doen was en dat hij niet alleen niet in staat was om goed voor Jacob te zorgen, maar ook echt een risico voor de jongen vormde.

Toen hij Patersons grimmige blik zag, wist hij dat hij het niet had hoeven aandikken.

Er viel een stilte toen hij was uitgepraat. De kooltjes in de open haard waren bijna opgebrand en het hoopje bezweek in een regen van vonkjes. De gasoven siste zachtjes. Paterson liep ernaartoe en zette hem wat lager.

'Ik heb nooit drank in huis,' zei hij. Hij wachtte zijn antwoord niet eens af en ging Bens jas al pakken.

Hij nam hem mee naar de arbeiderssociëteit. Het was een apolitieke verzamelplek in een lelijk bakstenen pand, met een zo mogelijk nog lelijkere aanbouw uit de jaren zestig aan de voorkant. Bij de ingang zat een bedaagde gezette man in een driedelig bruin kostuum achter een bureautje. Hij begroette Paterson met een amechtig 'goeiemiddag, Ron,' en schoof een groot boek naar hem toe dat hij blijkbaar moest tekenen. Ben noteerde zijn eigen naam in de kolom voor gasten en liep vervolgens achter hem aan naar binnen.

Het was een groot vertrek, met een verhoogd podium aan een kant. Er hingen felgekleurde linten van het plafond naar het midden van het podium en aan de wanden bungelden een paar half leeggelopen ballonnen. Het toneel zelf was versierd met een soort gouden plastic kwastjes, die als kerstversiering konden zijn bedoeld, ware het niet dat het geheel een blijvend uitgebluste indruk maakte. In de ruimte zelf waren lukraak wat grote ronde tafels van donker hout met bijpassende stoelen neergezet. Een paar ervan waren bezet, vooral door mannen, maar druk was het zeker niet.

Ben wilde de drankjes graag voor zijn rekening nemen, maar daar wilde Paterson niets van horen. 'Nee, je bent hier als mijn gast,' zei hij op een toon waaruit bleek dat hij een man van protocol en traditie was. Ze liepen met hun biertjes naar een tafel bij het raam. Paterson knikte een paar mannen gedag, maar maakte geen praatje. Ze gingen zitten en namen snel een slok van hun bier, als een noodzakelijk ritueel dat aan het gesprek vooraf moest gaan. Het voelde koud aan en bevatte veel koolzuur, zodat Ben meteen al een boer moest onderdrukken toen ze allebei hun glas neerzetten.

De stilte was niet zozeer pijnlijk, maar lag eerder aan het feit dat ze geen van beiden wisten waar te beginnen.

'Het is hier 's avonds altijd erg druk. Vooral in het weekend.' Paterson gebaarde met zijn kin naar het podium. 'De voorstellingen zijn soms ook best aardig.'

'Hm-hm.'

'Mary en ik kwamen hier vroeger behoorlijk vaak. Voor we naar Londen verhuisden, en daarna ook nog wel. Toen het allemaal nog wel goed ging met haar. Tegenwoordig gaat dat eigenlijk niet meer.' Hij keek om zich heen alsof hij de ruimte voor het eerst zag.

Ze namen allebei nog een slok.

'Ik kan nergens voor instaan.' Paterson kwam wel heel abrupt ter zake. 'Het zijn alleen maar dingen die ik andere mensen heb horen zeggen. Niets specifieks of zo.'

Ben knikte.

Paterson staarde naar zijn glas. 'Ze schijnt nogal wat op haar kerfstok te hebben.'

'Hoe bedoelt u?'

'Nou ja, ze deugt gewoon niet. Het is er zo eentje die er geld voor aanneemt.' Hij keek Ben even aan om zeker te weten dat hij het begreep.

'U bedoelt dat ze een hoer was?'

'Ja, dat heb ik althans gehoord. Een van de zoons van een club-genoot hier had een maat die net als Cole in Aldershot zat. Hij gokte dat ze zowat het halve regiment al had afgewerkt voor ze met hem trouwde.' Hij tuitte zijn lippen afkeurend. 'En als ik jou mag geloven, doet ze dat dus nog steeds.'

Ben was teleurgesteld. Ook al was het waar, dit was niet het nieuwtje waarop hij had gehoopt. 'En was er nog meer?'

Hij zag dat Paterson niet zeker wist of hij hier goed aan deed. 'Er waren wat andere verhalen, over gedoe waarbij ze betrokken was geweest,' zei hij uiteindelijk. 'Ander gedoe. Maar ik zou je niet kunnen zeggen wat. Ik luister liever niet naar dat soort praatjes.'

'Kent u misschien iemand die dat wel zou weten?'

De andere man dacht daar even over na en schudde toen zijn hoofd.

'En die zoon van die clubgenoot over wie u het net had?'

'Die zijn vorig jaar verhuisd. Ik zou niet weten waar naartoe.' Hij pikte de frustratie in Bens blik waarschijnlijk op en voegde er meteen aan toe: 'Je dacht dat ik je iets kon vertellen waardoor je hem terug zou kunnen krijgen.'

Het was geen vraag. Ben had zelf niet gezegd waarom hij het wilde weten, alleen dat hij zich zorgen maakte over Jacob. 'Ik heb te horen gekregen dat ik geen schijn van kans maak.'

Paterson nam nog een slok. 'John Cole zal hem nooit laten gaan. Die laat zich niet commanderen.'

Ben zweeg.

'Hij is altijd al heel bezitterig geweest. Hij had zelfs liever niet

268

dat Jeanette überhaupt het huis verliet, of wat dan ook deed als ze dat niet eerst aan hem had gevraagd. Dat was toen al zo. Nu hij zijn zoon terug heeft, zal hij hem niet meer laten gaan.' Hij tikte met zijn vinger op tafel om dat te benadrukken. 'Dan bedoel ik dus ook echt niemand. En ik denk maar liever niet aan wat er zou kunnen gebeuren met iemand die het zou proberen.'

'U vindt dat ik het maar gewoon moet opgeven, hè.'

De oude man zag er opeens heel erg moe uit. 'Ik vind het net zo naar als jij om te bedenken dat mijn kleinzoon daar zit. Maar John zal hem heus niet moedwillig iets aandoen. Die jongen is het enige wat hij heeft. En die sloerie... Ach, die heeft niks te betekenen.' Hij maakte een soort wegwerpgebaar. 'Zij doet er niet toe. Maar voor die jongen zou hij zijn leven geven. Als hij de indruk krijgt dat hij hem weer kwijt zou kunnen raken, zal dat voor hem voelen alsof hij alles opnieuw verliest. En ik denk niet dat het hem dan nog veel zal kunnen schelen wat hij doet.'

'Ik zal voorzichtig zijn,' zei Ben.

Paterson pakte zijn biertje. 'Ik had het eerlijk gezegd niet over jou.'

Ze hadden nog een pilsje genomen, ditmaal op Bens rekening, dus blijkbaar sloeg het protocol dat je als gast niet hoefde te betalen alleen op het eerste rondje. Daarna waren ze teruggereden naar Patersons huis en had hij Ben uitgenodigd om te blijven eten. 'Ik heb genoeg gemaakt voor twee. Zo'n ingesleten gewoonte krijg je er niet zo snel meer uit.'

Na het eten keken ze op de kleine televisie in de woonkamer samen naar de voetbalwedstrijd. Ben voelde zich opvallend snel op zijn gemak en was al snel ook een tikkeltje loom. Door het bier, het vlees en het vuur dat in de haard knetterde, voelde hij zich beter dan hij zich in tijden had gevoeld. Grote delen van de middag gingen voorbij zonder dat ze iets tegen elkaar zeiden, maar de stiltes voelden nooit ongemakkelijk aan. Toen Paterson op een zeker moment zei dat hij zich klaar moest maken om naar zijn vrouw te gaan, bood Ben aan met hem mee te gaan naar het ziekenhuis.

De oude man wimpelde het af, maar zonder heisa of gêne. 'Ze is nu helaas niet op haar best. Kom nog maar eens langs als ze weer thuis is.'

Ben begreep zonder daar aanstoot aan te nemen dat hij beter naar huis kon gaan. Paterson liet hem uit, maar gaf hem geen hand. Dat zou op de een of andere manier niet goed hebben gevoeld.

'Daag hem niet uit,' zei hij nog wel.

Ben had bijna 'oké' gezegd.

Maar hij zei het niet.

Hij bracht de kerstdagen door in de Caraïben. Het was een van die zeldzame buitenkansjes, een klus van een reclamebedrijf dat zich op het laatst had bedacht en een andere fotograaf wilde en hun klant had beloofd dat ze meteen na oudjaar ook met iets zouden komen. Ze klonken opgelucht toen Ben had gezegd dat hij beschikbaar was.

Bijna net zo opgelucht als hij zelf was.

Hij stuurde Jacob een groot pakket met kerstcadeautjes, maar hij had geen idee of de jongen begreep van wie het was. En of Cole het hem wel zou geven. Hij nam voor hij vertrok nog wel contact op met Ann Usherwood, om te bespreken of ze nog iets met Sandra Coles verleden konden. De advocate had er weinig fiducie in en had hem gewaarschuwd dat het in de papieren zou lopen en het onderzoek waarschijnlijk toch geen nieuwe feiten zou opleveren. 'Als er iets strafbaars was gebeurd, zouden de instanties daar heus van op de hoogte zijn,' had ze gezegd. Ben was niettemin blijven aandringen.

Want als Quilley het bijna met de dood had moeten bekopen, moest het wel iets belangrijks zijn.

Hij stapte op het vliegtuig zonder verder nog iets van haar te hebben vernomen. Op het allerlaatst zag hij het opeens helemaal niet meer zitten, en had bijna afgebeld. Hij werd opeens gegrepen door een raar voorgevoel dat er iets rampzaligs zou gebeuren en dat alleen hij dat kon voorkomen. Alleen de wetenschap dat hij met de feestdagen toch niets van Ann Usherwood zou horen en dat hij zich professioneel niet nog een misser kon veroorloven, deed hem uiteindelijk alsnog in het vliegtuig stappen.

En toen hij meteen al bij het uitstappen de hete zon op zijn huid voelde prikken, wist hij dat hij er goed aan had gedaan. Dit was zo totaal anders dan alles wat hij met de kerstperiode associeerde, en dus ook met de pijnlijke herinneringen aan Sarah en Jacob, dat de dagen waar hij van tevoren als een berg tegen op had gezien, bijna ongemerkt voorbijvlogen. Zelfs eerste kerstdag verliep relatief pijnloos. Ze hadden 's ochtends gewerkt en de rest van de middag aan het zwembad doorgebracht, waar iedereen zich langzaam maar zeker een stuk in de kraag had gedronken. Toen het begon te schemeren was Ben zelfs bijna vergeten welke maand het was.

Aan oudejaarsavond viel helaas niet te ontsnappen. Toen was hij ook weer terug in Londen. Hij was voor meerdere feesten uitgenodigd, zelfs voor meer dan vroeger, maar hoewel hij wist waarom en daar natuurlijk ook blij mee was, was hij niet van plan de deur uit te gaan. Nee, hij wilde de deur juist op slot doen, de klokken naar de muur toe draaien en dan met een fles binnen handbereik videootjes kijken tot het nieuwe jaar was aangebroken.

De herinneringen aan voorgaande jaren denderden echter als een kudde olifanten op hem af. Het waren maar vier oudejaarsavonden geweest, meer dan dat hadden ze als gezin niet eens gehad. Het was onvoorstelbaar dat het er maar zo weinig waren geweest. De leukste keer was het tweede jaar geweest dat ze het samen vierden, toen ze Jacob bij Sarahs ouders hadden gestald en zij naar een feest in Knightsbridge waren gegaan. Het was een idioot chique bedoening, maar ze kenden er amper iemand en waren al snel na middernacht weer weggegaan. Ze waren aangeschoten en wel thuis gekomen, hadden vervolgens giechelend hun kleren uitgetrokken en op de vloer van de woonkamer de liefde bedreven.

Het jaar daarna, vorig jaar, was minder gedenkwaardig geweest: Jacob had griep gehad en ze waren dus gewoon thuisgebleven. Als hij daar nu echter aan terugdacht, en dat het de laatste oudejaarsavond was die ze samen hadden gehad, de laatste die Sarah had meegemaakt, maakte dat het zo mogelijk nog schrijnender. Het voelde aan de ene kant als de dag van gisteren en anderzijds juist veel langer dan een jaar geleden.

Hij zette de wodka op grijpafstand op de grond en keek de ene stompzinnige film na de andere, zonder tussendoor een pauze in te lassen.

Toen de telefoon ging, schrok hij dan ook. Hij sprong op en vergat helemaal dat er een glas wodka op zijn borst balanceerde. Toen hij eenmaal rechtop stond, tolde de hele kamer om hem heen. Op het televisiescherm zag hij een kleurenbrij, maar hij kon er geen chocola van maken. En de telefoon bleef maar rinkelen. Stom dat hij vergeten was de stekker eruit te trekken, want het laatste waar hij nu zin in had, was iemand die hem 'Gelukkig Nieuwjaar' wilde wensen.

Hoezo een gelukkig nieuw jaar?

Nog voor hij opnam had hij er dus al flink de pest in. 'Ja, hallo?' Hij zei het opzettelijk nors.

Hij hoorde feestgedruis aan de andere kant van de lijn: gejoel, gelach en van die feesttoetertjes met confetti erin. 'Ben? Ben jij dat?'

Een stem die hij niet had verwacht te horen, wist zijn wodka-waas te doorbreken. 'Pap?'

'Kun je me verstaan?'

'Ja. Waar zit je?'

'We zijn bij vrienden.'

Hoewel hij wist dat dat nergens op sloeg voelde Ben niettemin teleurstelling opwellen dat zijn vader niet ergens in de buurt was.

'Ik dacht: ik zal toch eens even bellen om te vragen hoe het met je gaat.'

'O... Nou, gaat wel, hoor. En met jou?'

'Prima!' Er viel een korte stilte. 'Ik wilde alleen maar even zeggen...'

Niet doen. Ga nou niet Gelukkig Nieuwjaar zeggen. Alsjeblieft, niet doen!

'... Nou ja, je snapt het wel. Ik denk aan je.'

Ben kreeg een brok in zijn keel.

'Ben je daar nog, Ben?'

'Ja.'

Hij hoorde iemand gillen op de achtergrond, gevolgd door een bulderend gelach. Hij hoorde iemand de naam van zijn vader roepen. Het klonk als zijn stiefmoeder.

'Ik moet maar 's gaan,' zei zijn vader. Maar hij verbrak de verbinding niet. Wie zijn naam net ook had geroepen, riep die nu nog wat luider. 'Zorg goed voor jezelf, Ben.'

Hij wilde eigenlijk nog iets zeggen, maar het achtergrondlawaai van het feestje had al plaatsgemaakt voor de ingesprektoon.

Hij legde de telefoon neer. Buiten hoorde hij vuurwerk. Het was waarschijnlijk even na twaalven. Hij veegde de tranen weg en liep terug naar zijn glas wodka.

Het nieuwe jaar ging gewoon door waar het oude was geëindigd. Hij werkte, ging na zijn werk wel eens stappen en kwam thuis in een leeg huis. Hij had januari altijd al de ergste maand van het jaar gevonden en probeerde te bedenken dat hij zich er maar doorheen moest zien te slaan. Op een regenachtige zondagmiddag zat hij een film te kijken en realiseerde zich toen pas dat het die dag eigenlijk zijn 'papadag' was. Hij was het zelf dus al vergeten. En dat zat hem dwars, niet zozeer omdat hij had gehoopt dat hij Jacob nu wel zou mogen zien, maar omdat hij zich er zelf schijnbaar al bij had neergelegd. Het voelde als een voorteken van hoe de toekomst eruit zou zien.

Hij vroeg zich tegelijkertijd echter af of hij niet moest ophouden met zich vastklampen aan strohalmen en zich op iets reëlers moest richten, zoals een beroep doen op zijn wettelijke recht op contact met Jacob, zoals Usherwood hem ook had geadviseerd. Alleen gold daar in feite hetzelfde voor. Cole zou blijven weigeren zijn zoon te delen en zich niets aantrekken van de bemoeienis van anderen. Zolang hij Jacob had, zou hij gewoon zijn gang gaan, tot hij uiteindelijk iets zou doen wat zelfs de autoriteiten niet meer konden negeren.

Ben hoopte maar dat Jacob niet al voor die tijd ten onder was gegaan aan de vrije wil van zijn vader.

Hij had verwacht dat hij vrij snel na oudjaar wel iets van Ann

Usherwood zou horen, maar het was al februari en ze had nog steeds geen contact opgenomen. Hij was Sandra Coles verleden eigenlijk al als een dood spoor gaan beschouwen toen de advocate hem op een ochtend alsnog belde.

'Hoe snel kun je hierheen komen?' vroeg ze meteen.

Hij was in de studio en zou net beginnen aan een shoot. Zijn eerste impuls was de hele boel af te zeggen, maar toen dacht hij aan Zoe en besloot dat niet te doen. 'Op zijn vroegst morgen pas. Heb je iets gevonden?'

'Genoeg om te weten dat maatschappelijk werk zijn zaakjes niet op orde heeft,' antwoordde ze. 'Sandra Cole heeft een twaalf jaar oud strafblad voor prostitutie en drugsbezit. Ze is voor Cole getrouwd geweest met ene Wayne Carter, een pooier en drugsdealer. Ze woonde destijds in Portmouth – dat valt dus onder een andere gemeente dan Tunford – en ze heeft na hun echtscheiding haar meisjesnaam weer aangenomen. Als de instanties hier geen grondig onderzoek naar haar achtergrond hebben ingesteld, en dat hebben ze dus duidelijk niet gedaan, kunnen ze dat akkefietje zomaar over het hoofd hebben gezien.'

Bens neerslachtigheid maakte op slag plaats voor een gevoel van zowel opwinding als ongeloof. Maar Usherwood was nog niet uitgepraat.

'En dat is niet het enige wat ze ontgaan is. Sandra en Wayne Carter hadden een klein kind, een meisje. Die is toen ze achttien maanden oud was overleden aan de gevolgen van kindermishandeling.'

18

Het was even droog geweest, maar tegen de tijd dat de kroeg dicht-
ging, kwam het alweer met bakken uit de hemel. Ben zag dat het
vooral mannen waren. Ze hadden hun kraag opgezet en liepen ineengedoken met hoog opgetrokken schouders om zich nog enigszins tegen de stortbui te wapenen. Maar blijkbaar kregen ze liever
kletsnatte haren en een doorweekt bovenlijf dan dat ze zo'n lullig
parapluutje opstaken.

Ben keek de laatste paar borrelaars na die wegsnelden, waarna
de straat weer verlaten was. Hij draaide het raampje op een kier
omdat de ruiten beslagen waren en hij rilde door de koude regendruppels die meteen al naar binnen woeien. Toen hij hier ruim
een kwartier geleden had geparkeerd, had hij de motor uitgezet en
de eerder opgebouwde warmte was helaas al grotendeels vervlogen.

Hij duwde zijn handen in zijn oksels en wachtte. Na ongeveer
een halfuur ging de deur van de pub weer open en stapte er een
vrouw naar buiten. Ze ging half schuil achter een opvouwbare paraplu die niet goed bestand was tegen de harde rukwinden. Ben
wreef de ruit schoon omdat hij niet zeker wist of zij het wel was.
Op dat moment werd haar jas echter handig opgelicht door een
windvlaag en kwam er een minirokje tevoorschijn, en zag hij dat
hij gelijk had.

Toen ze langs zijn auto liep klapte haar paraplu binnenstebui-
ten. Ze bleef staan en probeerde hem terug te buigen. Ben boog
opzij en duwde het portier naast hem open, dat door de wind bijna meteen uit zijn handen werd gerukt.

'Wil je een lift?'

Sandra Cole kneep vanwege de striemende regen haar ogen tot spleetjes. Aan de manier waarop haar mond verstrakte, kon hij precies het moment zien dat ze hem herkende. Ze klapte de paraplu met een ruk weer terug en hij hoorde het geklak van haar hakken die zich van hem verwijderden. Ze probeerde hem te negeren.

'Ik kan natuurlijk ook via de achterdeur komen,' riep hij haar na.

Ze hield in, keek om en probeerde te peilen wat hij precies bedoelde. Hij had pijn in zijn rug omdat hij nog steeds in een rare draai vooroverhing om het portier open te houden. 'Het is echt waanzin om in dit weer te gaan lopen,' zei hij.

Ze bleef besluiteloos staan. Uiteindelijk keek ze schichtig om zich heen, klapte de paraplu in en stapte alsnog in.

Ze zat zo dichtbij dat hij kon horen dat ze een tikkeltje kortademig was toen hij optrok. Het rook in de auto nu al naar haar parfum en naar natte kleren en hoewel ze de vochtige kou mee naar binnen had genomen, meende hij haar onderhuidse warmte ook te kunnen voelen. Haar haren, die door de regen iets donkerder waren en waarschijnlijk dus ook meer op haar natuurlijke kleur leken, zaten tegen haar voorhoofd en nek geplakt. Door alle regendruppeltjes leek haar gezicht bijna bezweet.

Op een van haar wangen zat een grote blauwe plek, die ze met wat make-up had gepoogd te maskeren.

'Wat doe jij hier?' vroeg ze.

'Volgens mij moeten wij nodig 's praten.'

'O ja?'

'Ja, ik denk van wel.'

'Nou, ik denk van niet. Ik heb jou niks te melden.'

'Dat verandert misschien als je eenmaal hebt gehoord wat ik jou te melden heb.'

Hij was minder zelfverzekerd dan hij klonk. Zijn aanvankelijke opwinding over het nieuws waar Ann Usherwood mee was gekomen, was meteen ook weer getemperd toen ze hem had verteld dat het strafblad verjaard was en ook niet relevant werd geacht voor de huidige situatie. Het enige resultaat was dat maatschappelijk werk erdoor in verlegenheid zou worden gebracht en hoewel de dood van Sandra's eigen kind natuurlijk ernstig was, was haar toenmalige echtgenoot daar destijds als enige voor vervolgd. Hij was schuldig bevonden aan doodslag, zij was slechts beschuldigd van verwaarlozing.

'Bovendien kan Cole sowieso niet aansprakelijk worden gesteld voor iets wat zijn echtgenote heeft gedaan voordat hij haar ontmoette,' had de advocate hem gezegd. 'En zelfs al zou men van mening zijn dat het niet verantwoord is dat ze met een kind onder een dak woont – wat me eerlijk gezegd sterk lijkt – voor wie denk je dat hij zou kiezen als hij voor die keuze werd gesteld?'

Nee, over het antwoord op die vraag hoefde hij inderdaad niet lang na te denken. Mijn god, zelfs dit is dus nog niet voldoende, dacht hij. Hij was bijna ten einde raad. 'Wat is er in godsnaam nog meer voor nodig?' was de vraag waar hij telkens op uitkwam. Usherwood had hem vervolgens wel verteld dat ze nu veel sterker stonden om zijn omgangsregeling af te dwingen en vroeg of hij wilde dat ze zijn zaak aan de bevoegde instanties zou voorleggen. 'Nee,' had hij geantwoord. 'Nog niet.'

Hij wilde namelijk eerst nog iemand spreken.

Doordat ze zo dicht op elkaar zaten in de auto, was hij zich er heel erg van bewust dat Sandra Cole hem monsterde, maar hij hield zijn blik strak op de weg voor hem gericht. Tot hij voor haar huis stilhield deden ze er ook allebei het zwijgen toe. Hij zette de motor af.

'Oké, zeg maar wat je te zeggen hebt,' zei Sandra.

'Dat vertel ik je liever binnen.'

'Dat kan niet.' Afgezien van agressie hoorde hij duidelijk ook iets angstigs in haar stem doorklinken.

'Als we hier blijven zitten, kan de hele straat meegenieten. En ik denk niet dat hij heel blij zal zijn als hij dat hoort.'

Haar mond verstrakte, maar ze stapte wel uit. Ben pakte zijn tas van de achterbank en liep achter haar aan. De regen spatte hoog op en hoewel het maar een klein eindje naar de voordeur was, was hij nu al doorweekt. Hij had eigenlijk verwacht dat ze de voordeur achter zich dicht zou hebben getrokken, maar dat was niet zo.

Hij stapte over de drempel en veegde zijn gezicht af met zijn nog enigszins droge mouw. Het was donker en koud in de gang en het rook er wat zurig, zonder dat hij de geur meteen wist thuis te brengen. Hij hoorde ergens gestommel van Sandra en liep in de richting waarvandaan het geluid klonk.

Een van de deuren in de gang stond op een kier. Hij wierp in het voorbijgaan een vluchtige blik in de woonkamer. Hij zag een bank die vol kleren lag, een paar stoelen en op de grond wat speelgoed en enkele tijdschriften. Op een van de stoelleuningen hing een t-shirtje van Jacob, hij herinnerde zich nog precies wanneer Sarah dat voor hem had gekocht. Hij wendde zijn blik af, ontweek een autoband die tegen de muur stond geleund en liep door naar de keuken.

Die kwam hem tegelijk zowel vertrouwd als onbekend voor, als een plek die je uit een droom kent. Hij kende deze ruimte natuurlijk vooral van buitenaf, vanachter het raamkozijn en door een zoeker, een tweedimensionaal beeld zoals op televisie. De werkelijkheid was veel scherper, maar aan de andere kant raar genoeg ook minder echt. Hij kon amper geloven dat hij hier nu stond. *Alsof ik in het Spiegelland van Alice ben terechtgekomen.* Hij wierp een blik door de ramen, maar door de regen en omdat ze half beslagen waren, was de heuvel grotendeels aan het zicht onttrokken en niet veel meer dan een vage schim.

Op de voorgrond tekenden de donkere stapels van de autowrakken zich voor hem af.

Sandra was in de weer met de stekker van een convectorkacheltje en draaide zich daarna naar hem om. Ze zette haar handen in haar zij en leunde tegen het aanrecht.

'Nou? En?'

Nu hij hier eenmaal stond, wist hij opeens niet meer waar hij moest beginnen. Hij zette zijn tas op de grond. 'Ik wil Jacob terug.'

Sandra bleef hem even aanstaren, legde toen haar hoofd in haar nek en begon te schateren. 'Oké... Dus dat wilde je me zeggen?' Haar blik straalde onverholen minachting uit, maar hij meende ergens ook iets van opluchting te bespeuren. 'Nou, als dat het enige is wat je te melden hebt, kun je nu net zo goed weer naar Londen opsodemieteren. En nog bedankt voor de lift, hè.'

Het kacheltje had de ruimte natuurlijk nog lang niet warm gekregen, maar Ben had het in zijn dikke jas nu al smoorheet. 'Waar ben je precies bang voor, Sandra?'

'Ik ben helemaal nergens bang voor. Ik wou alleen graag dat jij opdonderde en ons met rust liet.'

'Dat ik júllie met rust laat?' Hij was echt stomverbaasd. 'Dit hele gedoe is begonnen omdat ik Jacob van jullie niet mag zien.'

'Als je zoveel geeft om dat ettertje, had je hem niet moeten afstaan.'

'Ja, maar toen kende ik Cole nog niet, hè.'

Ze liet haar armen zakken en liep naar hem toe. 'Hij is geen hond, hoor! Hij heeft ook een voornaam!'

Ben weigerde terug te krabbelen. 'Jij weet net zo goed als ik dat hij niet goed bezig is.'

'O ja?'

'Ja, dat denk ik echt. En je wilt Jacob hier net zomin als ik dat wil.'

'Hoezo ben jij opeens zo'n expert in wat ik wel of niet wil?'

Omdat ik je heb bespied. 'Dus ik heb het mis?'

Ze wendde haar blik af. 'Dat maakt niet uit. Wat ik wil, doet er toch niet toe.' Het kwam er zo onverbloemd verbitterd uit dat het bijna tastbaar was. Ze keek hem plotseling weer recht in de ogen. 'Denk je nou werkelijk dat het ene moer uitmaakt dat je hier nu bent? Denk je echt dat ik jou ga helpen? Zelfs al zou ik het kunnen!'

'Nou... Ja, ik hoopte inderdaad dat je dat zou doen.'

'Nou, dat heb je dan mooi mis. Sorry voor de teleurstelling.' Ze liep naar haar handtas en pakte haar sigaretten.

'Ook al kan ik Jacob niet terugkrijgen, ik wil wel graag dat er goed voor hem gezorgd wordt,' zei Ben. 'Hij kan niet zomaar naar een gewone school en het is goed voor hem als hij met andere kinderen omgaat. Dat krijgt hij nu allemaal niet.'

Sandra had een sigaret tussen haar lippen geklemd. Ze streek een lucifer af en stak hem aan. 'Tja, het leven is geen lolletje, hè.'

'En hoe zit het met al die macho-onzin, dat gewichtheffen in de tuin, en nog wel vlak boven Jacobs hoofd? Stel dat hij dat ding laat vallen?'

Ze wierp hem een scherpe blik toe, maar vroeg hem niet hoe hij dat wist. Hij zag weer die flikkering van angst in haar ogen die hij zo-even ook had gemeend te bespeuren. Ze blies een rookwolkje naar het plafond. 'O, dat laat John echt niet vallen, hoor.'

'En daar moet ik genoegen mee nemen? Eén foutje van hem en Jacob is dood! En jij doet gewoon alsof je neus bloedt.'

Ze haalde haar schouders op.

'Heb je dan helemaal niks geleerd van het feit dat je je eigen dochtertje hebt laten doodgaan?'

Ze trok wit weg. De kneuzing op haar wang leek wel een rode geboortevlek. 'Van wie heb je dat?'

Ben had haar er liever niet zo plompverloren mee geconfronteerd, maar hij kon nu niet meer terug. 'Ik weet dat je hiervoor al eens getrouwd bent geweest. En van je strafblad.' Hij probeerde zichzelf wijs te maken dat hij zich hier echt niet rot over hoefde te voelen.

Sandra wankelde zichtbaar, alsof ze op het punt van flauwvallen stond. Ze deed haar ogen even dicht. 'Dat heb je zeker van die klotedetective, hè? Ik wou dat John hem had vermoord.'

Nou, dat is hem ook bijna gelukt, dacht Ben bij zichzelf. 'Hij chanteerde hem, hè?'

Haar gezicht stond strak, maar ze knikte uiteindelijk en zei: 'Volgens John zei hij dat hij er anders mee naar de instanties zou stappen, als hij dus niet met het geld over de brug kwam. Wat een schoft!'

'En toen heeft Cole hem dus een lesje geleerd?'

Hij dacht even dat ze weer tegen hem zou uitvallen omdat hij Coles voornaam niet had gebruikt, maar dat deed ze niet. Nee, dat hadden ze nu wel gehad. Ze keek hem alleen maar aan alsof ze nog nooit zo'n domme vraag had gehoord.

Hij merkte dat hij bloosde. 'Dus hij hoorde pas over jouw verleden toen Quilley hem dat vertelde?'

'Nee. Maar hij vond het niet belangrijk. Hij had ook nooit gedacht dat er iets zou kunnen zijn waardoor hij Jacob niet zou terugkrijgen. Nee, Jacob was zijn zoon en dat was het enige wat ertoe deed.'

'Maar heb jij daar zelf dan niet aan gedacht?'

'Natuurlijk wel! Maar wat had ik dan moeten doen? Het hem vertellen? Dan had hij me meteen op straat gezet, als hij had gedacht dat hij door mij zijn dierbare zoontje misschien wel niet terug zou krijgen. Ik heb maandenlang geen oog dichtgedaan omdat ik zo ontzettend bang was dat ze erachter zouden komen.'

Ze had weer wat meer kleur op haar gezicht, maar ze zag er nog steeds doodmoe uit. 'Je hebt geen idee hoe opgelucht ik was toen dat uiteindelijk niet gebeurde.'

'En je was niet bang dat iemand je op tv zou herkennen?'

'Ha! Denk je dat ik nog lijk op hoe ik er twaalf jaar geleden uitzag?' vroeg ze smalend. 'Ha! Dat mocht ik willen. Bovendien dacht ik toen dat ik me geen zorgen meer hoefde te maken. Ze hadden immers geen verband gelegd tussen mij en die stomme gedrogeerde slet die haar dochtertje door haar eigen man had laten doodslaan. Ik dacht dat het eindelijk verleden tijd was. En ik vond dat ik ook wel eens een keertje in de schijnwerpers mocht staan!' Haar gedrevenheid was niet van lange duur. 'Maar toen kwam die klootzak opdagen.'

'Hoe reageerde Cole dan?' vroeg Ben.

Ze wierp hem een woedende blik toe. De kneuzing op haar wang was vuurrood. 'Wat denk je?'

Hij wendde zijn blik beschaamd af.

'Dat was de eerste keer dat hij me sloeg.' Ben dacht terug aan de keer dat Cole haar tegen de schutting had gesmeten en zijn ongeloof viel waarschijnlijk op zijn gezicht te lezen. Haar gezicht betrok weer. 'Ik was al een keer getrouwd geweest met een vent die losse handjes had, hè. Denk je dat ik die fout nog een keer zou maken?'

Maar zelfs boos worden leek haar te veel energie te kosten. Ze leunde weer met haar rug tegen het aanrecht en zoog aan de sigaret alsof haar leven ervan afhing. 'Jezus christus, ik wou dat ik nooit van jou en die zoon van je had gehoord. Waarom moest je het zo nodig oprakelen? Had nou maar gewoon niks gedaan en het gelaten zoals het was.'

Ja, die vraag had Ben zich ook vaak gesteld, maar hij wist het antwoord nog steeds niet. 'Hé! Alsof ik hierom gevraagd heb! Als jouw man wat...' Hij wilde 'redelijker' gaan zeggen, maar dat woord klonk bij nader inzien nogal belachelijk wanneer je het over Cole had. 'Als hij iets anders in mekaar had gezeten, had ik er genoegen mee genomen dat ik Jacob maar een keer per maand mocht zien.'

Maar terwijl hij het zei, wist hij al niet helemaal of dat wel waar was. Ergens kon hij zich namelijk niet voorstellen dat het tussen Cole en hem ooit anders had kunnen lopen. Het had iets onafwendbaars, alsof ze allebei door hun karakter, maar ook door wat er inmiddels gebeurd was, waren voorbestemd dit pad te bewandelen. Hetzelfde pad dat hem hierheen had gevoerd en ertoe had geleid dat hij nu hier tegenover haar in de keuken stond. En nu? Waarheen voerde het pad nu? Het duizelde hem even, alsof hij van een afstandje keek naar iets wat al gebeurd was. Het leek bijna alsof de uitkomst al vastlag en hij alleen maar hoefde te wachten tot hij zelf zover was.

Dat rare gevoel duurde echter maar even.

'Hoe heb je hem eigenlijk ontmoet?' flapte hij eruit.

'O, alsjeblieft, zeg!'

'Nee, echt. Ik wil het graag weten.' Hij meende het ook echt. Ja, oké, hij wilde ook graag dat ze wat minder op haar hoede was, maar hij was wel degelijk nieuwsgierig.

Ze bleef nog even met een blik vol walging naar hem kijken, maar haalde uiteindelijk haar schouders op. 'Ik verhuisde vanuit Portsmouth naar Aldershot, niet ver van waar hij gestationeerd was. Ik had veel contact met soldaten. Je kent het wel.'

Ja, dacht Ben, dat ken ik inderdaad wel.

'Ik was op een avond aan het werk in de kroeg toen ik werd lastiggevallen door twee vaste klanten, omdat ik weigerde met hen mee naar huis te gaan. Ik zei dat ze moesten ophoepelen, maar ze hadden al iets te veel op, werden handtastelijk en dat liep uit de hand. John kwam tussenbeide en zei dat ze me met rust moesten

laten. Ik kende hem niet, maar dat hij in het leger zat, zag je meteen. En dan heb ik het niet alleen over zijn kapsel. Nee, hij had
echt iets. Hij bleef daar gewoon zwijgend staan terwijl ze hem verrot scholden. Hij was toen trouwens al gewond, het was vlak voor
hij uit dienst ontslagen werd. Hij liep behoorlijk mank, maar ze
waren zo stom om de confrontatie met hem aan te gaan. Tja, zij
waren stomdronken en hij was in z'n eentje, dus een van hen haalde al snel naar hem uit.'

Ze viel stil en ging op in haar herinneringen. Ze kreeg zelfs een
glimlach op haar gezicht. 'Nou, ik kan je verzekeren dat die twee
het daarna een hele tijd wel uit hun kop lieten om nog 's ruzie te
zoeken.' Ze was weer terug in het hier en nu, en haar glimlach
stierf weg. 'Met andere woorden, ze waren een stuk snuggerder
dan jij.'

Ben liep naar het raam, waardoor hij meteen ook heel dicht bij
haar stond. Hij voelde hoe ze hem met een achterdochtige blik
opnam terwijl hij naar de tuin staarde. 'Wat doet hij daar nou eigenlijk?'

'Hij is er niet, hij is op zijn werk.'

'Je weet best wat ik bedoel.'

'Nee, dat weet ik niet.'

Maar erg overtuigend klonk het niet. Hij zag dat ze zelf ook
een blik op de tuin wierp. Haar linkermondhoek zag er een beetje raar uit omdat ze op de binnenkant van haar wang stond te bijten. Ben bedacht tot zijn schrik dat hij zich hier nu eigenlijk best
op zijn gemak voelde bij haar.

'Is hij iets aan het bouwen?' drong hij aan.

'Dat moet je hem vragen.'

'Nou... Ik wil liever mijn volgende verjaardag nog meemaken.'

Er gleed een flauw glimlachje over haar gezicht. Hij wachtte.
Ze drukte haar sigaret uit.

'Hij is op zoek naar het Patroon.'

'Het wat?'

'Dat verrotte Patroon. En wel met een hoofdletter P, hè!' Ze
deed alsof het een grappige uitspraak was, maar ze kon er zo te
zien zelf niet echt om lachen. 'Hij denkt dat achter alles een soort

patroon of zoiets zit. Dat alles wat er gebeurt met een bepaalde reden gebeurt en wij dat alleen niet kunnen zien. Hij zegt dat je dat overal in kan zien, zolang je maar weet waarnaar je moet kijken.'

Ze gebaarde met haar hand naar het raam. 'Daarom ligt al dat schroot daar ook. Omdat hij, als hij er maar lang genoeg naar kijkt, op een gegeven moment dan het Patroon zal doorzien. Hij denkt dat het zich makkelijker openbaart bij iets wat kapot is. Dan zit het dichter aan de oppervlakte, geloof ik. Hij heeft ook zo'n radioscangeval, waarmee hij politieberichten afluistert over waar auto-ongelukken zijn gebeurd. Zodra er ergens een botsing is, is hij degene die het wrak bergt. En hoe erger, hoe beter. Een tijdje terug was er een kettingbotsing op de snelweg en toen moest hij zelfs een vrachtwagen van zijn werk huren om al die klotesouvenirs van hem naar huis te kunnen slepen.'

Ben dacht aan hoe Cole altijd bezig was met het verschuiven van schroot en telkens heel lang keek naar het resultaat van zijn inspanningen. Er was weer iets wat aan hem knaagde en opeens schoot die allereerste keer dat hij hier was geweest hem weer te binnen, toen hij Jacob was komen ophalen. Toen had Cole daar ook iets over gezegd, dat Ben geen deel meer uitmaakte van 'het patroon.'

Hij wilde nu liever even niet denken aan wat hij daarmee kon hebben bedoeld.

'Wat verwacht hij dan uiteindelijk te zien?'

'Weet ik veel. Iets wat verklaart waarom alles zo gegaan is als het gegaan is. Dat zijn zoon gestolen is, dat zijn vrouw vlak voor een bus de straat op is gestapt, dat hij gewond is geraakt en dat zijn maten in Noord-Ierland zijn gesneuveld. En zelfs dat hij als klein jochie in een weeshuis zat. Hij denkt dat er een reden is voor al die dingen en dat hij als hij het Patroon eenmaal ziet, het dus ook zal snappen.'

Ze staarde in gedachten verzonken door de beslagen, natte ruit naar het verwrongen metaal in de achtertuin, alsof ze daar nu zelf ook een verklaring hoopte te vinden.

'Was hij al zo toen je hem ontmoette?'

Sandra schudde haar hoofd zonder zich om te draaien. 'Hij was wel anders dan de andere zandhazen die ik kende, maar meer ook niet.' Er speelde een glimlachje om haar mond. 'Om te beginnen probeerde hij me niet meteen al na vijf minuten in bed te krijgen. Dat was een van de dingen die ik juist zo fijn aan hem vond. En hij was stil. Niet verlegen, maar gewoon stil. De meeste van die jongens storten meteen hun hele hart bij je uit en trakteren je ongevraagd op hun levensverhaal, maar hij leek vooral geïnteresseerd in wat ik allemaal had meegemaakt. Niet dat ik hem alles meteen heb verteld, zeker niet in het begin. Pas toen ik hem eenmaal over Kirstie had verteld, over mijn dochtertje, vertelde hij me over zijn verleden.'

Ze snufte. Ben wist niet zeker of ze bijna moest huilen of dat het door de warme, droge lucht in de keuken kwam, want zijn eigen neus kriebelde ook een beetje.

'Ik weet nog dat hij heel lang stil bleef toen ik hem over Kirstie vertelde. Ik dacht dat ik het had verbruid en hij me net als alle anderen veroordeelde voor wat er gebeurd was. Maar toen vertelde hij me dus dat zijn zoontje uit het ziekenhuis was ontvoerd en dat zijn vrouw zelfmoord had gepleegd. Hij zei dat mensen zoals wij, als je zulke vreselijke dingen hebt meegemaakt, met een reden beschadigd zijn. Zo zei hij het ook echt, "beschadigd". Hij was echt opgewonden, zo had ik hem eigenlijk nog nooit gezien. Hij zei dat het het lot was dat wij elkaar hadden ontmoet, omdat we allebei een kind waren verloren en zo. Hij had het toen ook al over iets van een patroon, maar dat weet ik niet meer precies. Ik dacht dat hij het gewoon romantisch bedoelde. Ik vond het wel een tikkeltje zweverig, maar het had ook wel iets romantisch.'

Ze grinnikte verbitterd. 'Maar ja, uiteindelijk was ik ook maar gewoon een stuk schroot dat naar de mallemoer was, hè.'

Ben voelde een plotselinge opwelling om zijn armen om haar heen te slaan en duwde zijn handen snel wat dieper in zijn broekzakken. 'Was het toen ook al zo'n obsessie voor hem?'

'Dat weet ik niet. Nee, ik dacht het niet. Wacht even, ik zal je iets laten zien.'

Ze liep de keuken uit. Hij hoorde haar door de gang naar de

kamer lopen. Zo te horen zocht ze iets in een lade. Ze kwam een paar tellen later terug met een groot fotoalbum met een vinyl kaft. Ze legde het voor hem op het aanrecht. Hij rook haar parfum en de sigarettenlucht in haar kleren weer, en zelfs een vleugje muskus van okselzweet.

Hij haalde zijn handen uit zijn zak.

'Deze is van John.' Ze sloeg het album open en bladerde snel door de eerste paar pagina's heen. Ben ving een glimp op van een veel jongere Cole op een motorfiets, poserend in een groen legertenue, en eentje waarop hij glimlachend met zijn arm om een duidelijk zwangere jonge vrouw stond.

Hij herkende Jeanette Cole, Jacobs moeder dus, maar Sandra had de bladzijde al omgeslagen.

'Hier,' zei ze. 'Deze heeft hij in Irak genomen. Tijdens de Golf-oorlog daar.'

Ze zette een klein stapje opzij zodat hij het beter kon zien. Hij voelde de warmte van haar heup en raakte haar bijna aan toen hij dichterbij kwam. Er waren vier foto's, twee per pagina. Die van een brandende oliebron was van veraf genomen. Op de rest zag je een woestijnlandschap vol kapotgeschoten oorlogsmaterieel. Hij zag een foto van een uitgebrande tank met een rupsband die eraf was geblazen. Over de zwartgeblakerde geschutkoepel hing een verkoold lichaam. Op een andere foto zag hij de restanten van een helikopter, waarvan de slaphangende wieken hem aan de nerven van een dood blad deden denken.

'Toen hij deze nam, was zijn vrouw nog niet eens zwanger,' zei Sandra. 'Dat was dus voordat alles fout ging, zeg maar. Ik denk niet dat hij toen al iets met wrakken had, dat het eerder gewoon een soort souvenirs waren. Pas nadat wij getrouwd waren, haalde hij dit allemaal tevoorschijn en plakte ze ook in.'

Het waren niet bepaald souvenirs die Ben zelf zou hebben uitgekozen. Coles obsessie had toen misschien nog niet echt gestalte gekregen, maar de tekenen ervan waren al wel heel duidelijk te zien. De foto's op de volgende pagina vertoonden eenzelfde morbide fascinatie. Hier waren de meeste gemaakt op een weg, in plaats van in de open woestijn. In de berm stonden burger- en legervoertuigen: uitgebrand, op hun kant, de banden leeggelopen of gesmolten, het chassis compleet in de kreukels, alsof het verfrommelde papierpropjes waren. Op een paar foto's zag je in de verte de horizon, maar er was geen enkel teken van leven, alleen maar een onbeschrijflijke hoeveelheid wrakken. De lichamen die ertussen lagen, deden er amper toe.

Ben bladerde door de rest van het fotoalbum. Er zaten zowaar een paar gewone toeristenkiekjes tussen, zoals ergens op een bazaar, met grijnzende Britse soldaten voor een winkeltje. Even later stond hetzelfde groepje voor een tent in de woestijn. Al snel zag hij echter alleen nog maar foto's van wrakken.

De woestijn maakte daarna plotseling plaats voor een veel noordelijker en vertrouwder landschap. Hij zag een transportwagen op zijn kant in de berm liggen. Erachter niets behalve een grijs wolkendek en wat groene struiken en heuvels. Op de voorgrond een auto die total loss was en half in een bomkrater was weggezakt.

'Dat is Noord-Ierland,' zei Sandra. Hij voelde haar adem tegen zijn oor strijken. Hij sloeg de bladzijde om. Nog meer van hetzelfde, hoewel de foto's nu gemaakt leken met meer oog voor de lichtinval en de hoek van waaruit die genomen was. De eerste foto's waren niet meer dan kiekjes geweest en waren vooral ook dramatisch door de beelden die erop stonden. Deze foto's straalden echter iets zelfbewusts uit en leken totaal anders van opzet. Op een van de foto's stak het kapotte legervoertuig op de voorgrond mooi af tegen de warme gloed van een zonsopgang of -ondergang. Het zonlicht verlichtte bepaalde onderdelen van het voertuig, terwijl de rest bijna pikzwart was. Het was clichématig en slecht uitgevoerd, maar had wel degelijk effect.

'Was dat tijdens zijn laatste uitzending?' vroeg Ben. 'Toen Jacob al vermist was en zijn vrouw dood?'

'Ja, ik dacht het wel.' Ze klonk niet zozeer verbaasd over zijn vraag als wel wantrouwend. 'Hoezo?'

'O, dat vroeg ik me gewoon af.' Hij probeerde zichzelf wijs te maken dat hij er te veel in las en te hard van stapel liep. Toch kon hij zich niet aan de indruk onttrekken dat hoewel de eerste foto's getuigden van een morbide nieuwsgierigheid, Cole bij die latere duidelijk op zoek was naar iets.

Hij sloeg de bladzijde om. Er resteerde nog maar één foto: een zwart-witte, uit de krant. Er stonden twee legerauto's op. De eerste landrover was over de kop geslagen en lag ondersteboven, het dak op de grond. Van het tweede voertuig waren alle portieren open en de voorruit was verbrijzeld. Er zaten donkere gaten in het chassis, waarschijnlijk als gevolg van kogels.

'Dat was die hinderlaag, toen John gewond is geraakt omdat ze werden beschoten,' zei Sandra. 'Omdat hij de korporaal was, had hij eigenlijk in het eerste voertuig moeten zitten – die daar, die over de kop is geslagen. Maar de radio deed het niet meer, daarom zat hij dus in de volgauto. Zo'n anderhalve kilometer nadat hij van voertuig was gewisseld, reed de voorste op een landmijn. Alle inzittenden waren op slag dood. En vervolgens namen die klootzakken ze ook nog onder vuur met machinegeweren.'

Ben sloeg het album dicht.

'Er zijn niet zoveel foto's van mij, hè?' zei ze. Ze klonk nu eerder gekwetst dan verbitterd.

'Wanneer begon hij dan met dat schroot mee naar huis te slepen?' vroeg hij snel, omdat hij zich niet door haar stemming wilde laten beïnvloeden.

'Bijna meteen zodra we hier kwamen wonen.' Toen ze een paar stappen opzij zette, wist hij niet zeker of hij nou opgelucht was. 'Hij moest op zoek naar een baan. Ik dacht dat hij wel iets in een garage of zo zou vinden. Wist je dat hij gediplomeerd automonteur is? Hij kan alles repareren wat ook maar iets met mechanica te maken heeft. Daar heeft hij echt aanleg voor. Daarom zat hij ook bij de genie. Alleen kwam hij dus op een dag thuis en zei dat hij op die sloop ging werken. Ik vond het wel prima en ik dacht eigenlijk ook dat het iets tijdelijks was. In het begin viel het me niet eens op dat hij allemaal schroot en andere rotzooi mee naar huis nam. Ik dacht dat hij er iets van wilde maken. Reserveonderdelen of zo, weet ik het. Maar toen vertelde hij me op een dag dus over dat Patroon van hem.'

Ze keek Ben opeens woedend aan, alsof het allemaal zijn schuld was. 'Het was toen al behoorlijk erg, maar zodra hij hoorde dat Steven' – Jacob, corrigeerde Ben haar stilletjes – 'nog in leven was, begon hij dubbel zoveel mee te slepen. Ik zei hem nog dat die lui van maatschappelijk werk een rolberoerte zouden krijgen als ze dat zagen, maar dat kon hem niks schelen. Bovendien zijn ze ook nooit in de achtertuin geweest. Ze hebben het huis even bekeken, maar dat was het dan wel. Toen ze hier in de keuken stonden, heb ik de gordijnen gewoon dichtgetrokken, zodat ze het niet zouden zien. Wat een stelletje eikels, zeg.'

Ze klonk nu vooral moe in plaats van boos. Ze leunde tegen de rand van de tafel, waardoor haar rokje zich om haar dijen spande. 'En nu heeft John helemaal nergens meer tijd voor. Hij zou zo een baan bij een garage kunnen krijgen en dan ook best aardig verdienen, maar dat wil hij niet. Weet je dat hij zelfs moet betalen voor al die troep die hij mee naar huis neemt? Die dikke pad voor wie hij werkt, brengt het in mindering op zijn salaris, alsof het al geen hongerloontje is! En naar mij luistert hij allang niet meer. Hij praat amper nog met me. Het enige waar hij nu nog om geeft, is dat verrotte puin daar. En om dat joch. Nee, hij wil zijn dierbare zoontje geen moment meer uit het oog verliezen. Om de een of andere reden heeft hij het in zijn kop gehaald dat hij hem kan helpen dat Patroon te vinden, omdat hij zo goed is met puzzels en zo.'

'Wat een onzin! Er zijn zat autistische kinderen die goed kunnen puzzelen. Dat is niks bijzonders!'

'Ja, nou… vertel jij 'm dat maar,' zei ze schamper. 'Hij denkt dat er echt een verband bestaat tussen al die dingen. Steven gaat hem daarbij helpen en als het eenmaal is gelukt, kan hij op zijn beurt zorgen dat Steven beter wordt. Of zoiets denkt hij althans. En dat maakt dus allemaal deel uit van dat Patroon.'

Het sarcasme droop ervan af. Ben herinnerde zich nu weer dat hij inderdaad had gezien dat Cole allerlei brokken metaal voor Jacob neerzette en dan op een reactie van de jongen leek te wachten. Alsof hij verwachtte dat de jongen hem kon helpen met het ontcijferen van de een of andere mysterieuze code.

'Mijn god!'

'Hé, je hebt geen idee, dit is nog niks,' zei Sandra. Ze keek hem weliswaar met een glimlach aan, maar vriendelijk was niet direct het eerste woord waar Ben aan moest denken. 'Hij fitnest tot hij echt kotsmisselijk is. Hij probeert een bepaald stadium te bereiken zodat hij dat klotepatroon van hem zal "zien". Ik bedoel, niet dat hij daar al in is geslaagd. Natuurlijk niet. Nee, meneer moet gewoon nog meer zijn best doen. Hij zegt dat hij op die manier zijn hoofd "leeg" kan maken. Nou ja, dat heeft hij althans een keertje tegen me gezegd. Hij praat er tegenwoordig helemaal niet meer over. Niet met mij tenminste, maar soms hoor ik hem met dat joch praten. Ha! Alsof die daar iets van begrijpt.'

'Tilt hij daarom dat motoronderdeel zo vlak boven Jacobs hoofd op? Vanwege de inspanning die dat kost, om zichzelf nog verder te pushen of zo?'

Ze was duidelijk weer op haar hoede door die vraag, maar het duurde maar even. 'Ja, ik denk het wel.' Ze bestudeerde haar nagels. 'Niet dat ik hem dat ooit gevraagd heb.'

Net zomin als ze hem nu vroeg hoe hij al die dingen wist. Ben vroeg zich af of ze niet benieuwd was naar wat hij nog meer had gezien.

'En wat voert hij dan uit in de schuur?'

In de blik waarmee ze hem aankeek, zag hij zowel angst als weerzin, maar dat sloeg al snel om in een soort gelatenheid. 'Dat? O, dat zal ik je laten zien.'

Ze liep voor hem langs naar de achterdeur. Hij volgde haar voetstoots en botste tegen haar aan toen ze opeens inhield. Hij zette blozend snel een stapje achteruit en mompelde 'sorry'.

'Ik ben de sleutel vergeten te pakken.' Ze liep naar een keukenkastje, pakte een sleutelbos uit een van de lades en had opeens iets zelfingenomens over zich. Alsof ze op de een of andere manier blij was dat ze het bij het juiste eind had gehad. Ben betrapte zichzelf op het gevoel dat hij opeens met één-nul achterstond. Toen ze de deur opendeed, woei er meteen een ijskoude regenvlaag de keuken in. Hij trok zijn jas wat dichter om zich heen toen hij achter haar de tuin in liep en was zich weer heel erg bewust van het feit dat Sandra niet eens de moeite had genomen een jas aan te trekken. De modderige ondergrond was glibberig. Er groeide geen gras en het paadje naar de schuur bestond uit asfaltbrokken die lukraak in de grond waren gedrukt. Ben zag voor hem, achter het gordijn van regen, een soort halfronde muur van metaal oprijzen.

Het leek nog meer te zijn dan hij zich van de vorige keer meende te herinneren.

Hij ontweek een scherpe uitstekende rand. Het autozitje waarin hij Jacob altijd zag spelen wanneer Cole die automotor boven zijn hoofd tilde, zag er nat en verlaten uit. Ervoor lagen diverse onderdelen van autowrakken, als de ledematen van een aan flarden gescheurd beest.

Sandra stak de sleutel in het hangslot en duwde de schuurdeur open. Hij werd door de wind uit haar hand getrokken en klapte tegen de houten zijwand. Ben volgde haar naar binnen.

Er hing een doordringende geur van bitumen, hars en rijp zweet en het was er donker en klein, zodat hij vlak bij haar moest gaan staan. Haar natte haar zat tegen haar gezicht geplakt. Hij voelde ook wat regendruppels langs zijn gezicht in zijn kraag lopen. Hij knipperde een paar keer en probeerde wijs te worden uit het voorwerp dat zowat de hele ruimte innam.

Hij dacht eerst dat het gewoon een fitnessapparaat was, een soort crosstrainer. Hij zag een stalen frame en wat katrollen en gewichten die behoorlijk stevig en zwaar aandeden. Vervolgens zag hij de touwen bij de lange houten bank en de goed geoliede tandwielen.

Maar het voorwerp zag er eerder uit alsof het bedoeld was om iets uit elkaar te trekken dan om er fitter van te worden.

'Dat is de reden dat hij hier naartoe gaat,' zei Sandra. Ze stond te rillen. 'Hij heeft het zelf gemaakt.'

Ben probeerde nog steeds te snappen waar de stellage nou precies voor bedoeld was. Hij had wel een vermoeden, maar kon het eigenlijk niet geloven. 'Wat is het?'

'Een pijnbank, dat zie je toch?'

De touwen hadden lusjes voor je enkels en polsen en hij zag een riem met klittenband eraan voor om je hoofd en kin. Elk daarvan was via kabels verbonden met gewichten, die als metalen trossen fruit aan het hoofd- en voeteneinde van de bank hingen en die op hun beurt aan zware tandwielen waren bevestigd. Sandra streek met haar vingers over het frame. Het viel hem op dat haar nagels afgekloven waren.

'Hij bindt zichzelf vast en haalt de rem dan van de gewichten. Die kletteren door die tandwielen niet in een keer omlaag, maar als ze eenmaal een tandje verder zijn, kun je ze niet meer terugduwen. Hij heeft het zó gemaakt dat hoe verder het gaat, hoe zwaarder het wordt. En de enige manier waarop je het kunt tegenhouden, is door dát te doen.' Ze wees naar een mechanisme aan de bovenkant van de pijnbank. Daar zat een kleiner stel gewichten, die op hun beurt aan het hoofdharnas vastzaten. 'Dat een soort koppeling. Je moet je nek gebruiken om die gewichten ver genoeg van de grond te krijgen zodat het hele geval in werking treedt.'

'Mijn god.'

'John laat hem zo ver gaan dat hij het nog nét aankan en houdt hem dan tegen. En dat probeert hij dan zo lang mogelijk vol te houden. Toen dit ding net af was, ben ik een keer komen kijken en toen raakte ik meteen zo in paniek dat hij zich niet meer kon concentreren. Hij was bijna dood geweest. Toen het hem lukte zich eruit te bevrijden, ging hij over zijn nek en zei me daarna dat ik hier nooit meer mocht komen. Ik dacht dat hij me zou slaan, maar dat deed hij niet. Toen nog niet.' Ze klonk echter volkomen onaangedaan, alsof het haar niets deed. 'Ik heb het daarna dus ook nooit meer gezien, maar als je bedenkt hoe lang hij hier binnen bezig is en hoe hij eruitziet als hij naar buiten komt, dan kan het niet anders of hij voert het steeds verder op. Tot hij op een dag...' Ze viel stil.

Ben probeerde zich voor te stellen hoe het zou voelen als je jezelf in dit apparaat had vastgegespt. 'Maar waarom doet hij dit?'

'Omdat het hem helpt bij het blootleggen van dat Patroon van hem. Wat dacht je dan?' Ze vouwde haar armen om haar bovenlijf en probeerde zichzelf warm te wrijven. 'Hij denkt dat hij door de pijn beter kan focussen. Dat die pijn goed is. Dat werkt zuiverend en dat is weer goed voor de concentratie. Zodat hij uit-eindelijk dus dat o zo belangrijke Patroon een keer zal zien.'

Hij staarde naar de riempjes die donker uitgeslagen waren van het zweet. Op een paar plekken leken de randen zelfs verkleurd door iets wat er als opgedroogd bloed uitzag. 'Weet je zeker dat hij zichzelf niet gewoon straft?'

Sandra keek met een bijna bange blik naar de pijnbank voor haar. 'Ik weet helemaal niks meer zeker.' Ze draaide zich abrupt om. 'Kom, we gaan naar binnen. Ik verga zowat van de kou.'

Toen hij naar buiten liep zag hij op een plank naast de deur een dubbelloops jachtgeweer liggen. Hij herinnerde zich weer wat er met de kop van de hond was gebeurd. Gelukkig doet Cole het schuurtje wel op slot, bedacht hij terwijl Sandra het zware hang-slot weer dicht klikte.

Hij liep achter haar aan naar de keuken. De ruiten waren bij-na meteen zodra ze binnen stonden alweer beslagen. Ze waren al-lebei doorweekt, maar hij had in ieder geval nog wel een jas aan; haar kleren zaten strak tegen haar lijf geplakt. Hij zag de omtrek van haar beha onder haar trui en dat haar tepels stijf waren, kon hij ondanks de twee lagen stof ook goed zien.

'Je staat op het tapijt te druppen,' zei ze. 'Als je nog langer blijft, kun je net zo goed even je jas uitdoen.'

Hij besloot hem over zijn tas te draperen. 'Hier.' Ze gaf hem een handdoek. Die was al wat vochtig en zag er ook niet al te schoon uit, maar hij nam hem toch maar van haar aan. Sandra pakte een andere doek en wreef haar eigen haar met stevige korte bewegingen droog.

'Tjeezus, ik ben echt compleet doorweekt.' Ze trok haar trui zonder enige gêne uit en gooide hem over een stoel. De huid van haar armen, borstkas en buik was bleek en ze had kippenvel. Haar witte beha was een beetje doorschijnend.

'Dit vind je toch niet erg, hè?' Ze streek haar natte haar met beide handen achter haar oren, waarbij haar zware borsten een eindje omhoogkwamen.

'Nee, hoor.' Hij probeerde te bedenken wat hij net ook alweer had willen zeggen. 'Zeg...'

'Koffie?'

'Eh… Ja, lekker.'

Vlak boven de tailleband van haar rokje zag hij een vetrolletje zitten. Ze liep met de waterkoker naar het aanrecht. Links van haar ruggengraat, vlak onder haar behabandje, zat een moedervlek ter grootte van een kleine vingernagel. Die was hem toen hij haar door de telelens had bespied nooit opgevallen.

Hij dwong zichzelf naar de schroothopen in de tuin te kijken. 'Waarom eigenlijk alleen maar autowrakken?'

'Hè?' Ze duwde met haar handpalm de stekker van de waterkoker met een bruusk gebaar in het stopcontact. Aan de zijkant van haar ribben sprong een spiertje.

'Al dat schroot. Waarom alleen maar auto-onderdelen? Waarom niet ook kapotte koelkasten of wasmachines of zo?'

'Omdat een autowrak iets gewelddadigs heeft. Het ene moment rijdt iemand er nog in rond en voor je het weet is het niet meer dan schroot. En die persoon erin is ook kapot. Hij ziet elk onderdeel dat hij meeneemt als een soort aandenken. Een herinnering aan het feit dat iemands leven kapot is.' Ze had zich naar hem omgedraaid, maar leek zijn aanwezigheid te zijn vergeten. Het duurde echter maar even, waarna ze zich met een brede glimlach weer tot hem wendde.

'Ik zie het nut er alleen niet van in, om op zoek te gaan naar een reden,' zei ze. 'Dingen gebeuren toch gewoon? Je moet het gewoon maar zien te doen met wat je krijgt toebedeeld.'

Ben zei niets omdat ze op dat moment naar hem toe kwam. Ze keek hem recht in de ogen, nog steeds met een glimlach op haar lippen. Ze kwam vlak voor hem staan. Hij was verbaasd hoe klein ze eigenlijk was. Hij voelde de stof van haar beha langs zijn overhemd strijken. Haar zware boezem voelde bijna dreigend aan. Ze legde haar handen plat op zijn borstkas. Die voelden eerst vooral koud aan en het duurde even voor de warmte ervan tot hem doordrong.

'En wat kreeg jij toebedeeld?' Ze keek naar hem op. Ze liet een van haar handen naar beneden glijden. Hij voelde hoe die een brandend spoor over zijn maagstreek trok. Zijn hoofd begon te bonken, een echo van het kloppende gevoel in zijn kruis. Ze liet haar hand daar rusten en duwde er heel zachtjes tegenaan, waarbij er een trilling door zijn lichaam schoot die hem aan een stemvork deed denken. Hij zette een stapje achteruit omdat hij zijn evenwicht dreigde te verliezen en hoorde iets onder zijn schoen kraken.

Hij keek omlaag. Hij bleek op een van Jacobs plastic puzzelspeeltjes te zijn gaan staan en de keukenvloer was bezaaid met kleine zilverkleurige kogeltjes. Hij tilde zijn voet op, waarna ze als kwikbolletjes over de vieze vloer rolden.

'O, dat is niet erg, hoor,' zei Sandra. 'John heeft een hele zwik van die dingen voor hem gekocht. Ze liggen door het hele huis heen.'

Ben merkte dat er binnen in hem iets veranderde en dat had niets met de druk van haar hand te maken. Hij zette nog een stapje achteruit. Ze keek hem verbaasd aan. Toen ze de blik op zijn gezicht zag, sloeg ze op slag dicht en liet haar hand zakken.

'Juist ja,' zei ze terwijl ze haar blik afwendde. Ze sloeg haar armen met een zelfbewust gebaar voor haar borst. 'Nou, sorry hoor dat ik te min voor je ben. Maar ja, jij bent natuurlijk allemaal van die fotomodellen gewend.'

Ben kon zo snel niets verzinnen om de situatie wat minder pijnlijk te maken. De waterkoker schakelde automatisch uit en de stoom van het hete water voegde zich bij de toch al beslagen ruiten. Hij zette nog een stap achteruit, maar lette wel goed op dat hij niet nog een keer op een van de balletjes zou trappen. Hij probeerde te bedenken wat hij hier ook alweer was komen doen.

'Ik ga maatschappelijk werk wel melden dat ik van mening ben dat je echtgenoot geestelijk niet in staat is om voor Jacob te zorgen,' zei hij.

Sandra liep naar de stoel waar ze haar trui net op had gegooid. 'Dat moet jij weten.'

'En die spullen in de schuur niet te vergeten. Hij is een gevaar voor zichzelf. Ik wil niet dat Jacob iets overkomt, alleen maar omdat hij aan een of andere obsessie lijdt.'

'Goh, wat een praatjes opeens.' Ze merkte schijnbaar nu pas dat haar trui doornat was, smeet hem geërgerd weer terug op de stoel en pakte een sweater die over de leuning van de stoel ernaast hing.

'Kan ik op je rekenen?'

Ze had de sweater half over haar hoofd getrokken, maar hield abrupt op en staarde hem nu aan. 'Jou helpen? Ben je nou echt zo dom als je eruitziet?'

'Je hebt me net zelf verteld wat hij doet en hoe hij is.'

'Maar dat betekent niet dat ik ga zeggen dat hij een halvegare is, zodat jij hem zijn zoon kan afnemen.'

'Hij heeft hulp nodig.'

Ze lachte wrang. 'Ha! Ja, wie niet?' Ze trok de sweater met een ruk over haar hoofd. 'En doe nou maar niet net alsof het je om John te doen is. Je geeft geen moer om hem. Je maakt je alleen maar zorgen om dat joch.'

'Zou jij dat dan niet doen?'

Ze haalde onverschillig haar schouders op. 'Hij zal het er net als wij allemaal maar gewoon op moeten wagen, hè. En aangezien je daar dus blijkbaar voor kwam, mag je nu opsodemieteren. Ik moet nodig aan het eten beginnen.'

Ben liep naar zijn tas en haalde de foto's tevoorschijn van Sandra met die kerels in de slaapkamer. Ze keek opeens ronduit angstig toen hij ze haar toestak.

'Wat is dat?'

Toen hij niets zei, kwam ze naar hem toe en pakte ze van hem aan. Ze staarde zwijgend naar de eerste en bekeek er toen snel nog een paar.

En vervolgens smeet ze de foto's in zijn gezicht.

'Gore klootzak! Jij vuile vieze…!'

Hij dacht even dat ze hem te lijf zou gaan, maar ze liet haar armen zakken en boog haar hoofd. 'Ik hoop dat je hebt genoten van het toekijken. Wat ben jij een ongelofelijke hufter, zeg!'

Zijn wang deed pijn op de plek waar de scherpe rand van een van de foto's hem had geraakt. Hij voelde even en zag toen hij zijn hand liet zakken dat hij bloedde. Hij controleerde zijn broekzak of hij toevallig een zakdoekje bij zich had. Zijn armen voelden loodzwaar aan, alsof hij zich door een slijklaag van schaamte moest voortbewegen.

'Wat ben je daarmee van plan?' vroeg ze. 'Net zo'n stunt als Quilley? Me chanteren zodat ik verklaar dat John moet worden gearresteerd?'

Hij drukte het zakdoekje tegen zijn wang. 'Ik vraag je alleen maar om maatschappelijk werk te vertellen wat je mij net hebt verteld.'

'Zodat jij Jacob kan laten overplaatsen? Wat denk je dat hij me zou aandoen als ik dat doe?'

'Wat doet hij als hij te horen krijgt dat je achter zijn rug met andere mannen naar bed gaat? In ruil voor geld nota bene?'

Ze sloeg haar handen voor haar ogen. Binnen in hem krulde iets zich op en verslapte. Hij deed zijn best het te negeren. 'Ze zullen Jacob waarschijnlijk toch niet bij hem weghalen.' *Wat ben jij een vuile hypocriet, Murray.* 'Maar als iemand niet snel iets doet, zal een van hen vroeg of laat het loodje leggen. Of Jacob of hijzelf. Dus dan ben je hem hoe dan ook kwijt.'

Haar keel maakte rare schokkende beweginkjes en ze wreef zo hard over haar wang dat haar gezicht wel van rubber leek. De mascara liet donkere vegen achter. 'Soms denk je… Soms hoop je dat je het verleden achter je kunt laten,' zei ze. 'Je denkt dat je eraan ontsnapt bent, maar het lukt gewoon niet. Je zeult alles gewoon met je mee. Toen ik John ontmoette dacht ik…'

Ze maakte haar zin niet af. Haar gezicht zag er door de mascaravegen uit als iets wat te lang aan de regen had blootgestaan.

'We doen het al een jaar niet meer.'

Ik wil dit niet horen, dacht Ben, maar hij verroerde zich niet. Dit was hij haar wel verschuldigd.

Ze staarde naar de foto's die nog op de grond lagen. 'Al voordat dit hele gedoe begon. Het interesseert hem niet meer. Hij lijkt wel zo'n verrekte klotemonnik. Seks leidt alleen maar af en weerhoudt hem ervan om dat Patroon van hem te zien. Vooral seks met iemand zoals ik. Niet dat hij dat zegt, maar ik merk het aan hoe hij naar me kijkt. Ik ben een vuile slet. Eerste hulp bij geilheid… Ja, daarvoor moet je bij mij zijn. Dus op een dag dacht ik: nou, oké, als hij me toch al een sloerie vindt, kan ik me daar net zo goed ook naar gedragen. De eerstvolgende keer dat een vent in de kroeg met me flirtte, ging ik erop in. En toen ik het eenmaal één keer had gedaan, was er geen enkele reden om het niet nog een keer te doen. Het geld kwam goed van pas, want ook daar maalt John niet om. Verdomme, we hadden het hele verhaal voor een bom duiten aan de krant kunnen verkopen, maar nee hoor! Nee, want dat zou een negatieve invloed kunnen hebben op het vinden van dat Patroon.'

Maar haar woede was niet van lange duur en ze haalde ongeïnteresseerd haar schouders op. 'Dus ja, zo nu en dan komt er een vent langs. Het zijn er niet veel, want de meesten zijn doodsbang voor John. Maar sommige lui vinden dat juist extra opwindend. Soms denk ik zelfs dat ze me écht leuk vinden. Je zou denken dat ik inmiddels wel beter weet, hè. Want zelfs bij John was het hem uiteindelijk alleen maar te doen om iets wat hij in mij dacht te zien. En nu hoeft hij zelfs dat niet meer.'

Ze nam Ben van top tot teen op. De walging die uit haar blik sprak, gaf hem een heel naar gevoel.

'Maar ach, wat doet 't er ook toe. Ik ben toch maar een kuthoer, dus ik ben het wel gewend om mijn lichaam te verkopen.'

Hij deed heel erg zijn best om Jacob voor zich te zien, op het moment dat die met modder besmeurde motor vlak boven zijn hoofd hing. In een verwoede poging zijn geweten te sussen, probeerde hij zich in te beelden dat het ding zou vallen.

'Dus je helpt me?'

Sandra staarde strak voor zich uit naar de foto's op de grond. Ze zag er uitgeput en volkomen verslagen uit. 'Ik heb niet echt een keus, hè.'

'We kunnen alles wat je ze vertelt vertrouwelijk houden. Hij hoeft er niet achter te komen.'

'Donder op.'

Hij griste zijn jas op en pakte de tas. Toen hij de keuken uit liep, stond ze daar nog te midden van de foto's. Pas toen hij in de auto was gestapt, merkte hij dat hij de tissue nog steeds tegen de snee op zijn wang had gedrukt. Het bloed erop was een ror-schachtest van vlekjes en vegen geworden. Hij verfrommelde het en propte het in zijn zak zonder te kijken wat het hem te vertellen had.

19

In dezelfde week dat de kinderbescherming had toegezegd dat ze Jacobs zaak zouden evalueren, deed Keith een zelfmoordpoging. Ben had de relevante instanties de foto's van Coles bezigheden in de achtertuin laten zien en erbij gezegd dat Sandra bereid was te verklaren (voor zover je het zo kon noemen) dat haar echtgenoot geestelijk labiel was en een bedreiging vormde voor zijn eigen zoon. Dat zou op zich al voldoende zijn geweest voor het instellen van een onderzoek, maar het nieuws dat zij bovendien een strafblad had dat volledig over het hoofd was gezien, had hetzelfde effect als wanneer je een brandende lucifer in een krat vol vuurwerk zou laten vallen.

Ben probeerde zichzelf wijs te maken dat hij geen keus had en dat het echt niet anders kon. Hij was Sandra niets verschuldigd en hij kon zich het niet permitteren om iets waardoor hij er sterker voor zou staan te verzwijgen. Hij probeerde maar vooral te bedenken dat ze er op den duur zelf ook heus wel achter zouden zijn gekomen en dat hij Sandra al min of meer matste omdat hij ze niet had verteld over haar veel recentere misstappen.

Maar om nou te zeggen dat hij zich daardoor beter voelde...

De bevoegde instanties stemden uiteindelijk, zij het schoorvoetend, in met haar verzoek om achter gesloten deuren te worden gehoord. Ben was ervan overtuigd dat ze er ondanks alles nog steeds niet van doordrongen waren dat Cole gevaarlijk kon zijn. Hij wist alleen niet of dat kwam doordat ze niet wilden toegeven dat ze het aanvankelijk bij het verkeerde eind hadden gehad of dat het gewoon een verkeerde inschatting van hun kant was. Met name Carlisle reageerde bokkig, als een klein kind dat een tik op de vingers heeft gekregen. Dat de maatschappelijk werker een hekel aan hem had was Ben inmiddels wel duidelijk. Hij leek Ben als een bijzonder lastige onruststoker te beschouwen, die erop gebrand was het kersverse gezinnetje uit elkaar te trekken. Ben hoopte maar dat de man daardoor niet compleet blind was voor de risico's die Jacob in Coles bijzijn liep.

Hij probeerde zijn kansen zo reëel mogelijk in te schatten. Zelfs nu bleef Ann Usherwood nog volhouden dat er geen enkele kans bestond dat hij Jacob zou terugkrijgen. Daar zouden ze zich tijdens de bijeenkomst niet eens over buigen. 'Zoals ik u eerder al heb gezegd, meneer Murray, er moet echt een grens worden overschreden voor ze ook maar zullen overwegen om Jacob bij zijn vader weg te halen. En zover is het nog lang niet. Het is mogelijk dat ze hem onder toezicht stellen en erop aandringen dat de zaak goed in de gaten moet worden gehouden, terwijl de psychische gesteldheid van zijn vader wordt beoordeeld, maar veel verder dan dat zullen ze niet gaan. Ik denk echt dat u al het andere beter uit uw hoofd kunt zetten.'

Maar dat kon hij niet. Zijn gevoel bleef hem ingeven dat het ingewikkelder lag. Want het was niet langer een kwestie van alleen Jacob en Cole, het was nu ook iets tussen Cole en hem geworden. En hij zag echt niet hoe dat nog op een schappelijke manier kon worden opgelost.

Dat zou Cole niet toestaan.

Hij was zich nog steeds aan het opvreten over wat er zou kunnen gebeuren, toen Tessa hem belde met de mededeling dat Keith een tuinslang in de uitlaat van zijn nieuwe BMW had gestopt, zichzelf in de garage had opgesloten en de motor had aangezet.

Op de een of andere manier kwam dat nieuws nog harder aan dan Sarahs dood. Dat was eerder een bizarre samenloop van omstandigheden geweest, een onvoorspelbare idiote streek die het universum hem had geflikt. Dat maakte het natuurlijk niet minder afschuwelijk, maar ze had voor hetzelfde geld kunnen zijn omgekomen door een vliegtuigcrash of doordat ze door de bliksem was getroffen. Keiths zelfmoordpoging was eerder iets wat in strijd leek met een of andere ongedefinieerde natuurwet. Van hen tweeën was Keith altijd de betrouwbare en gedisciplineerde geweest. Dat hij zichzelf van het leven had proberen te beroven, was gewoonweg onbestaanbaar.

Maar ja, dat gold net zo goed voor die affaire van hem.

Ben had direct naar het ziekenhuis willen komen, maar dat wilde Tessa niet hebben. Ze had gezegd dat Keith buiten levensgevaar was en dat zij er samen met haar twee zoons was. 'Hij heeft nu verder niemand nodig.'

Ze had koel en onaangedaan geklonken, alsof haar man herstellende was van een griepje in plaats van een zelfmoordpoging. Ben nam aan dat het door de shock kwam, maar toen hij de avond nadat Keith uit het ziekenhuis was ontslagen bij hen thuis langsging, was ze nog steeds uitermate beheerst.

'Ik wil niet dat je lang blijft. Hij heeft rust nodig,' zei ze al meteen toen hij binnenkwam. Haar glimlach leek wel van graniet. Hij had eerder iets van tranen en verwarring verwacht, misschien zelfs wel verwijten, maar ze straalde eenzelfde soort zelfvoldaan soort zelfvertrouwen uit als hij bij sociale gelegenheden van haar gewend was.

Hij liep zich daar nog over te verwonderen terwijl hij haar naar de woonkamer volgde. Keith zat in een leunstoel voor de televisie, maar het geluid stond zo zacht dat hij het met geen mogelijkheid kon volgen. Toen Tessa en Ben binnenkwamen, leek hij zich vooral te generen.

'Kijk 's wie er voor je is.' Het klonk zo ontzettend gemaakt dat Ben bijna ineenkromp. Ze zei dat ze in de keuken zou zijn, mochten ze haar nodig hebben en liet hen alleen. Net als haar parfum in de lucht bleef hangen, bleef haar aanwezigheid helaas ook voelbaar, wat het gesprek er niet gemakkelijker op maakte.

Ben ging op het puntje van de bank zitten. 'En hoe is het nou?'

'Och, gaat wel.'

Keith keek omlaag naar zijn handen, vervolgens naar de televisie en toen weer naar zijn handen. Ben vond zijn gezicht veel bleker en dunner geworden. De ernst van wat hij gedaan bleef als een barrière tussen hen in hangen. Net als Bens schuldgevoel dat hij er niet voor zijn vriend was geweest. Hij betrapte zich zelfs op het gevoel dat hij Keith misschien wel helemaal niet meer zo goed kende.

'Wil je erover praten?'

Keith richtte zijn blik weer op het televisiescherm. 'Wat valt erover te zeggen? Ik heb mezelf van kant proberen te maken en dat is niet gelukt…' Hij haalde zijn schouders op en kreeg een hoestbui. 'Sorry,' zei hij toen de spasmes eenmaal waren afgenomen. 'Ik ben nog steeds wat kortademig.'

'Maar waarom heb je het gedaan?' De vraag die Ben al die tijd had dwarsgezeten, kwam eindelijk naar boven. 'En waarom heb je niks tegen me gezegd?'

'Omdat er niets te zeggen viel. Jo had het uitgemaakt.' Hij glimlachte vreugdeloos. 'God, dat is ook alweer zo'n vreselijk cliché, hè.'

Ben merkte dat hij amper iets durfde te zeggen zonder de vragen en mogelijke antwoorden eerst zelf voor te kauwen. 'Wanneer dan?'

'Vorige week.'

De eerste gedachte waarop hij zich betrapte, was opluchting dat het iets acuuts was geweest, dat het niets te maken had met het feit dat hij te veel met zijn eigen sores bezig was en daardoor eventuele voortekenen niet had opgemerkt. Hij voelde zich echter meteen schuldig dat hij dat überhaupt durfde te denken. 'Wat is er dan gebeurd?'

'Ze kreeg de mogelijkheid om voor het kantoor in New York te gaan werken. Ze vertrekt pas over een maand, maar het leek haar beter om er dan meteen maar een punt achter te zetten, geen losse eindjes en zo. Einde verhaal.'

'En dat is waarom jij… nou ja, dus hebt geprobeerd om…?'

'Mezelf van kant heb proberen te maken? Ja, ik denk omdat ik het niet fijn vond te horen dat ik "een los eindje" was.'

'Weet Jo ervan?'

'Dat lijkt me sterk. Op mijn werk denken ze dat ik gewoon ziek ben. En er is ook geen enkele reden waarom ze het zou moeten weten. Ik heb het niet gedaan om haar op andere gedachten te brengen of haar een hak te zetten of zo. Ik deed het voor mezelf.'

De nuchtere toon waarop hij het zei, was bijna griezelig.

'Maar je gaat het niet nog een keer proberen, hè?'

Keith legde zijn hoofd in zijn nek en staarde naar het plafond. 'Nee, ik denk het niet.' Het klonk bijna alsof hij hardop nadacht toen hij verder praatte. 'Om je de waarheid te zeggen weet ik niet eens echt meer wat er door me heen ging toen ik het deed. Misschien komt dat door de kalmeringsmiddelen waarmee ze me vol hebben gestopt, maar het lijkt allemaal zo ver weg. Ik kan me op het moment niet voorstellen dat ik me nog ergens over zou opwinden. Weet je, ik voel me gewoon een beetje leeg.'

Ben herinnerde zich hoe hij zich had gevoeld na Sarahs overlijden, en toen Jacob bij hem was weggehaald. Maar suïcidaal? Nee, die neiging had hij nooit gehad.

Hij vroeg zich meteen af of dat iets over hem zei.

'En Tessa en de jongens?' Raar genoeg voelde hij bijna iets van verraad. 'Hoe hebben zij erop gereageerd?'

'Mwah, best goed. Tessa is heel sterk. Andrew heeft het volgens mij allemaal niet zo door. Maar ik wou dat Scott me niet had gevonden.' Hij tuitte zijn lippen even. 'Ik bedoel, ik wou vooral dat het iemand anders was geweest.'

Ben had van Tessa gehoord dat hun oudste zoon de garage in was gegaan en zijn vader daar bewusteloos had aangetroffen in een auto met draaiende motor die op slot zat. Ben mocht de jongen niet, maar zoiets wenste je je ergste vijand nog niet toe. 'En wat zei ze over Jo?'

Keith wierp een ongemakkelijke blik op de deur. 'Daar weet ze niks van.'

'Zelfs nu niet? Maar ze zal toch wel iets vermoeden!'

'Ze denkt dat ik het erg druk heb op mijn werk en dat ik overspannen ben.' Keith had weer wat kleur op zijn gezicht, maar de schaduwen onder zijn ogen werden daardoor juist benadrukt.

'En je gaat het haar ook niet vertellen?'

'Waarom zou ik? Het is over. Ze is al zo ontdaan dat ik haar dát niet ook nog ga aandoen.'

Ben zweeg, maar hij dacht even aan de indruk die Tessa op hem maakte en 'ontdaan' was niet direct het eerste woord dat in hem opkwam.

'De bedrijfsarts heeft me met ziekteverlof gestuurd,' ging Keith verder, 'en ik denk dat we er over een week of twee even tussenuit gaan. Tja, en dan maar proberen om dit achter ons te laten, hè.' Het klonk niet alsof hij er bijster veel zin in had.

Voor Ben kon antwoorden, ging de deur alweer open. Het was Tessa. Hij zou bijna zweren dat ze al die tijd dezelfde glimlach op haar gezicht had gehouden. 'Volgens mij hebben jullie nu wel lang genoeg gekletst. Je wilt hem toch niet nog meer vermoeien, Ben? En ik doe dit alleen maar omdat de arts me dat heeft opgedragen, hoor.'

Ze bleef in de deuropening staan wachten totdat hij was opgestaan. Hij wierp Keith een blik toe, in afwachting van zijn weerwoord, maar dan kon hij lang wachten, want Keith staarde alweer niets ziend naar zijn handen in zijn schoot.

Ben stond op. 'Ik bel je later nog wel, oké? Dan gaan we voor jullie op vakantie gaan nog een keertje naar de kroeg of zo.'

Keith knikte, maar het was niet overtuigend en Ben wist nu al dat het er niet van zou komen. Zelfs al zou Keith het willen, Tessa zou er vast en zeker wel een stokje voor steken.

'Hij heeft gewoon wat rust nodig,' zei ze toen ze met Ben naar de voordeur liep. 'Hij heeft het de afgelopen tijd zo druk gehad. Ik ga er voortaan voor zorgen dat hij wat minder aan zijn hoofd heeft. Dus niet meer in het weekend en 's avonds werken, en tot in de vroege uurtjes met al die suffe bands de hort op.'

Ze opende de voordeur en draaide zich naar hem om. 'Andere mensen hebben de laatste tijd te vaak een beroep op hem gedaan, maar dat is nu voorbij. Het wordt tijd dat hij wat vaker bij zijn gezin is. Dat is het enige wat hij nu nodig heeft.'

Haar glimlach was net zo stralend en vastberaden als die van een deelneemster aan een missverkiezing en toen Ben dat zag, wist hij dat Keith het mis had. Tessa wist het wel degelijk. Misschien niet alle details, geen namen en rugnummers, maar ze wist het wel.

Net zoals ze wist dat ze gewonnen had.

Hij hoorde iemand de trap af komen. Hij keek om en zag Scott, die stuurs terugkeek en geen sjoege gaf.

'Zeg je Ben even gedag, Scott,' zei Tessa nog, maar de jongen vertraagde zijn pas niet eens. Haar glimlach haperde toen hij door de gang wegliep. 'Hij is nog steeds een beetje van streek.'

Ben zei haar gedag en vertrok. De deur viel achter hem in het slot. Hij merkte nu pas dat hij al die tijd op eieren had moeten lopen, alsof het huis van glas was en elk moment aan diggelen kon vallen.

Toen hij terugliep naar de auto bedacht hij dat een gezin weliswaar bij elkaar kon blijven, maar niettemin gebroken kon zijn.

De evaluatievergadering zou over een week plaatsvinden, maar het leek alsof hij zich er eindelijk mee had verzoend dat hij Jacob daar niet mee terug zou krijgen. En voor zover verzoening een te groot woord was, had hij zich er in ieder geval bij neergelegd dat hij er nu niets meer aan kon doen. Hij wist dat hij er vrede mee moest zien te krijgen en door moest gaan met zijn leven. Sterker nog, hij moest een nieuw leven zien op te bouwen, want van het leven dat hij had gehad, was niet veel meer over. Die wetenschap maakte het echter niet gemakkelijker en het voelde alsof hij tot de dag van de vergadering aan het watertrappelen was.

Hij probeerde zichzelf ondertussen aan te praten dat alles daarna vast en zeker beter zou gaan.

Hij besloot de avond ervoor toch maar samen met Zoe naar een feest te gaan ter ere van de lancering van een nieuw tijdschrift. Hij had geprobeerd zich te drukken, maar daar had Zoe korte metten mee gemaakt. 'Kom op, wat moet je anders vanavond? Alleen thuis op de bank zitten en een beetje zappen tot je zó dronken bent dat je je geen zorgen meer kunt maken over wat er morgen gebeurt?'

Ja, dat was inderdaad wel zo ongeveer wat hij in gedachten had gehad. 'Nee, hoor,' zei hij snel. 'Natuurlijk niet.'

Het feest werd in een souterrain ergens in Soho gehouden, een donkere ruimte met veel blauw en paars, waardoor het leek alsof alle gasten aan blauwzucht leden. Hij kende best veel mensen, via zijn werk of eerdere gelegenheden zoals deze. Zoe, die inmiddels weer rood haar had, bleef lang genoeg aan zijn zijde om zeker te weten dat hij niet meteen de benen zou nemen, en verdween daarna in de mensenmassa. Ben stond op een gegeven moment te praten met de beeldredacteur van het nieuwe blad, die ervan uit leek te gaan dat hij bezig was met acquisitie plegen en daar ook braaf op inging. Vervolgens kwam hij een aardige collega-fotograaf tegen die hij al een jaar niet had gesproken. Om de een of andere reden kwam het gesprek op het onderwerp censuur en Ben raakte in een felle discussie verwikkeld met een schrijver – een nogal gedreven kerel met slechte adem – over de verantwoordelijkheid die kunstenaars daarin hadden. Hij vond het eigenlijk best een interessant gesprek, tot de schrijver hem een commerciële fotograaf noemde, wat hij duidelijk als een belediging bedoelde, en daarmee impliceerde dat Ben dan ook geen recht van spreken had. Ben wilde hem corrigeren en van repliek dienen, maar slikte zijn woorden snel in.

Want de man had helaas gelijk.

Alles wat hij deed, had een uiterste houdbaarheidsdatum. Zijn modereportages waren actueel zolang die kleding in de mode was en hoewel een deel van zijn reclamewerk ooit misschien een soort kitschstatus zou verwerven, was dat ook wel het enige. Ja, oké, hij was goed in wat hij deed, maar wát hij deed was waardeloos. Het waren wegwerpfoto's. En daar had hij zelf voor gekozen.

Wat zei dat over hem?

Hij had het gaandeweg opgegeven om naar iets anders te streven dan technisch erg goede foto's te maken, omdat hij uiteindelijk tot de slotsom was gekomen dat fotografie daarop neerkwam: vorm boven inhoud, ambacht boven kunst. Hij vroeg zich opeens af of hij zichzelf die beperking niet had opgelegd en of hij de camera niet de schuld had gegeven om maar niet onder ogen te hoeven zien dat hij zelf gewoon niets te zeggen had. *En nu? Heb je nu misschien wel iets te zeggen?* Hij had geen flauw idee. Hij kon zo snel niets verzinnen, maar toen hij zich realiseerde dat hij het eigenlijk niet eens meer probeerde, werd hij overvallen door een pijnlijk gevoel van gemis. En om de een of andere reden moest hij opeens ook aan Cole denken, die zijn gemangelde stukken metaal zo gedreven steeds maar bleef verplaatsen en herschikken, op zoek naar een of ander patroon.

Misschien ging het wel niet zozeer om wat je te zeggen had, als wel dat je het hoe dan ook bleef proberen.

Alle drank die hij op had lag hem opeens erg zwaar op de maag. Hij besefte dat hij bijna dronken was en dat wilde hij nu echt niet. Hij zette zijn glas neer. De schrijver was nog steeds geanimeerd aan het praten en dacht blijkbaar 'wie zwijgt stemt toe'. Ben excuseerde zich en liep weg. Hij keek om zich heen of hij Zoe's rode haar ook ergens zag, maar door het paarse licht waren alle kleuren onherkenbaar geworden. Hij gaf het op en besloot maar naar buiten te gaan.

Het vroor dat het kraakte. Het wegdek glinsterde van de rijp en hoewel het nog niet echt wit was, was het doffe asfalt bedekt met honderden speldenknopjes van glinsterend licht. De gedachte die hem net bijna te binnen was geschoten, was hem alweer ontglipt. Hij probeerde het vast te houden, maar op dat moment kwam er een taxi aan en glipten de laatste restjes definitief weg.

Toen hij zich eenmaal op de achterbank van de taxi had geïnstalleerd, was hij met zijn gedachten alweer afgedwaald naar wat er morgenochtend bij de vergadering zou gebeuren.

De bijeenkomst vond plaats in het hoofdgebouw van de dienst maatschappelijk werk van de gemeente waar Cole onder viel. De ruimte zag eruit als een doodgewone, anonieme vergaderzaal, met een lange tafel in het midden en plastic stoelen eromheen. De meeste waren al bezet toen Ben binnenkwam. Hij ging tegenover Carlisle zitten, die op zachte toon met iemand zat te praten – volgens Usherwood waarschijnlijk zijn baas. Naast hem zat een vrouw met grijs haar, de coördinator van de kinderbescherming, die de vergadering ook zou voorzitten. Er waren nog een paar anderen, onder wie een geüniformeerde agente van de afdeling Jeugdzaken, maar Ben herkende geen van hen.

De enigen die zo te zien nog ontbraken, waren John en Sandra Cole.

De voorzitster keek op haar horloge. 'Ik neem aan dat de heer en mevrouw Cole ook van dit tijdstip op de hoogte zijn?' vroeg ze Carlisle.

De maatschappelijk werker schoof wat ongemakkelijk heen en weer op zijn stoel. 'Ja, ik heb ze gisteren nog gesproken en...'

Hij maakte zijn zin niet af omdat de deur op dat moment openging en de advocaat die Cole eerder ook al had vertegenwoordigd gehaast kwam binnenzetten. Hij had een rood hoofd en was buiten adem. 'Het spijt me dat we te laat zijn,' verontschuldigde hij zich meteen. 'Er was helaas sprake van eh... een klein oponthoud.'

Hij weidde er verder niet over uit en niemand vroeg ook iets toen Sandra en haar echtgenoot eveneens binnenkwamen. Sandra deed haar uiterste best om niemand aan te kijken en ging naast de advocaat zitten. Ze was, zeker voor haar doen, keurig gekleed in een trui met lange mouwen en een rok tot op de knie. Cole droeg hetzelfde gekreukte pak dat Ben inmiddels van hem kende. Hij keek zonder ook maar een keer met zijn ogen te knipperen de kamer rond.

Zodra hij Ben zag, bleef hij als aan de grond genageld staan.

'Meneer Cole...' probeerde zijn advocaat. Sandra bleef naar haar schoot staren. Cole bleef nog even staan waar hij stond en ging toen pas zitten, maar hij bleef Ben aanstaren.

De vrouw met het grijze haar schraapte haar keel. 'Ik zou u allen om te beginnen willen bedanken voor uw komst. Ik ben Andrea Rogers en ik zal de vergadering vandaag voorzitten. In plaats van aparte bijeenkomsten te houden, hebben zowel de heer en mevrouw Cole als de heer Murray ingestemd hier gezamenlijk aanwezig te zijn, zodat we alle relevante informatie met elkaar kunnen delen.'

Ze wendde zich tot het echtpaar Cole. 'Normaliter zou ik u van tevoren even apart hebben willen spreken, maar aangezien we al wat achterlopen, moeten we dat denk ik maar overslaan.'

Sandra reageerde niet op het standje dat duidelijk in haar woorden doorklonk en Cole bleef gefixeerd op Ben, terwijl de voorzitster de tafel rondging om de welzijnswerkers en andere deskundigen te introduceren. Een van de aanwezigen bleek een maatschappelijk werker te zijn uit de gemeente waar Sandra Cole vroeger had gewoond. Ben zag Sandra verstijven toen hij als laatste werd voorgesteld.

'Voor we verdergaan, zou ik graag willen benadrukken dat deze vergadering geen enkele juridische status heeft,' ging Rogers verder. 'Er staat hier ook niemand terecht. De aanleiding van deze bijeenkomst is dat er bezorgdheid gerezen is over Jacobs welzijn, en om te beslissen of de situatie zo ernstig is dat hij onder toezicht moet worden gesteld.'

Cole draaide zijn hoofd heel plotseling naar haar toe. 'Jullie kunnen hem niet van me afnemen.'

'Ik wil geenszins de suggestie wekken dat iemand hier dat van plan is, meneer Cole. Maar er is een klacht ingediend en het is onze taak die te onderzoeken.'

Ze keek hem met een vorsende blik aan alvorens zich weer op de papieren voor haar te richten. 'De klacht heeft te maken met Jacobs schoolverzuim en de extra aandacht die hij nodig heeft. Daarnaast zouden bepaalde activiteiten bij u thuis een risico voor hem kunnen vormen. En ten slotte is er nieuwe informatie met betrekking tot uw echtgenote boven tafel gekomen, iets wat de instanties destijds helaas over het hoofd hebben gezien.'

Het leek alsof Sandra ter plekke door de grond wilde zakken. Ben voelde Coles priemende blik weer op hem rusten.

'Waar is Jacob vandaag?' vroeg Rogers.

'Op school,' antwoordde Coles advocaat, alsof hij daar zelf een pluim voor verwachtte. 'Mijn cliënt is inmiddels op de hoogte van het belang van goed onderwijs voor zijn zoon en hij heeft me de plechtige belofte gedaan dat hij vanaf heden weer gewoon naar school zal gaan.'

'Ik ben blij dat te horen. Ik vrees dat we alleen wel zeker moeten weten dat iedereen zich ook aan die belofte houdt. En we zullen ook moeten bekijken of er geen aanvullende maatregelen dienen te worden getroffen, ter compensatie van die langdurige periode van nalatigheid.'

'Dat beseft mijn cliënt terdege en...'

'Hij komt niks tekort,' zei Cole.

'Dat bedoelde ik in onderwijstechnische zin,' antwoordde Rogers. 'Jacob is autistisch en hij heeft...'

'Hij is mijn zoon. Ik ben het enige wat hij nodig heeft.'

'Ik ben goed op de hoogte van de achtergrond van deze zaak, meneer Cole, en ik begrijp heel wel hoe moeilijk dit voor u is, maar we moeten ergens een grens trekken. We zijn hier nu bijeen om te beslissen...'

'Er valt helemaal niks te beslissen.'

Rogers wierp een blik op Coles advocaat. 'Meneer Barclay, misschien kunt u uw cliënt uitleggen dat het in zijn belang is om mee te werken. Hij zal later alle gelegenheid krijgen om zijn standpunt toe te lichten, maar op dit moment is tegenwerking niet in zijn voordeel.'

De advocaat boog zich gehaast naar Cole toe en fluisterde iets in zijn oor. Alle anderen aan tafel begonnen omstandig met papieren en kopjes te schuiven om net te doen alsof ze het niet doorhadden. Cole zei niets, maar klemde zijn kaken stevig op elkaar. Ben voelde dat de politieagente zijn kant op keek. Toen hij terugkeek en vriendelijk glimlachte, beantwoordde ze zijn glimlach niet.

Coles advocaat leunde na een tijdje weer achterover met de bedachtzame houding van iemand die hoopt dat het wankele kaartenhuis dat hij zojuist heeft gebouwd overeind zal blijven staan. Hij wierp de voorzitster een niet al te overtuigende glimlach toe.

'Akkoord,' zei hij.

Alle deskundigen kregen de kans hun zegje te doen. De leerplichtambtenaar beet het spits af. De dikke kleine man met een stoppelbaardje zette Sandra's verklaringen omtrent Jacobs schoolverzuim kort uiteen: dat hij ziek was geweest en verkouden was of koorts had. Vervolgens zei hij dat hij onlangs nog op het autokerkhof was geweest en Jacob daar had aangetroffen in een autowrak, terwijl zijn vader vlak bij hem met een snijbrander in de weer was geweest.

'Hij maakte niet de indruk dat hij ziek was en er was mijns inziens geen enkele reden waarom de jongen op dat moment niet op school had kunnen zijn. Toen ik de heer Cole vroeg waarom hij niet op school zat, weigerde hij daarop in te gaan.' Hij wierp een blik in de richting van Cole. 'Hij zei zelfs helemaal niets tegen me. Hij ging gewoon door met werken en negeerde me volkomen.'

Ben beeldde zich Cole in met een snijbrander en bedacht dat de man nog van geluk mocht spreken.

Daarna kreeg de kinderpsychologe het woord. Ze was gespecialiseerd in autisme en benadrukte het belang van speciaal onderwijs en de omgang met andere kinderen. Als iemand een autistisch kind dat ontzegde, was dat wat haar betreft 'onverantwoordelijk gedrag' en het feit dat ze Cole weigerde aan te kijken, sprak op zich al boekdelen.

Cole hoorde alles onbewogen aan alsof hij er niets mee te maken had.

De maatschappelijk werker uit Sandra's vroegere woonplaats had een jongensachtig gezicht dat zijn beste tijd had gehad. Hij stotterde een beetje toen hij vertelde dat ze de avond dat haar dochtertje naar een pleeggezin zou worden overgeplaatst, dronken was geweest. De politie had zich toegang verschaft tot de sociale woningbouwflat waar ze woonde met haar echtgenoot, die van drugsbezit werd verdacht, en ze hadden de peuter daar ondervoed en uitgedroogd in haar eigen uitwerpselen aangetroffen.

Sandra hield haar hoofd gebogen terwijl hij het letsel opsomde dat later in het ziekenhuis bij het meisje was vastgesteld, waaronder tekenen van gedeeltelijk geheelde botbreuken, ernstig inwendig letsel en een schedelfractuur.

'De vader bekende dat hij het kind had geslagen,' ging de maatschappelijk werker verder. '"Omdat het kind maar bleef huilen," zo verklaarde hij. Volgens hem was dat de schuld van zijn vrouw, omdat ze haar eigen dochter niet stil wist te krijgen. Hij leek geenszins te denken dat hij iets fout had gedaan. Het meisje is drie dagen later in het ziekenhuis overleden aan de gevolgen van een longontsteking. Wayne Carter werd tot drie jaar veroordeeld voor doodslag en nog eens twee voor drugsbezit. Mevrouw Carter,' hij gebaarde met zijn hoofd naar Sandra, die haar gezicht nu met een van haar handen probeerde af te schermen, 'werd schuldig bevonden aan verwaarlozing, met als verzachtende omstandigheid dat ze bang was voor en geïntimideerd werd door haar man. Ze kreeg een jaar voorwaardelijk. En in de tussentijd is ze dus naar een andere gemeente verhuisd.'

Hij sloot het dossier. 'Dat was het.'

Sandra slaakte een gesmoorde kreet en haar schouders schokten op en neer toen ze beide handen voor haar gezicht sloeg. Ben zag dat haar vingertoppen er rauw uitzagen van het nagelbijten. Hij moest heel erg zijn best doen om geen medelijden met haar te hebben.

'Gaat het, mevrouw Cole?' vroeg Rogers.

Ze knikte zonder op te kijken. Haar kapsel deinde op en neer, de donkere uitgroei zag er tussen de nepblonde pieken een beetje zielig en kwetsbaar uit.

'Wilt u misschien dat we even pauzeren? We kunnen...'

'Nee, ik wil dit zo snel mogelijk achter de rug hebben.' Ze keek op en veegde haar tranen weg. Haar gezicht was vlekkerig en rood. De advocaat gaf haar een zakdoekje, dat ze zwijgend van hem aannam.

Cole keek haar eventjes volkomen onbewogen aan en wendde zijn blik toen af. Het leek net alsof hij haar voor het eerst zag.

Rogers wendde zich tot Carlisle. 'Ik denk dat het hoog tijd is dat we het standpunt van maatschappelijk werk horen, meneer Carlisle.'

De man slaakte een diepe zucht. 'Nou, om te beginnen wil ik er toch graag op wijzen dat hoewel mevrouw Cole, of mevrouw Carter, zoals ze destijds heette, er niet in slaagde haar kind tegen de vader in bescherming te nemen, ze op geen enkele wijze rechtstreeks betrokken was bij de dood van haar dochter. Dus hoewel het eh... wegvallen van de communicatie ernstig te betreuren valt...'

'Het was geen kwestie van wegvallen,' viel de andere maatschappelijk werker hem kalm in de rede, 'we zijn helemaal nooit benaderd. Dat staat ook duidelijk op schrift.'

'Toch zou ik graag willen zeggen dat...'

'Meneer Carlisle,' onderbrak Rogers hem ditmaal, 'hoewel er uiteraard nog heel wat vragen zijn over de reden waarom mevrouw Coles verleden niet grondig genoeg is onderzocht, is dit nu niet de juiste plaats en tijd daarvoor. We proberen een inschatting te maken van de huidige stand van zaken, om te beoordelen of er verdere maatregelen nodig zijn. Het gaat nu niet om de eventuele schuldvraag of excuses.'

Carlisle leek het daar niet helemaal mee eens te zijn, maar de man van wie Usherwood eerder had gezegd dat ze vermoedde dat het zijn baas was, legde hem het zwijgen op door even een hand op zijn arm te leggen.

'Mag ik even?'

Ze wisselden op zachte toon een paar woorden met elkaar. Carlisle ging wat rechterop zitten en liep rood aan. Het leek alsof hij net een hap van een citroen had genomen. Ben betrapte zichzelf op een kortstondig gevoel van leedvermaak.

Toen de maatschappelijk werker verderging met het toelichten van de bevindingen van het onderzoek voelde hij Coles blik weer op hem rusten. Er ging zo'n kracht van uit dat het hem echt moeite kostte om niet terug te kijken. Hij hoorde op een gegeven moment zelfs niet meer wat er gezegd werd, tot hij met een ruk opschrok bij het horen van zijn eigen naam.

'Zou u ons hier misschien even wat toelichting bij willen geven, meneer Murray?'

Ben keek Rogers niet-begrijpend aan. In haar hand had ze een paar kopieën van de foto's die hij van Jacob en Cole had gemaakt. Hij keek om zich heen en zag dat iedereen haar wat verward zat aan te kijken. Althans, bijna iedereen, want Sandra zat nog steeds ineengedoken in haar stoel naar de grond te staren.

En Coles wezenloze blik was nog steeds op hem gefixeerd.

Terwijl hij aarzelend begon te vertellen over wat hij in de achtertuin had waargenomen, voelde hij pas echt wat de uitdrukking 'als blikken konden doden' betekende.

'Maar als u zich zo'n zorgen maakte, waarom hebt u dan niet eerder contact opgenomen met de bevoegde instanties?' vroeg Rogers hem op een gegeven moment.

'Dat had geen enkele zin. Dat had ik al eens geprobeerd.' Terwijl hij het zei was het voor iedereen wel duidelijk waarom hij daarbij vooral Carlisle aankeek. 'Ik wist dat niemand me zou geloven.'

'En u vond het evenmin nodig uw zorgen aan de heer Cole kenbaar te maken?'

'Hij had me al gewaarschuwd wat hij me zou aandoen als hij me daar nog een keer zag,' zei Ben. 'En toen dat toch gebeurde, heeft hij me in elkaar geslagen en zijn eigen hond zelfs doodgeschoten.'

Dat leidde even tot wat consternatie, ook bij Coles advocaat, die zijn bewaren duidelijk kenbaar maakte. Ben hoorde het allemaal niet, want hij dwong zichzelf om Cole ditmaal recht in de ogen te kijken.

En daarin zag hij zijn eigen dood weerspiegeld.

Hun werd even later verzocht de kamer te verlaten, terwijl de commissie zich over de zaak boog. Ze konden buiten op de gang of in een belendend kamertje wachten. Ben wachtte tot het echtpaar Cole met hun advocaat naar het kamertje was gelopen en liep toen zelf de gang op. Usherwood ging met hem mee en hij was blij dat ze niet meteen begon te speculeren over de mogelijke uitslag. Ze haalden koffie bij een automaat en wachtten vervolgens in stilte.

Voor ze de vergaderkamer net hadden verlaten had Rogers Cole gevraagd of hij nog iets wilde zeggen. 'Misschien iets over wat u tot nu hebt gehoord? Of als u nog iets wilt toevoegen voor we ons over Jacobs situatie buigen.'

Hij had zich naar haar omgedraaid en haar aangekeken. 'Steven. Hij heet Steven.'

En daar liet hij het bij.

Ben zat al aan zijn derde koffie toen ze weer naar binnen werden geroepen. Hij zette het plastic bekertje op een bijzettafeltje en probeerde zichzelf wijs te maken dat het door de cafeïne kwam dat hij op zijn benen stond te trillen. John en Sandra Cole hadden al plaatsgenomen toen Usherwood en hij binnenkwamen. Hij ging zelf ook zitten en merkte dat Coles blik weer op hem rustte. Sandra vermeed nog steeds elk oogcontact met wie ook. Haar ogen waren bloeddoorlopen en opgezwollen en ze zat op haar duimnagel te bijten.

Rogers wachtte tot iedereen zich had geïnstalleerd. 'We hebben de situatie besproken en zijn op basis van alle informatie die we zojuist hebben gehoord zover om een aantal aanbevelingen te doen. Hoewel we mevrouw Coles achtergrond hebben meegewogen, menen we dat wat er twaalf jaar geleden is gebeurd, niet noodzakelijkerwijs van invloed is op haar huidige gezinssituatie. Er is geen enkel bewijs dat Jacob,' en ze leek die naam te benadrukken, 'moedwillig een onaanvaardbaar lichamelijk risico heeft gelopen en we denken ook niet dat dat zal gebeuren. Niettemin, vanwege de extra zorg en aandacht die de jongen nodig heeft, denken we wel dat er sprake zou kunnen zijn van emotionele schade als hij niet naar school gaat. We kunnen dat verzuim dan ook niet langer tolereren. We zijn van mening dat dat risico dusdanig groot is dat we dat nauw in de gaten willen houden en daarom zullen we dan ook om een voorlopige ondertoezichtstelling vragen. Voorts zal moeten worden onderzocht of er extra lesuren of misschien zelfs therapie nodig is ter compensatie van de periode die hij reeds gemist heeft.'

Zodra Ben de implicaties van haar woorden begreep, werd alle hoop die hij had gehad alsnog de grond in geboord. Jacob bleef dus bij Cole. Hoewel hij had geprobeerd zich niet op een andere uitkomst te verheugen, voelde het toch als een bittere pil.

'Een andere kwestie die aan de orde moet worden gesteld,' ging Rogers verder, 'is de mogelijkheid dat Jacob gewond zou kunnen raken door een onveilige leefomgeving die eh… het gevolg is van de overmatige hoeveelheid schroot bij hem thuis, alsmede enkele van uw andere activiteiten, meneer Cole.'

Het leek alsof Cole nu pas doorhad waar dit over ging en hij kreeg zelfs een soort frons op zijn gezicht. Rogers praatte echter rustig verder.

'Hoewel we onderkennen dat hij geen lichamelijk letsel heeft opgelopen en er ook geen sprake is van onwil of kwade opzet van welke partij ook, menen we niettemin dat het beter voor Jacob zou zijn als dat schroot zo snel mogelijk wordt opgeruimd. Ik ga ervan uit dat dat niet tot noemenswaardige problemen zal leiden aangezien u op een autokerkhof werkt. Mocht dat wel het geval zijn, dan kunnen we u helpen andere maatregelen te treffen.'

Cole zat haar aan te staren.

'Begrijpt u wat ik zojuist heb gezegd, meneer Cole?' vroeg ze.

Hij schudde heel langzaam zijn hoofd. 'Dat kan niet. Ik heb het bijna.'

Er viel een ongemakkelijke stilte. Ben zag hoe zorgvuldig Rogers haar volgende woorden uitkoos: 'We willen ook graag dat u zich psychologisch laat onderzoeken. Ik kan u...'

'Een psychologisch onderzoek?'

'Ik wil graag benadrukken dat u zich daar absoluut niet voor hoeft te schamen. We menen alleen dat het eh... zou kunnen helpen bij... nou ja, bij bepaalde aspecten van uw gedrag.'

Toen Cole niet tegen haar in ging, leek ze zowaar opgelucht. 'Ik stel voor dat we over drie maanden weer bijeenkomen om de zaak te evalueren en tot die tijd hoop ik dat...'

'Vergeet het maar.'

Het leek bijna alsof er een bom was afgegaan. Rogers bleef het toonbeeld van geduld. 'Ik snap heel goed hoe u zich nu voelt, maar...'

'Jullie snappen er helemaal niks van.'

Rogers wendde zich tot Coles advocaat. 'Meneer Barclay, zou u uw cliënt kunnen uitleggen dat dit geen kwestie van vrijwilligheid is. Het is in zijn eigen belang dat hij zich nu zo coöperatief mogelijk opstelt.'

De advocaat knikte, maar het was Cole die antwoordde. 'Hij is mijn zoon. We hebben geen behoefte aan bemoeienis van buitenstaanders.'

Rogers zuchtte. 'Meneer Cole, we proberen heus rekening te houden met wat voor alle partijen het best is. Het gaat ons echt om Jacobs welzijn. Het spijt me dat ik dit zo cru moet stellen, maar we gaan ons er wel degelijk mee bemoeien – en dat zijn uw woorden – en het zou voor iedereen een stuk gemakkelijker zijn als u meewerkt. Er is geen enkele reden waarom u dat niet zou doen, maar als u blijft weigeren, zullen we helaas genoodzaakt zijn verdergaande maatregelen te overwegen. En een daarvan is Jacob naar een pleeggezin overplaatsen en ik weet zeker dat u...'

'Jullie blijven van hem af!' Er klonk iets onmiskenbaar grimmigs door in zijn stem, iets waar eerder ook nog geen sprake van was geweest.

'Ik wijs u slechts op de mogelijkheden. Ik zei niet...'

'Ik laat me hem niet nog een keer afnemen!'

Carlisle kwam tot de slotsom dat hij nu beter tussenbeide kon komen. 'Dat wil ook helemaal niemand, meneer Cole. We willen alleen maar...'

'Dit komt door hem, hè?' Cole richtte zijn woedende blik weer op Ben. 'Dat wijf van jou heeft hem afgepakt en nu probeer jij hetzelfde te doen.'

Hij zei het alsof er verder niemand in de kamer was. Ben was bijna verlamd door de felheid in de ogen van de man. Hij zag haat, maar ook iets wat hij bij Cole nooit had verwacht te zien, namelijk een soort paniek.

Carlisle probeerde de boel verder te sussen. 'Meneer Cole, luistert u nu even, ik ben vanaf het allereerste begin al bij uw zaak betrokken geweest en ik kan u verzekeren dat niemand de jongen van u wil afnemen of op enigerlei wijze uw gezin uit elkaar wil trekken.' Hij wierp Ben een buitengewoon koele blik toe. 'Ik snap heel goed hoe moeilijk dit voor u is, maar we proberen u echt te helpen en we handelen niet op basis van beweringen van wie dan ook hier. Ons onderzoek wijst echter uit dat er bepaalde zaken zijn die ons zorgen baren en uw vrouw heeft...'

Hij hield abrupt zijn mond en schrok zich rot toen hij zijn eigen blunder besefte.

Cole keek hem aan. 'Wat is er met mijn vrouw?'

Ben voelde hoe gespannen de situatie was en zag dat Sandra als verstijfd zat, met haar blik nog steeds strak op de grond gericht.

Carlisles gezicht was vuurrood geworden. 'Nou eh... ik wilde alleen maar zeggen dat...'

'Wat is er met mijn vrouw?'

O, nee... Nu zijn de rapen gaar.

Rogers probeerde het gesprek in goede banen te leiden. 'We dwalen af van waar het nu om gaat,' zei ze, maar Cole had alleen nog maar oog voor Sandra.

'Wat heb je ze verteld?'

'U bewijst zichzelf hier geen dienst mee, meneer Cole,' beet Rogers hem toe. 'Hier bereikt u niets mee.'

'Kijk me 's aan,' zei Cole.

Sandra hield haar kin tegen haar borst gedrukt.

'Meneer Cole, ik wil u met klem...'

'Kijk me 's aan!' schreeuwde hij.

Sandra klemde haar ogen stijf dicht. Cole zat haar aan te staren alsof hij een spook zag.

En toen gaf hij haar een klap in het gezicht.

Door de stilte in de vergaderruimte klonk het schokkend hard en als haar knieën niet tegen de onderkant van de tafel aan waren gekomen, zou ze met stoel en al zijn omgekukeld. De tafel trilde nog na van de klap. Toen alle vier de stoelpoten weer op de grond terechtkwamen, sloeg Cole haar nog een keer.

Ditmaal viel ze wel met een smak op de grond. Zowat iedereen zat nog geschokt en verbouwereerd om zich heen te kijken en de eerste die in actie kwam was de politieagente. 'Oké, zo is het wel...' Ze stak haar armen al uit om Cole tegen te houden, die zelf ook overeind was gekomen. Hij haalde met zijn elleboog uit naar haar buik en trof haar met zijn vuist vol in het gezicht. Ze kletterde tegen een metalen archiefkast aan die achter haar stond en gleed op de vloer.

Coles advocaat riep: 'In hemelsnaam!' en hij legde zijn hand op de bovenarm van zijn cliënt. Cole trok hem uit zijn stoel omhoog, omvatte zijn nek en beukte zijn hoofd vervolgens neer op het tafelblad.

Nadat hij de advocaat had uitgeschakeld, boog hij zich voorover en rukte Sandra aan haar trui overeind. Hij haalde twee keer heel snel uit met zijn vuist. Er waren nog een paar andere mensen die in actie waren gekomen en Ben zag dat Carlisle Cole bij de schouder pakte en zei: 'Alstublieft, meneer Cole...!' voordat ook hij tegen de muur werd gesmeten, gevolgd door een knietje in zijn kruis. De maatschappelijk werker klapte voorover, maar Cole had zich alweer op Sandra gericht, die kruipend aan hem probeerde te ontkomen. De politieagente had haar mobilofoon inmiddels gepakt en om assistentie verzocht en probeerde tegelijkertijd haar bloedneus te stelpen. Carlisles baas pakte Cole van achteren beet. Cole trapte keihard tegen zijn scheenbeen en duwde hem vervolgens tegen de psychologe aan, die net aanstalten maakte om op te staan. Ze vielen allebei op de grond. Rogers riep iets in haar telefoon terwijl de politieagente Cole weer te lijf ging. Hij duwde haar opzij, boog zich voorover en trok Sandra aan haar haren omhoog.

Ben had zelf eigenlijk niet door dat hij opstond, maar Cole wel en hij draaide zich vliegensvlug naar hem om.

Ze keken elkaar over de tafel aan.

Cole liet zijn vrouw op de grond vallen en duwde de tafel opzij. Het meubelstuk viel met luid krassende tafelpoten omver. Ben pakte een stoel en gooide die tegen Coles benen aan. Hij wankelde even toen zijn kapotte knie werd getroffen, schopte de stoel opzij en deed een uitval naar Ben.

Op dat moment vloog de deur open. De bewaker die de kamer binnenstormde vloekte luidkeels. Cole gaf hem een kopstoot op hetzelfde moment dat er nog twee bewakers binnen kwamen zetten. Cole bracht zijn gewicht naar zijn slechte been en schopte met het andere een van hen in zijn maag en liet de rug van zijn hand met een soort karatebeweging tegen de kin van de ander aan komen. De man aan wie hij net een kopstoot had uitgedeeld, omklemde Coles knieën, wat hem een keiharde klap in zijn nek opleverde. De bewaker liet Cole meteen los, maar op dat moment ging de deur weer open en kwamen er twee agenten binnen. En opeens leek de kamer vol uniformen te zijn, die zich allemaal boven op Cole stortten. Die maaide met een grimmige gezichtsuitdrukking om zich heen zonder enig geluid uit te brengen, maar uiteindelijk begaven zijn benen het en viel hij op de grond. Zelfs toen bleef hij zich nog verzetten, maar nog steeds zonder een kik te geven. Iemand riep om handboeien en pas toen die om Coles polsen werden geklemd, brulde hij: 'Nee! Jullie blijven van hem af! Hij is mijn zoon!'

Hij spartelde en schopte hevig toen zijn armen achter zijn rug werden geklemd. Een van de bewakers slaakte een pijnkreet toen Cole hem met zijn been wist te raken. 'Voer hem af. En snel graag,' hijgde een van de agenten. Cole bleef tegenstribbelen terwijl ze hem half over de grond slepend naar de deur toe trokken.

'Nee! Nee!' schreeuwde hij weer. Vlak voor ze hem door de deur-opening wisten te duwen, ving hij Bens blik op. 'Hij is mijn zoon! Mijn zoon!'

De deur viel dicht.

Het was opeens doodstil in de kamer. De psychologe zat zacht-jes te huilen en ondersteunde met haar hand een ogenschijnlijk ge-broken pols. Anderen kwamen langzaam overeind en schoten de-genen te hulp die nog toegetakeld op de grond lagen. Rogers zat naast een van de bewakers, die in stabiele zijligging op de grond lag. De politieagente met het beboede gezicht had haar armen om Coles echtgenote geslagen. Sandra zat stilletjes haar hoofd te schud-den terwijl de tranen over haar tot moes geslagen gezicht stroom-den.

Hoewel ze amper uit haar ogen kon kijken, keek ze Ben even aan. 'O, gottegottegot, wat heb je gedaan?' jammerde ze.

Hij bleef haar het antwoord schuldig.

20

Ben schikte het boeket nog wat beter en stond op. Het vrolijke kleuraccent te midden van het dode gras op het graf zag er volkomen misplaatst uit. Het verlepte bosje ernaast bestond uit slechts een paar kledderige stengels. Hij wikkelde ze in het papier waar hij de nieuwe bloemen net had uitgehaald en legde ze op de grond om straks mee te nemen. Zijn handen waren door de natte stengels nu al verkleumd. Hij trok zijn handschoenen snel weer aan en zette zijn kraag op. Het waaide niet eens en toch waren zijn winterjas en de dikke schoenzolen niet bestand tegen de kou.

Die ochtend had hij om de een of andere reden per se naar Sarahs graf gewild. Nee, 'willen' was niet helemaal het juiste woord, het voelde eerder als een soort verplichting. Eenmaal klaar met het schikken van het boeket voelde hij zich plots ook wat onthand. Er stonden nog meer bloemen, die nog niet waren verlept, waaruit hij opmaakte dat haar ouders hier waarschijnlijk onlangs nog waren geweest. Hij vroeg zich af of zij de nabijheid van hun dochter wel voelden als ze bij dit stukje aarde stonden waar ze begraven lag. Hij wenste dat hij dat zou voelen. Kon hij maar tegen haar praten en haar vertellen wat er was gebeurd. Maar alleen al het idee dat hij hier nu een monoloog tegen een graf zou afsteken, kwam hem opeens als erg theatraal en onoprecht voor. En dus bleef hij daar maar gewoon even staan en stampte zo nu en dan met zijn voeten op de grond om nog enigszins warm te blijven, zonder dat hij snapte waarom hij eigenlijk bleef. Maar ook nu gold dat hij zich er om de een of andere reden niet toe kon zetten al weg te gaan.

Het was inmiddels drie dagen geleden dat Cole door het lint

was gegaan en Ben was sindsdien in de greep van dat beklemde gevoel. Hij snapte zelf niet helemaal waardoor het kwam. Als hij Cole had kunnen vragen om hem te helpen zijn gelijk te halen, had hij geen flagrantere manier kunnen bedenken. Toch voelde hij zich ook schuldig en verantwoordelijk voor wat er gebeurd was en hij kon dat rotgevoel maar niet van zich afschudden. Wat ook niet echt hielp, was het vermoeden dat anderen hem ook als medeschuldige zagen. Nadat Sandra Cole in een ambulance was afgevoerd had hij nog even met de politieagente staan praten. Ze probeerde met wat handdoekjes van het toilet haar bloedneus te stelpen, wachtend tot de verpleegkundigen naar haar verwondingen konden kijken en Ben, die zonder ook maar één schrammetje naast haar stond, vond het een beetje raar als hij er helemaal niets over zou zeggen.

'Gelukkig dat die anderen er zo snel waren.' Ze keek hem zwijgend aan van over de rand van het vochtige grijze propje, dat door het bloed donker was verkleurd, als een lakmoesproef voor geweld. *Begreep ze nou echt niet wat hij bedoelde?* 'Die andere agenten net.' Haar stilte zat hem niet helemaal lekker. 'Die waren er gelukkig heel snel.'

Ze liet de zakdoekjes zakken en nam de schade op. 'Ze stonden stand-by. Daar kunnen de instanties een verzoek voor indienen als ze het vermoeden hebben dat iemand wel eens agressief zou kunnen reageren.'

Daar had hij van opgekeken, omdat hij dacht dat hij de enige was die wist waartoe Cole in staat was. 'Dus jullie hielden al rekening met de mogelijkheid dat hij gewelddadig uit de hoek zou kunnen komen?'

Ze had de zakdoekjes weer tegen haar neus gedrukt en hem aangekeken met een blik die hij niet goed kon duiden.

'Nee, dat verzoek had betrekking op u.'

Cole zat nog vast en was aangeklaagd, en doordat Sandra niet in staat was om voor zijn zoon te zorgen, wat ze ook niet wilde, zat Jacob nu dus bij een pleeggezin. Ben had te horen gekregen dat het een gezin uit de buurt was, zodat de jongen niet weer naar een andere school hoefde, maar meer dan dat wilden ze hem niet vertellen. Zijn aanbod om de zorg voor Jacob op zich te nemen was onmiddellijk van de hand gewezen. De maatschappelijk werker – niet Carlisle, want die was nog met ziekteverlof – had hem er fijntjes op gewezen dat hij geen verzoek voor een wijziging in het ouderlijk gezag had ingediend en dat de situatie bovendien slechts tijdelijk was, want ze hoopten dat Jacob uiteindelijk weer naar zijn vader terug zou kunnen.

Althans, even aangenomen dat Cole geen gevangenisstraf zou krijgen.

Ben probeerde blij te zijn, maar om de een of andere reden voelde hij toch geen enkele genoegdoening. De herinnering aan hoe Cole in handboeien was afgevoerd, stond hem nog te helder voor de geest en hij had het gevoel dat hij het met die hele actie alleen maar erger had gemaakt.

Het voelde namelijk alsof hij iets blijvend kapot had gemaakt.

Hij had nog even overwogen om de dag na de vergadering contact op te nemen met Sandra Cole, maar had daar uiteindelijk toch maar van afgezien. Wat kon hij haar immers zeggen, áls ze hem al zou willen spreken, wat niet waarschijnlijk was. 'Sorry' dekt de lading natuurlijk niet helemaal als je iemands leven hebt geruïneerd. In plaats daarvan had hij alle foto's en de negatieven die hij van haar had, verbrand. Het bleef een wat loos gebaar en toen het fotopapier en het celluloid vlam vatten en zwart blakerden, had hij in een opwelling de telelens en het polarisatiefilter ook gepakt en mee naar buiten genomen. Het filter had hij meteen in de vlammen gesmeten, maar bij de lens aarzelde hij toch even. Het was immers een vreselijk duur ding. Als hij echt boete wilde doen, kon hij die beter verkopen en Sandra het geld geven. Hij bleef even met het vertrouwde zware geval in zijn handen staan, maar gooide het toen alsnog op het vuur.

Bij het graf naast dat van Sarah stond een man met twee kinderen. Ben knikte hem gedag en ze probeerden elkaar vervolgens te negeren. Hoewel de kinderen vrij rustig waren, klonken hun stemmen niettemin opvallend luid op de verder doodstille begraafplaats. Ben wierp nog een laatste blik op Sarahs graf, pakte de verlepte bloemen en liep weg. Hij nam een kleine omweg voor de afvalbak, die al behoorlijk vol bleek te zitten met de verwelkte boeketten van andere graven. De geknakte stelen staken door het gaaswerk aan de zijkant en de ooit zo felgekleurde bloemblaadjes van de chrysanten, rozen en anjers waren geplet en verschoten en half vergaan. Toen hij zijn eigen bloemen erop liet vallen, kreeg hij opeens een inval en liep snel door naar de auto voor zijn fototoestel.

Hij schoot meteen een heel rolletje vol, vanuit verschillende hoeken. Hij had eigenlijk best willen doorgaan, ware het niet dat een oud vrouwtje zijn bezigheden met argusogen stond gade te slaan. Toen ze op een zeker moment met een vastberaden zwaaibeweging van haar wandelstok zijn kant op kwam, besloot hij het maar voor gezien te houden. Hij pakte snel zijn spullen bij elkaar en liep terug naar de auto.

Nadat hij was weggereden realiseerde hij zich pas hoe morbide het eigenlijk was. De symboliek van een afvalbak met verwelkte bloemen op een kerkhof, een begraafplaats op een begraafplaats, was wel erg clichématig. Straks ging hij de overlijdensadvertenties in de krant nog lezen! Hij probeerde het weg te lachen, maar zo gemakkelijk liet zijn zwartgallige bui zich niet verjagen. Hij wist dat hij ergens op wachtte, zonder te weten waarop. Hij herinnerde zich dat hij als tiener een tijdje last had gehad van een terugkerende nachtmerrie. Dat hij dan elke keer doodsbang wakker schrok, er vast van overtuigd dat er iets verschrikkelijks stond te gebeuren, alleen wist hij niet wat. Zo voelde hij zich nu ook. Verstandelijk gezien wist hij dat het gewoon door de teleurstelling kwam en dat hij daardoor zo ontdaan was, maar echt geloven deed hij het niet.

Want het was nog helemaal niet opgelost. Ondanks alles was het niet meer dan een moment van respijt, alsof hij zich in de luwte bevond. Wat er gebeurd was, was niet meer dan een ouverture. Nu Cole zijn ware aard had getoond en het beschaafde vernislaagje van terughoudendheid en zelfcontrole definitief had afgeworpen, had Ben eerlijk gezegd geen flauw idee wat hij zou doen en hoe dat zou aflopen.

En hij wist niet zeker of hij daar wel achter wilde komen.

Twee dagen later hoorde hij het op het ochtendjournaal. Hij was de avond ervoor met Keith naar een voetbalwedstrijd geweest: de Spurs tegen Arsenal. De club uit Tottenham was ingemaakt en de volgende ochtend bij het ontbijt was hij daar nog over aan het nadenken. Het was de eerste keer na Keiths zelfmoordpoging dat ze iets waren gaan doen en op het oog leek zijn vriend ook weer min of meer de oude. Hij had nog steeds met geen woord gerept over wat er gebeurd was en praatte evenmin over het meisje dat hem daartoe had gedreven. Hij was na een paar dagen zelfs weer gewoon naar kantoor gegaan alsof er niets was gebeurd. Toch kon Ben zich niet aan de indruk onttrekken dat er iets ontbrak, alsof een deel van Keith toch in die garage was gestorven. Of misschien was het zelfs daarvoor al gebeurd, toen dat meisje het met hem had uitgemaakt. Wanneer hij nu met Keith praatte, deed dat hem denken aan naar muziek luisteren terwijl je de dolbyknop hebt ingedrukt. Het was een soort gedempte versie, alsof elke sprankeling en elk kraakje of ruisje eruit was gehaald.

Ben hoopte maar dat het niet iets blijvends was.

Hij had de radio die ochtend aangezet, maar hij luisterde maar met een half oor naar het nieuws. Keith en Tessa zouden de volgende dag samen met de jongens naar Disneyland gaan en hoewel hij vaag wel iets opving over de moord op een vrouw, was hij zich net aan het afvragen of Keith mentaal gezien wel toe was aan de aanblik van Tessa zij aan zij met Minnie Mouse. Hij wilde net melk over zijn muesli schenken toen Sandra Coles naam opeens tot hem doordrong.

Hij schrok op, alsof iemand hem zojuist een keiharde oplawaai had gegeven.

'... lichaam is door een buurtbewoner gevonden in de achtertuin van het huis,' las de nieuwslezer voor. 'De politie gaat er voorlopig van uit dat ze om het leven is gekomen door mishandeling. De eenendertigjarige mevrouw Cole was de echtgenote van John Cole, die vorig jaar enige tijd in het nieuws was toen hij herenigd werd met zijn zoontje dat zes jaar daarvoor was ontvoerd. De politie is nog op zoek naar de heer Cole, die gisteren op borgtocht vrijkwam nadat hij vorige week enkele hulpverleners had mishandeld. En verder vandaag...'

Ben hoorde iets druppen en merkte toen pas dat hij het pak melk nog steeds schuin boven het bakje hield. Hij zette het snel neer, maar deed geen poging de witte plas op te vegen die van het aanrecht op de vloer drupte. Hij was duizelig en moest bijna kokhalzen, maar het duurde maar heel even. Hij keek om zich heen naar de keuken waar hij stond en dacht: ik moet iets doen! Maar hij had geen idee wat. Uiteindelijk besloot hij half verdoofd eerst maar even te gaan zitten.

Het is mijn schuld. Mijn schuld.

Hij stond al snel weer op, want van stilzitten werd hij helemaal gek. Hij liep naar de telefoon, belde nummerinformatie en vroeg om het telefoonnummer van het politiebureau in Tunford. De agent die opnam klonk niet als dezelfde man die hij had gesproken op de dag dat Cole zijn hond had doodgeschoten. Hij kreeg het nummer van de meldkamer en kreeg daar een agente aan de lijn die hem beleefd vroeg wie hij was en waarom hij belde. Hij probeerde het uit te leggen, maar hoorde zelf ook dat hij niet goed uit zijn woorden kwam. Tja, waarom belde hij eigenlijk... De agente zei dat ze zijn boodschap zou doorgeven en bedankte hem voor zijn telefoontje.

Nadat hij had opgehangen zat hij een tijdje wezenloos voor zich uit te staren. Hij besloot uiteindelijk toch maar de plas melk op te vegen en ging daarna de deur uit. Er was geen enkele reden om al zo vroeg naar de studio te gaan, maar thuis blijven zitten in zijn eentje was helemaal geen optie. Hij was net op weg toen hij zich bedacht.

Hij sloeg een zijstraat in en zette koers richting Tunford.

Toen hij al op de snelweg zat, belde Keith hem op zijn mobiel. 'Heb je het al gehoord?' was zijn eerste vraag.

'Ja, ik zit in de auto. Ik ga er nu naartoe.'

'Hè? Naar Tunford? Wat heeft dat nou voor zin?'

'Weet ik niet.' Maar dat was niet helemaal waar. Hij ging erheen omdat hij er zeker van wilde zijn dat Jacob veilig was en dat de politie alles deed om hem te beschermen. Alleen wilde hij het daar nu niet over hebben en er liever niet eens aan denken zolang hij niet gerustgesteld was. 'Wil jij San…' *O, shit.* 'Wil jij Zoe even voor me bellen? Of ze de fotoshoot van vandaag wil verzetten? Vraag maar of ze… Nee, vertel haar maar gewoon wat er gebeurd is.' Zoe kon vast een betere smoes verzinnen dan hij.

Hoe dichter hij het stadje naderde, hoe erger de knoop in zijn maag. Het was een frisse dag en de hemel was strakblauw. Hij reed langs allerlei vertrouwde herkenningspunten: eerst de afslag, de weg die naar het bos leidde, het politiebureau en de pub. Alles zag er nog net zo uit als de vorige keer, hoewel wel naargeestiger en ook potdicht, al geheel voorbereid op de winter. Je zou bijna denken dat hij zich het nieuwsbericht had ingebeeld.

Toen hij de straat in reed waar de familie Cole woonde en alle politieauto's zag, werd hij meteen van die illusie beroofd. Hij zag een paar buurtbewoners die de hele boel gadesloegen vanuit hun deuropening en verderop stond een groepje mensen op straat. Zo te zien waren een paar agenten in uniform nog bezig met het buurtonderzoek. Hij reed erlangs, parkeerde de auto en stapte uit. De voordeur van huize Cole stond open, het paadje ernaartoe was met geel lint afgezet. Ervoor stond een grote witte trailer met zwarte kruisen over de gehele zijkant. Een klein trapje leidde naar een deur en die ging toevallig net open toen Ben ernaartoe liep. De agente die naar buiten kwam merkte Ben op en kwam meteen naar hem toe.

'Kan ik u ergens mee helpen?'

Hij wist zijn blik los te scheuren van de man in burgerkleding die op handen en voeten in het halletje van het huis iets op de grond bestudeerde.

'Ik zou de onderzoeksleider graag willen spreken.'

Haar reactie was afgemeten en koel. 'Zou u me ook willen zeggen waarop uw vraag betrekking heeft?'

'Op de moord.' Wat klonk dat idioot melodramatisch.

De agente vroeg hem naar zijn naam en liep terug naar de trailer. Ze bleef niet lang weg. 'Zou u even mee naar binnen willen komen?'

Ben liep het trapje op en zag dat er binnen een heus miniatuurkantoor was gecreëerd. Een man van middelbare leeftijd in een grijs pak stond te praten met een forsgebouwde politieman met een klembord in de hand. Zodra die naar buiten ging, draaide hij zich om naar Ben.

'Morgen, ik ben inspecteur Norris. Waarmee kan ik u van dienst zijn, meneer Murray?' Aan zijn accent te horen kwam hij uit de Midlands.

'Hebben jullie Cole al weten te vinden?'

'We zijn op zoek naar de heer Cole omdat hij ons wellicht kan helpen met het onderzoek,' luidde het vrijblijvende antwoord. 'Mijn collega vertelde dat u wellicht over informatie beschikt aangaande de moord op mevrouw Cole...?'

Ben negeerde de vraag. 'Hij is op zoek naar zijn zoon.'

Hij wist het honderd procent zeker. Onderweg in de auto had hij dat opeens met een schok beseft, maar nu moest hij de inspecteur daar ook nog van zien te overtuigen. Het zweet brak hem uit. 'Zijn zoon is verleden week door maatschappelijk werk naar een pleeg...'

'Daar zijn we van op de hoogte, ja.'

Ben was even van zijn à propos. 'Zijn vrouw heeft een belastende verklaring over hem afgelegd. Daar heeft hij helaas lucht van gekregen en... Nou ja, dat is de reden waarom hij dit heeft gedaan. Hij wil zijn zoon koste wat kost terug.'

'Heeft meneer Cole contact met u opgenomen?'

'Nee, maar...'

'Zou u me dan misschien ook kunnen vertellen wat u hiermee te maken hebt?'

'Ik ben de stiefvader van de jongen.'

De politieman liet dat even bezinken en zei toen: 'Juist, ja.'

'Luister, ik ken Cole en ik weet waartoe hij in staat is. Hij zal nu niets of niemand meer tussen hem en zijn zoon laten komen.'

'Ik stel uw bezorgdheid natuurlijk op prijs, meneer Murray, maar als de jongen bij een pleeggezin is ondergebracht weet de heer Cole niet waar hij is.'

'Nee, maar hij gaat wel naar dezelfde school. Hij is autistisch en er zijn hier niet veel scholen voor speciaal basisonderwijs. Dus Cole zal daar...'

'Wacht even.' Norris liep naar een andere man in burger. Hij zei iets, maar te zacht voor Ben om hem te kunnen verstaan. De andere man knikte en pakte de telefoon terwijl de inspecteur weer terugkwam. 'Ik heb geregeld dat ze er nu meteen een auto naartoe sturen. We zullen de ingang van de school goed in de gaten houden.'

Ben was opgelucht, maar nog verre van gerustgesteld. 'En u weet ook dat hij in het leger heeft gezeten?'

'We zijn uiteraard op de hoogte van zijn achtergrond. Is er verder nog iets waarvan u denkt dat we dat zouden moeten weten?'

Hij had net zo goed 'u kunt nu wel gaan, hoor' kunnen zeggen en Ben kon zo snel niets verzinnen. Hij keek door het raampje links van hem en zag het huis weer. 'Wat is er precies gebeurd?'

'Het spijt me, meneer, maar we zijn hier geen vraagbaak. We zitten midden in een moordonderzoek en...'

'Jezus christus, ik ben degene die haar zover heeft gekregen tegen haar man te getuigen!'

Het was niet zijn bedoeling geweest zijn stem te verheffen en je kon in de trailer opeens een speld horen vallen. Norris keek hem even aan en ging zitten. Het achtergrondgeluid zwol langzaam weer aan. 'Cole is gistermiddag op borgtocht vrijgelaten. We weten van de buren dat hij hier omstreeks vijf uur 's middags arriveerde. Ze hebben het echtpaar horen ruziën, maar dat scheen niet ongewoon te zijn. Cole is rond halfzes weer weggegaan. Omstreeks elf uur 's avonds zag een man die zijn hond uitliet in het paadje achter de huizen dat de keukendeur openstond. Hij zag in het schijnsel vanuit het huis iets in de tuin liggen. Hij dacht dat het een lichaam was, maar hij kon het niet goed zien.' Norris haalde zijn schouders op. 'Er ligt namelijk ook een hele hoop schroot.'

'Ja, dat weet ik,' zei Ben.

Norris keek hem even aan, maar ging gewoon door met zijn verhaal. 'Ze hebben er iemand naartoe gestuurd om poolshoogte te nemen en troffen Sandra Cole daar aan. Althans, ze gingen ervan uit dat zij het was. Haar schedel was namelijk verpletterd door een automotor. Gaat het wel, meneer Murray?'

Ben knikte. Toen hij hoorde waarmee Cole zijn vrouw had vermoord, leek de hele trailer slagzij te maken. Hij twijfelde er geen moment aan wat het was geweest – hij had Cole het ding zelf tot tweemaal toe boven Jacobs hoofd zien optillen. Hij kromp ineen toen hij terugdacht aan de keiharde dreun waarmee de zware cilinder destijds op de grond was gevallen.

'We beschikken nog niet over het sectierapport, dus we weten nog niet of ze al dood was toen haar schedel werd verbrijzeld,' ging de inspecteur verder. 'Ze is namelijk ook ernstig mishandeld. Enkele van die verwondingen zouden postmortaal kunnen zijn toegebracht, maar we vermoeden dat dat niet het geval is. Hoe dan ook komt het qua tijdsspanne overeen met het moment waarop Cole hier volgens ooggetuigen was.'

'Heeft niemand haar dan gewaarschuwd dat Cole was vrijgelaten?'

Norris weifelde zichtbaar. 'Dat kan ik u op dit moment nog niet zeggen.'

'Nee, hè! Niemand heeft eraan gedacht haar dat te vertellen?'

'Zoals ik net al zei, beschik ik nog niet over alle relevante informatie.'

Als Ben de politie al de wind van voren had willen geven, bleven de woorden in zijn keel steken zodra hij zich zijn eigen rol in alle gebeurtenissen herinnerde. *Als ik me er niet mee had bemoeid, zou ze nog in leven zijn.* Zijn woede verdween op slag, maar zijn energie helaas ook.

'Zou u me op de hoogte kunnen houden van de verdere ontwikkelingen?' Hij diepte een visitekaartje op uit zijn zak. 'Mijn mobiel staat dag en nacht aan.'

De inspecteur nam het kaartje aan maar ging niet in op zijn verzoek. 'Dank u voor uw hulp, meneer Murray.'

Ben pikte de hint niet direct op. 'En jullie houden zijn school echt goed in de gaten, hè?'

'Ja ja, dat is geregeld.' Norris gebaarde naar de agente die Ben buiten net had aangesproken. 'Zou je meneer Murray even naar buiten willen begeleiden?'

Na de drukkende warmte in de trailer leek het buiten opeens veel kouder dan zo-even. Ben liep terug naar zijn auto en sloeg geen acht op de nieuwsgierige blikken van alle buurtbewoners. Hij probeerde zichzelf gerust te stellen met het idee dat de politie heus wist waar ze mee bezig was en dat Jacob geen gevaar liep. Hij moest het maar uit handen geven en aan hen overlaten.

Het kwam helaas niet in hem op om te vragen of het jachtgeweer nog in het schuurtje lag.

Hij reed de inmiddels vertrouwde heuvel op die over het stadje uitkeek, parkeerde op dezelfde plaats als altijd en klom over het muurtje heen. Het bos maakte de indruk dat er geen redden meer aan was, zo doods als de bomen eruitzagen. Bij het afdalen van de heuvel gleed hij een keer uit en viel op de modderige ondergrond en rottende bladeren. Zijn jas zat vol moddervegen en hij haalde zijn hand open aan een kapotte boomwortel die omhoogstak. Hij drukte er een zakdoekje tegenaan tegen het bloeden.

Het eikenbosje leek veel kleiner dan in zijn herinnering, veel kaler ook en zo in het zicht. Bij de ingang naar zijn schuilplaats zag hij tussen de miezerige grassprietjes een half vertrapte wikkel van een Snickers liggen. Verder was er geen enkel teken dat hij hier ooit was geweest. Hij pakte het plastic op en stopte het in zijn zak.

Het leek bijna alsof de helling bij de huizen met zuur onder handen was genomen. Hij zag dat de achtertuin van het huis was afgezet met een lichtgekleurd polyethyleen zeil, waardoor je, behalve de donkere cirkel die het schroot vormde, niets kon zien. Wat hij wel zag, was dat er allemaal kinderen voor het hek stonden te gluren.

Hij schrok op toen hij achter zich een tak hoorde breken. O nee, dat is Cole, was zijn eerste gedachte en hij draaide zich vliegensvlug om, maar het bleek een politieagent in een geel reflecterend jack te zijn, die langs de helling naar hem toe kwam glibberen. Hij bleef een meter of twee voor hem stilstaan.

'Lekker aan het rondsnuffelen?'

Bens hart ging nog steeds tekeer. 'Nou nee, niet bepaald.'

De gezichtsuitdrukking van de agent was verre van vriendelijk. 'Zou u me dan misschien ook willen vertellen wat u hier te zoeken hebt?'

Er zit hier echt iets in de lucht, dacht Ben bij zichzelf. Of misschien komt het wel gewoon door mij. 'Ik ben een ommetje aan het maken.'

'En dat is uw auto dus, die daar verderop staat?'

'Als u die rode Golf bedoelt, ja, dat klopt.'

'Wat is het kenteken?'

'Ik heb geen flauw idee.'

'Hoe heet u?'

Toen hij hem dat had verteld, pakte de agent zijn mobilofoon, maar hij bleef hem ondertussen goed in de gaten houden. Hij leek wat teleurgesteld door het antwoord dat hij te horen kreeg. 'Oké, loopt u maar door.' Hij gebaarde met zijn duim in de richting van de weg.

Koppig als Ben was, kon hij het niet laten nog wat olie op het vuur te gooien. 'Weet je zeker dat je me niet wilt inrekenen?'

De agent staarde hem aan met de blik van een psychopaat. 'Ik ga het niet nog een keer vragen.'

Ben keek nog een laatste keer langs de heuvel omlaag en liep toen inderdaad rechtstreeks terug naar de auto.

Hij besloot maar naar de studio te gaan, hoewel de fotoshoot natuurlijk was afgelast. Hij had de deur net van het slot gedaan en stond al bijna binnen toen hij pas bedacht dat hij misschien wat voorzichtiger moest zijn. Cole had zijn eigen vrouw al vermoord en Ben maakte zich geen enkele illusie over wat er zou gebeuren als ze elkaar tegen het lijf zouden lopen. Toch wist hij ergens ook dat hij geen gevaar liep. Althans, Cole zou hem absoluut afmaken als hij hem zou tegenkomen, maar hij wist waar Coles prioriteiten nu lagen.

Bij Jacob.

En zo probeerde hij zichzelf aan te praten dat hij niets te vrezen had. Cole opereerde in zijn eentje en door zijn manke been viel hij natuurlijk snel op en was hij bovendien niet heel mobiel. Ex-soldaat of niet, het was slechts een kwestie van tijd voor ze hem zouden vinden. En dan zou de hele kwestie bij wie Jacob mocht wonen weer aan de orde moeten worden gesteld, want niemand zou nu nog durven te beweren dat Cole het recht op zijn zoon hiermee niet had verspeeld.

Alleen geloofde hij zelf eigenlijk niet dat het zo eenvoudig zou zijn.

Hij stortte zich op alledaagse klusjes, zoals het controleren of hij nog voldoende materiaal in de doka had en hij voerde wat kleine reparatiewerkzaamheden uit; zolang hij maar bezig was. Hij wilde net gaan stofzuigen toen hij zich opeens de foto's herinnerde die hij eerder die ochtend op de begraafplaats had gemaakt.

Niet dat hij nu echt dacht dat er iets bruikbaars tussen zat, maar het ontwikkelen ervan betekende in ieder geval dat hij weer iets omhanden had. Bij de eerste afdrukken zag hij al meteen dat er iets mis was met het filmpje. Dat gebeurde wel vaker. In dit geval was de belichting niet goed geweest. De kleuren waren vaag en de foto's hadden zo'n lage resolutie dat je niet eens zag dat het bloemen waren. Het gaas van de afvalbak was niet meer dan een wazig geometrisch patroon, met abstracte vegen in alle kleuren van de regenboog er dwars doorheen. Hij gooide de foto's walgend opzij, maar zijn oog bleef ergens aan haken. Hij pakte ze weer op en draaide ze een paar keer links- en rechtsom.

Het was eigenlijk best een interessant effect.

Hij besloot de rest alsnog af te drukken.

Waarschijnlijk was het de dubbelzinnigheid erin die hem aansprak; doodgewone voorwerpen die veel minder concreet waren en daardoor juist substantiëler. Iets wat een figuratieve afbeelding had moeten zijn, was nu opeens niet meer dan een zinspeling, een hint van wat het was. En dat riep een onbestemd gevoel van vertrouwdheid op dat elke herkenning tartte. Hij was net aan het bedenken hoe hij datzelfde effect moedwillig kon reproduceren toen de telefoon ging.

Hij griste hem al bij het tweede tringeltje op. 'Ja?' zei hij, half buiten adem.

'Meneer Murray?'

Hij herkende de stem van de politie-inspecteur meteen. *O god, alstublieft. Zeg dat ze hem gevonden hebben.* 'Ja, daar spreekt u mee.'

De mogelijkheid dat het goed nieuws zou zijn bleef nog even bestaan, maar werd al snel verpletterd. 'Het spijt me heel erg,' zei de inspecteur en Ben wilde de rest van dit gesprek eigenlijk niet meer horen.

'Cole heeft zich vanmiddag met geweld toegang verschaft tot de school,' hoorde hij de zware stem van de inspecteur verdergaan. 'Hij heeft zijn zoon meegenomen.'

Het was zelfs op het nieuws. Hij zag het schoolhek, met het lage bakstenen schoolgebouw erachter en huilende schoolkinderen die door volwassenen werden weggevoerd. Er volgden wat ooggetuigenverslagen en beelden van een politieauto waarvan de achterkant in puin lag. In de goot lagen een gedeukte verroeste autobumper en de versplinterde scherven van een autoruit.

De inspecteur had zich uitvoerig verontschuldigd. Ja, ze hadden twee agenten in een auto pal voor het hek van de school neergezet. De twee waren gewaarschuwd hoe gevaarlijk Cole kon zijn en hadden te horen gekregen dat ze geen enkel risico moesten nemen. Zodra ze hem in de peiling kregen moesten ze onmiddellijk om versterking vragen.

Maar dat was voordat de roestkleurige Ford Escort met een noodgang de hoek om was komen zetten en hun auto had geramd. Nog voor ze goed en wel van de schok bekomen waren, stond Cole al voor hun neus met een geweer en had de radio en het dashboard aan flarden geschoten. Vervolgens had hij met de kolf van het geweer een van hen in het gezicht gemept en de ander bevolen uit te stappen, waarna hij hem eveneens bewusteloos had geslagen.

Vervolgens was hij de school in gelopen, had Jacob opgehaald en was weggereden.

'We wisten niet dat hij gewapend was,' zei Norris. 'Als we dat wel...'

Dat zou geen enkel verschil hebben gemaakt. Cole zou Jacob linksom of rechtsom hoe dan ook hebben meegenomen. Zelfs als Ben het geweer dat hem ontschoten was toevoegde aan het lijstje van de schuld die inmiddels op zijn schouders rustte, had hij nog het gevoel dat dit onvermijdelijk was geweest. Alsof het zo had moeten zijn en de gebeurtenissen langzaam maar zeker naar een on-

ontkoombare ontknoping leiden, waarvan hij de contouren bijna kon ontwaren, ware het niet dat hij nog te bang was om het onder ogen te zien. De geruststellende woorden van de inspecteur dat ze Cole heus zouden weten te pakken, drongen niet tot hem door. Net zomin als het feit dat de auto beschadigd was en dat een kreupele man met een autistisch jongetje te voet echt niet ver zou komen. Hij herinnerde zich opeens dat Cole zijn bulterriër liever door zijn kop had geschoten dan hem door iemand mee te laten nemen. *Het is mijn hond.*

Het is mijn zoon.

Hij was nog nooit zo bang geweest.

In het begin rinkelde de telefoon onophoudelijk. Hij was doodop, door de hoop maar ook de angst die elk telefoontje weer opriep. Maar het waren alleen maar mensen die hun medeleven met hem wilden betuigen en hem vroegen of hij al iets had gehoord. Het antwoord was steevast hetzelfde: Nee, maar dank je wel dat je even belt. Nee, niets, maar anders laat ik het je echt weten. Hij vroeg hun ook om niet meer te bellen en legde uit dat hij de lijn liever vrij wilde houden. Uiteindelijk waren de telefoontjes inderdaad opgehouden en was hij opeens alleen.

En dat was minstens zo erg.

Hij kon gewoon niet stil blijven zitten. Hij liep van de ene kamer naar de andere, om maar in beweging te blijven, om de paniek die hem in zijn greep had nog enigszins de baas te blijven. Hij schonk een borrel in, maar na één slok stond die hem al tegen. Dat bood alleen maar kunstmatige verlichting en hij wilde bovendien een beetje helder blijven. De boterham die hij smeerde, bleef onaangeroerd op tafel staan.

Het was een totaal ander gevoel dan toen Sarah was overleden. Toen was het overheersende gevoel ongeloof en leefde hij in een soort roes. Zelfs toen ze op sterven lag, hoe erg dat ook was geweest, wist hij in ieder geval wel wat er aan de hand was en had hij aan haar zijde kunnen zitten. Nu tastte hij echter in het duister. Hij wist niet eens of Jacob nog leefde, of hij niet net als Coles hond al een kogel door het hoofd had gekregen.

Het enige wat hij wel zeker wist, was dat Cole zijn zoon niet nog een keer zou laten gaan.

Keith kwam later die avond langs. 'Je hebt nog steeds niets gehoord?' vroeg hij zodra Ben de deur opendeed, maar het was eerder een retorische vraag. Ze gingen in de keuken zitten met een kop koffie, gepraat werd er niet veel. 'Je krijgt trouwens de groeten van Tessa,' zei Keith op een gegeven moment.

Ben knikte onverschillig. Er schoot hem opeens iets te binnen. 'Hé, hoor jij niet al op vakantie te zijn?'

'Nee, morgenochtend pas.'

'Heb je je koffer dan al gepakt?'

Ze moesten allebei, zij het heel even, lachen om de onnozelheid van die opmerking. 'Nee, dat doet Tessa wel,' antwoordde Keith aarzelend. 'En bovendien heb ik haar gezegd dat ik misschien niet eens meega.'

'Hoezo niet?'

'Kom op nou, Ben.'

'Je hoeft je vakantie hiervoor toch niet te laten schieten?'

'Ik red het echt nog wel een paar dagen zonder Donald Duck, hoor.'

'Ja, dat weet ik ook wel, maar...'

'Ben,' zei Keith rustig maar heel beslist. 'Ik ga niet, oké? En dat is mijn besluit. Ik heb Tessa gezegd dat ik later wel met het vliegtuig kom, als dit allemaal achter de rug is. Zolang de jongens in die attracties kunnen, merken ze toch niet dat ik er niet ben. Ik maak het later wel een keer goed met ze. En wat Tessa betreft... Ach, die moet het dan maar even zonder mijn creditkaart zien te stellen, hè.'

Ondanks het feit dat Ben er niet helemaal bij was, keek hij zijn vriend toch even verbaasd aan. Keith haalde zijn schouders op. 'Tja, door dit soort dingen weet je opeens weer waar het in het leven om draait, hè.'

Hij ging er niet op door, maar de blik op zijn gezicht deed Ben denken aan de oude Keith, van voor zijn zelfmoordpoging. Hij bleef uiteindelijk ook behoorlijk lang hangen, totdat Ben hem zei dat hij echt naar huis moest gaan. Hij liep daarna zelf door naar de woonkamer, zette de televisie aan en ging zitten. Hij had niet door dat hij moe was en had ook niet gedacht dat hij ooit de slaap zou kunnen vatten, maar hij was blijkbaar toch ingedommeld want op een gegeven moment schrok hij wakker op de bank. Zijn hart ging tekeer. Afgezien van het geruis van het televisiescherm was het doodstil in huis. Hij zag dat het al na tweeën was. Hij liep naar de telefoon en pakte de hoorn op om zich ervan te vergewissen dat die het nog deed. Terwijl hij ermee in zijn hand stond, overwoog hij even om Norris zelf te bellen. De inspecteur had hem echter verzekerd dat hij zou bellen zodra hij nieuws had. Hij legde de hoorn weer neer zonder het nummer in te toetsen.

Waar zouden ze kunnen zijn?

Zijn keel was kurkdroog. Hij liep naar de keuken voor een glas water en moest zichzelf dwingen er iets van te drinken. Hij spoelde de helft alsnog nog door de gootsteen en toen hij het glas op het aanrecht wilde zetten, stootte hij tegen de rand van het droogrek aan. Het glas gleed uit zijn vingers en viel op de grond.

Hij zakte automatisch door zijn knieën en begon de scherven op te rapen. De kleinere hadden zich over de halve keukenvloer verspreid. Dat deed hem ergens aan denken… Die gedachte bleef aan hem knagen, zonder dat hij zijn vinger erachter kon krijgen. Hij staarde naar de scherven en merkte niet eens dat hij doodstil was blijven zitten, omdat hij het opeens wist. Die kapotte autoruit op de straat. De politieauto die total loss was. De bumper van Coles gehavende Escort. *Waar zou Cole nou naartoe gaan?*

'O god, nee!'

Hij rende naar de telefoon en toetste Norris' nummer in. Hij kreeg eerst een agente aan de lijn. Zijn stem trilde toen hij zei dat hij de inspecteur dringend moest spreken. Waarschijnlijk klonk de urgentie ook door in zijn woorden, want hij kreeg Norris al snel aan de lijn. De inspecteur klonk volkomen uitgeput.

'Ze zijn op het autokerkhof,' zei Ben.

De rit naar Tunford, de tweede in een tijdsbestek van slechts vierentwintig uur, ging sneller dan ooit, maar voelde tegelijkertijd als de langste. Er was niemand op straat en toen hij eenmaal op de snelweg zat, haalde hij zijn voet ook niet meer van het gaspedaal. Hij voelde aan het stuur dat de auto helemaal trilde, terwijl hij de God waarin hij niet eens geloofde smeekte, het op een akkoordje probeerde te gooien en allerlei loze beloftes deed. *Alstublieft, zorg dat hij niets mankeert. Ik beloof dat ik dan geloof. Echt. Neem mij anders in zijn plaats.*

Er gebeurde natuurlijk niets en hij bleef met lege handen achter.

Hij had Norris niet verteld dat hij eraan kwam, want hij was dat aanvankelijk ook echt niet van plan geweest. De inspecteur had hem beloofd dat ze het autokerkhof goed zouden controleren, maar Ben merkte al snel dat hij niet thuis kon blijven wachten. Hij wist zeker dat Cole Jacob daar mee naartoe had genomen. Nu zijn eigen schroothoop niet meer beschikbaar was, was dat de enige plek waar hij nog naartoe kon.

Het was onontkoombaar.

Zodra hij van de snelweg was moest hij helaas afremmen, maar de provinciale wegen waren onverlicht en op een bepaald moment trapte hij als vanzelf op de rem toen er voor hem iets uit de heg de weg op schoot. Hij zag aan de andere kant nog net de pluimstaart van een vos door een hek verdwijnen. Hij schakelde snel en gaf weer gas.

De weg was al afgezet door de politie. Het hek van het autokerkhof werd verlicht door een heel woud aan zwaailichten. *O god. Nee, hè! Laat het niet waar zijn. Nee!* Hij draaide het raampje omlaag toen er een agent naar hem toe kwam. 'Wat is er gebeurd?'

'Sorry meneer, maar de hele weg is afgezet. U zult terug...'

'Hebben jullie Cole al?'

'Sorry meneer, maar u moet echt...'

'Zeg inspecteur Norris dat Ben Murray hem wil spreken! Alstublieft, er is haast bij.'

De agent liep met zichtbare tegenzin terug naar zijn auto. Hij ging op zijn hurken zitten en pakte de mobilofoon.

Het leek een eeuwigheid te duren voor hij eindelijk weer overeind kwam en Ben gebaarde dat hij mocht doorrijden.

Op het stuk weg voor de ingang van het autokerkhof stonden een heleboel politieauto's en -busjes kriskras op de weg geparkeerd, soms zelfs dwars in de rijrichting. Ben zag twee ambulances staan, klaar om uit te rukken. Door de felle zwaailichten had het hele gebeuren iets kermisachtigs. Hij parkeerde zijn eigen auto zodra hij een plekje zag en deed niet eens moeite hem op slot te doen. Vlak voor het terrein wemelde het van de geüniformeerde agenten, die hun voertuigen zo te zien als schild gebruikten. De meesten droegen een wapen. Een van hen merkte Ben op en snelde naar hem toe, maar hij was hem voor en vroeg zelf meteen naar Norris. De politieman keek hem aan met een blik alsof hij het niet helemaal vertrouwde en vroeg hem even te wachten. Ben keek naar het hoge hek bij de ingang van het autokerkhof. Dat was dicht, maar vlak ervoor stond een Ford Escort die hij meteen herkende.

Hij werd bijna onpasselijk bij het zien van Coles auto.

De agent kwam terug en leidde hem door de warboel van voertuigen naar een witte trailer die het tweelingbroertje had kunnen zijn van het mobiele commandocentrum dat die ochtend voor het huis van de familie Cole had gestaan. Het leek zoveel langer geleden. Norris stond voor het trapje bij de deur met een lange man in een kogelvrij vest te praten. Het was zo koud dat je hun adem in de lucht kon zien.

Zodra hij Ben zag, brak hij het gesprek af. 'Meneer Murray, het lijkt me niet...'

'Zijn ze daarbinnen? Is alles goed met Jacob?'

Het leek even alsof Norris hem wilde berispen, maar hij slaakte uiteindelijk alleen maar een zucht. 'Coles auto staat er, dus we gaan ervan uit dat ze binnen zijn, maar meer weten we nog niet. De eigenaar is nu onderweg hiernaartoe met de sleutels van de poort.'

'Kunnen jullie er niet gewoon overheen klimmen?'

De lange man besloot een duit in het zakje te doen. 'Niet met al die glasscherven en dat prikkeldraad. Ik ga mijn mensen daar niet naartoe sturen zolang ik niet weet of ze aan de andere kant worden opgewacht door een vent met een jachtgeweer.'

Hij had gemillimeterd blond haar waar je zijn schedel doorheen kon zien. Het was overduidelijk dat hij niets moest hebben van een burger in hun midden.

'Dit is brigadier O'Donnell,' zei Norris. 'Hij leidt de tactische eenheid. En als u het niet erg vindt, we hebben een hoop…'

'Als Cole daarbinnen is, hebben jullie me misschien wel nodig,' zei Ben snel. 'Ik ken hem.'

'Ik denk niet…'

'Alstublieft. Ik zal jullie echt niet voor de voeten lopen.'

Norris dacht daar even over na. 'Ik zal mijn chef op de hoogte brengen van uw aanwezigheid. Misschien dat hij het een goed idee vindt als u eventjes met de onderhandelaar praat.'

Hij liep het trapje op en ging naar binnen. O'Donnell keerde Ben zonder verder nog iets te zeggen ook de rug toe. Hij hoefde gelukkig niet lang te wachten, want toen de deur van de trailer even later weer openging, gebaarde Norris hem dat hij mocht binnenkomen.

Het rook in de felverlichte, krappe ruimte iets te sterk naar koffie en naar sigaretten en het gonsde er van de activiteiten. Ben zag een zwaargebouwde man met een snor en bloeddoorlopen ogen met een vlezige bil op de rand van een bureau zitten. Hij had een klein sigaartje tussen zijn worstachtige nicotinevingers geklemd. De man naast hem had zijn hoogblonde haren opzij gekamd om zijn kale schedel te maskeren, als een grondzeil op Wimbledon. Ze droegen geen van beiden een uniform en ze zagen er doodop en ietwat gekreukt uit.

'Meneer Murray, dit zijn hoofdinspecteur Bates en inspecteur Greene,' zei Norris. 'Inspecteur Greene is onze onderhandelaar. Hij zal straks contact proberen te leggen met Cole. Althans, als hij inderdaad daarbinnen is,' voegde hij er droogjes aan toe.

'Hij is daar. Zeker weten,' zei Ben.

De hoofdinspecteur bleek de potige van het stel te zijn. 'Laten we hopen dat u gelijk hebt.' Uit de manier waarop hij het zei, maakte Ben op dat hij er helemaal niet van hield om midden in de nacht van zijn bed gelicht te worden. 'Ken, ga eens kijken waar die eigenaar verdomme blijft. Die had er allang moeten zijn.'

Norris maakte zich uit de voeten. De man van wie Ben net had begrepen dat het de onderhandelaar was, draaide zich naar hem om. 'Wat kunt u ons over Cole vertellen?'

Ben probeerde zijn gedachten op een rijtje te krijgen. 'Eh... nou, hij is... labiel. Hij kan heel raar uit de hoek komen. Hij is gewelddadig en heeft een bijzonder goede conditie, afgezien van dat ene been dan. Hij is gewond geraakt toen hij in het leger zat. In Noord-Ierland.'

Hij stopte toen de hoofdinspecteur een hoorbaar geërgerde zucht slaakte. 'Ik ben niet geïnteresseerd in zijn cv. We willen weten hoe zijn gemoedstoestand is, zodat we kunnen inschatten met wat voor iemand we te maken hebben.'

Hij drukte zijn sigaar uit met een gezicht waar de ongedurigheid van afstraalde. Ben begon opnieuw. 'Hij is geobsedeerd door zijn zoon. Afgezien van die jongen doet niets er nog toe voor hem. Ik denk dat hij...' Hij kon het bijna niet uit zijn strot krijgen. 'Ik denk dat hij zich nog liever samen met hem van kant maakt dan dat hij het risico loopt hem nog een keer kwijt te raken.'

De onderhandelaar knikte bedaard. 'En hoe is uw relatie met de heer Cole? Denkt u dat hij naar u zal luisteren?'

Ben voelde dat alle ogen opeens op hem waren gericht. 'Ik ben de reden dat hij daar nu zit.' En vervolgens vertelde hij hun zo duidelijk mogelijk over zijn eigen rol in het feit dat Cole was doorgedraaid.

'Dus ik begrijp dat hij zijn geweer niet direct uit het raam zal gooien als u hem vraagt dat te doen,' merkte de hoofdinspecteur op toen hij was uitgepraat. Greene kreeg een geërgerde blik op zijn gezicht, maar zei niets.

Op dat moment ging de deur van de trailer weer open en stak Norris zijn hoofd om de hoek. 'Hebt u even, chef? De eigenaar is er.'

De hoofdinspecteur kwam moeizaam overeind en liep naar buiten. De onderhandelaar wierp Ben de allereerste vriendelijke glimlach van de avond toe. 'U kunt hier wel even wachten, hoor. Zodra er iets gebeurt, zullen we het u laten weten.'

'Wat gaan jullie nu doen?' Ben merkte dat het vooruitzicht dat de politie in actie zou komen een nieuwe golf van angst in hem losmaakte.

'Zodra het hek open is, kijken we eerst hoe het er daarbinnen voorstaat. Als Cole daar inderdaad met zijn zoon zit, zullen we contact met hem proberen te leggen. En hem aan de praat proberen te houden, om te kijken wat hij wil en hem gerust te stellen.'

Ben moest onwillekeurig denken aan de ongedurige houding van de hoofdinspecteur. 'Dus jullie gaan niet gewoon meteen hup naar binnen?'

Greene leek zijn gedachten te raden. 'Het laatste wat we hier nu willen, is aansturen op een confrontatie. Meestal is het in dit soort gevallen het slimst om geduldig te wachten.' Hij wierp hem nog een vriendelijke glimlach toe. 'Meneer Murray, we weten heus wat we aan het doen zijn.'

Ja, maar Cole ook, dacht Ben, alleen zei hij dat niet hardop.

De onderhandelaar liet hem alleen. Ben wachtte zo lang mogelijk, tot hij het echt niet meer kon uithouden en liep toen alsnog naar buiten. Niemand hield hem tegen. Hij zag dat alle leidinggevenden zich om een van de voertuigen hadden geschaard. De eigenaar van het terrein stond bij hen, in een overjas die hij zo te zien over zijn pyjama heen had aangeschoten. Zijn jas spande om zijn dikke buik als bij een zwangere vrouw. Hij zag er een beetje verward en angstig uit terwijl hij hun vragen beantwoordde.

Hij werd na een tijdje weggeleid. O'Donnell, de brigadier die de leiding over de gewapende interventie zou hebben, mocht het zover komen, liep in gestrekte pas naar een groep agenten die achter een witte landrover stonden. De hoofdinspecteur, de onderhandelaar en Norris kwamen alle drie terug naar de trailer. Ben zette een stapje achteruit, maar geen van hen wierp bij het naar binnengaan een blik opzij en ze zagen hem daar dus ook niet staan.

Hij rilde en merkte nu pas dat hij het koud had. Toen hij omlaag keek zag hij pas dat zijn jas openhing. Hij ritste hem snel dicht en zette zijn kraag op, maar zijn lichaam had al te veel warmte verloren. Het bleef ijskoud en doods aanvoelen.

Er ontstond wat commotie bij de poort. Twee agenten in kogelvrij vest renden er gebukt naartoe. De anderen richtten hun geweer op de bovenkant van het hek. De twee mannen hurkten neer bij het slot en het hek zwaaide even later open. De motor van de landrover kwam brullend tot leven, hij reed er stapvoets naartoe en hield vlak voor de ingang stil. De koplampen verlichtten het donkere autokerkhof, maar Ben kon vanaf waar hij stond niet naar binnen kijken. Hij zag een paar gewapende mannen door de poort verdwijnen, waarbij hun donkere gestalten in het schijnsel van de koplampen kortstondig oplichtten. Hij hoorde geknetter van mobilofoons en ving wat losse flarden van zinnen op. De landrover reed al vrij snel langzaam verder het terrein op.

Ben hield het niet meer en zette voorzichtig een stap bij de trailer vandaan. Hij verwachtte elk moment een kreet te horen dat hij moest blijven staan, maar dat gebeurde niet en hij hoefde ook niet zo heel ver te lopen om door het open hek te kunnen kijken.

Cole had zo te zien bepaald niet stilgezeten. De landrover stond vlak achter het hek. De directe omgeving baadde in het felle licht van de koplampen en een schijnwerper die op het dak van het voertuig zat, waardoor Ben goed kon zien dat de oprit naar het kantoortje gebarricadeerd was. De autowrakken waren slordig op elkaar gestapeld – drie, soms vier voertuigen hoog – met de veel nettere, eerder opgestapelde wrakken aan weerszijden. De arm van de hijskraan stak er nog net bovenuit, en daar weer achter kon hij de contouren van het kantoorgebouwtje ontwaren.

De manschappen die naar binnen waren gegaan, maakten geen aanstalten om over de versperring heen te klimmen. Er leek even helemaal niets te gebeuren, tot de deur van de trailer weer geopend werd en de onderhandelaar naar buiten kwam.

Hij zou straal langs Ben heen zijn gelopen als hij zelf niet iets had gezegd. 'Wat is er gebeurd?'

Greene was duidelijk verrast hem daar aan te treffen. 'Wilt u alstublieft teruggaan naar de trailer, meneer Murray? We hebben dit gebied nog niet veiliggesteld.'

'Ik ga ook niet verder het terrein op. Ik wil alleen maar even weten wat er aan de hand is. Zeg alstublieft of ze al iets of iemand gevonden hebben.'

De onderhandelaar leek tot een besluit te zijn gekomen. 'Nog niet. Hij heeft zichzelf ingegraven en hij neemt de telefoon in het kantoor niet op. Of omdat hij die negeert of... omdat hij die niet kan horen.'

Ben hoorde de hapering en wist wat dat betekende. Hij had zijn eigen stem niet helemaal onder controle toen hij hem vroeg: 'En wat gaan jullie nu doen?'

'We zullen moeten proberen om op een andere manier contact met hem te leggen. Gaat u nu alstublieft terug naar de commandopost, meneer Murray, want anders moet ik u echt vragen naar huis te gaan.'

Zijn gezicht stond strak van de concentratie toen hij doorliep. Ben zag nu pas dat hij een kogelvrij vest droeg. Hij liep braaf terug naar de trailer, maar kon zich er niet toe zetten om ook daadwerkelijk naar binnen te gaan. Hij zag Greene door de poort naar binnen verdwijnen, naar waar O'Donnell zich achter een van de portieren van de landrover had verschanst. De andere agenten zaten vlak voor de barricade, met hun gezicht in de richting van het kantoorgebouw erachter.

Ben zag Greene een megafoon aan zijn mond zetten. 'JOHN COLE!'

Ben schrok van de plotselinge enorm luide stem die de nachtelijke stilte doorbrak. De echo bleef even in de koude lucht hangen en stierf maar langzaam weg. Cole-ole-ole.

'BEN JE DAAR, JOHN? DIT IS DE POLITIE. NIEMAND WIL JE IETS AANDOEN. WE WILLEN ALLEEN EVEN MET JE PRATEN.'

Aten-aten-aten. De echo stierf weg, maar er kwam geen reactie. De autowrakken torenden zwijgend boven hen uit, als blinde, kapotte mechanische lijken. De onderhandelaar deed nog een poging. Hij laste af en toe een korte pauze in, wachtend op een reactie en enig teken van leven. Hij besloot al snel van tactiek te veranderen en schakelde over op een veel rustigere, geruststellende stem. Het donkere autokerkhof absorbeerde zijn woorden, maar een antwoord kwam er niet. Ben sloeg zijn armen om zijn bovenlijf. *O god! Alstublieft!*

Hij zag Greene en O'Donnell met elkaar overleggen en een van hen vervolgens iets in de mobilofoon zeggen, waarschijnlijk tegen de hoofdinspecteur, die nog in de trailer zat. Ben had het wel willen uitschreeuwen en alsof het universum dat op de een of andere manier aanvoelde, week het kluitje bij de auto op dat moment uiteen. Twee agenten begonnen heel langzaam de wegversperring van autowrakken te beklimmen. Ben hoorde het metalige, schrapende geluid waarmee hun voortgang gepaard ging en zag de motorkappen en autodaken indeuken onder hun gewicht. De wrakken waren natuurlijk verre van stabiel op elkaar gestapeld, maar de agenten wisten de top uiteindelijk toch veilig en wel te bereiken.

De knal vanuit de richting van het kantoor werd bijna overstemd door het kletterende geluid als van hagelstenen op een golfplatendak. Een van de twee agenten bovenop slaakte een kreet en ze kukelden vervolgens allebei in een chaotische wirwar naar beneden. De bovenste paar autowrakken verschoven zichtbaar, wat gepaard ging met een keihard gepiep en geknars en ze kletterden even later met een oorverdovend lawaai op de grond. Ben zag de politiemannen uiteenstuiven. Het was een chaos vanjewelste: geschreeuw van mensen, gestamp van laarzen en erbovenuit weerklonken steeds opnieuw de knallen van het jachtgeweer. Iemand schreeuwde: 'Wegwezen, weg, weg, weg!' maar Ben voelde ondanks de schrik tegelijkertijd ook een onbeschrijflijke opluchting dat Cole dus nog in leven was. Want als Cole nog leefde, leefde Jacob waarschijnlijk ook nog.

'O, gelukkig,' verzuchtte hij. Dat hij bijna stond te huilen, kon hem niets schelen. 'Gelukkig maar!'

Zijn opluchting sloeg echter al snel om in schaamte toen hij de mannen uit het autokerkhof zijn kant op zag komen. Ze probeerden hun gewonde collega's in veiligheid te brengen en dat waren nu niet meer alleen die twee die zojuist op de barricade van autowrakken waren geklommen, maar ook anderen, die door het vallende schroot waren geraakt. Hij hoorde paniekerige uitroepen en gevloek over waar die ambulance bleef, terwijl ze de bebloede en kermende maar soms ook bewusteloze politiemannen op een veilige afstand voor het hek op straat legden.

Een man riep dat er nog iemand onder het puin lag. Hij zag het gezicht van een van hen, dat een groot glanzend zwart masker was, waarin het licht van de politieauto's werd weerkaatst toen ze hem over de grond naar buiten sleepten. Ze maakten het kogelvrije vest los waar hij niets aan had gehad en legden het onder zijn hoofd. Er weerklonken sirenes van de ambulances die naar de poort kwamen rijden. Nog voor ze tot stilstand waren gekomen, sprongen er al een paar verpleegkundigen uit. Op de achtergrond hoorde hij Greenes stem nog steeds door de megafoon schallen. Hij kwam als vanzelf in beweging en liep naar de gewonde agenten toe. Hij had geen duidelijk omlijnd plan, maar op de een of andere manier had hij het gevoel dat hij moest voorkomen dat dit nog verder uit de hand liep.

Iemand trok nogal ruw aan de mouw van zijn jas. 'Wat ben jij verdomme aan het doen? Weg daar! En snel een beetje!'

Het gezicht van de agent was vertrokken van woede en angst, en Ben voelde spuugklodders op zijn wang.

'Ik moet Gree...'

'Ben je doof of zo? Ik zei: wegwezen hier!'

De agent rukte aan zijn arm en wilde hem aan de kant duwen. Ben zag de onderhandelaar achter het geopende portier van de landrover staan; zijn silhouet tekende zich duidelijk af tegen de autowrakken die net op de grond waren gevallen. 'Greene! Greene!' riep hij zo luid mogelijk, terwijl hij ondertussen nog verder achteruit werd geduwd. De onderhandelaar draaide zich naar hem om en leek even te aarzelen, maar kwam uiteindelijk toch gebukt en wel zijn kant op rennen. Hij maakte een totaal uitgebluste indruk.

'Ik zei toch dat u hier weg moest!'

'Ik wil Cole spreken!'

De onderhandelaar knikte kortaf naar de agent die Ben vasthad. 'Haal hem hier weg.'

'Nee, wacht nou! Blijf van me af!' Ben probeerde de agent van zich af te schudden, maar slaagde daar niet in. 'Verdomme, laat het me in ieder geval nou proberen!' riep hij tegen de rug van de onderhandelaar. 'Hij luistert toch niet naar jou, maar misschien wel naar mij! In godsnaam, laat me nou even!'

Greene bleef weer staan en gebaarde naar zijn collega. Ben merkte dat de politieman hem losliet, maar wist dat hij als een waakhond op zijn qui-vive klaarstond om hem weer bij de kladden te grijpen, blij dat hij zijn woede en onmacht tenminste op iemand kon ventileren.

Toen de onderhandelaar vlak voor hem kwam staan, kon hij de bijna zure adem van frustratie ruiken. 'Wat zou je dan tegen hem willen zeggen?'

'Geen idee. Zeggen dat ik naar hem toe kom, in ruil voor Jacob.' De onderhandelaar schudde zijn hoofd ferm en draaide zich al om. 'Oké, oké.' Ben struikelde bijna over zijn eigen woorden. 'Hij wil zijn zoon. Hoe dan ook. Dit hele gedoe komt doordat hij denkt dat we Jacob van hem willen afpakken. Ik zal hem zeggen dat ik niet meer zal proberen om contact te hebben met Jacob, dat hij zijn zoon echt mag hebben. Ik kan zeggen dat ik ze nooit meer zal lastigvallen als hij zich nu overgeeft.'

Hij staarde naar de andere man, hopend dat zijn overtuigingskracht sterk genoeg was om hem over de streep te trekken. 'Alsjeblieft!'

Greene wierp een blik op de chaos achter hem en keerde hem de rug toe terwijl hij zijn mobilofoon pakte. Ben hoorde de barse toon van de hoofdinspecteur boven de statische ruis uit, maar hij kon het niet verstaan.

Greene draaide zich naar hem om en knikte kortaf. 'U mag niet met hem praten. Hij is al zo onvoorspelbaar en we willen niet het risico lopen dat we hem onnodig provoceren, waardoor hij zichzelf of de jongen iets aandoet. We moeten hem vooral zien te kalmeren en zorgen dat hij met ons in gesprek treedt. Maar u mag wel in de buurt blijven, voor het geval hij iets zegt waar u ons bij kunt helpen.'

Hij gebaarde Ben vervolgens dat hij hem moest volgen. 'En wel achter mij blijven, ja?' Ze liepen via de poort het terrein op. Alles leek opeens zoveel groter. Het felle licht en de stank van olie en metaal gaven het de onwerkelijke sfeer als die op een verlaten vliegveld 's nachts.

De brigadier wierp hem een dreigende blik toe toen ze stilhielden bij de landrover. 'Wacht hier maar,' zei de onderhandelaar tegen Ben. 'Hij kan niet over de auto's heen schieten, maar ik wil sowieso niet dat u ons voor de voeten loopt. Als ik u nodig heb, laat ik het u weten.'

Greene liet hem aan de achterkant van het voertuig achter en liep zelf door naar waar O'Donnell zich bij het voorste portier van het voertuig had opgesteld. Hij hoorde de sirenes buiten de poort weer tekeergaan, ten teken dat de gewonden waren ingeladen en de ambulances dus konden wegrijden. Ben keek recht vooruit, verder dan waar de agenten zaten, naar het kantoorgebouwtje dat net boven de slordige stapel autowrakken uitstak. De wrakken versperden de doorgang nog steeds, maar het was nu een slordig uitdijende troep, alsof iemand een overvolle emmer had omgeduwd. Het zag eruit als de volwassen versie van de schroothopen in Coles achtertuin.

De onderhandelaar tilde de megafoon op tot vlak boven het portier en richtte hem op het donkere kantoortje.

'John, hier Ian Greene weer. We zijn er nog steeds. We gaan ook niet weg, dus we kunnen net zo goed even praten. Ik weet dat je overstuur bent, maar hier schiet echt niemand iets mee op. Denk aan wat dit voor...'

Ben deed een uithaal en trok zijn arm omlaag voordat hij zijn zin kon afmaken. 'Niet Jacob zeggen!' zei hij snel, ondanks de woedende blik van de onderhandelaar. 'Cole noemt hem Steven!'

Greenes boze blik verdween op slag. Hij gebaarde Ben dat hij achteruit moest gaan en zette de megafoon opnieuw aan zijn mond. Hij praatte op dezelfde afgemeten, rustige toon verder, waarmee hij waarschijnlijk de indruk wilde geven dat hij een alleszins redelijk man was, die met een alleszins redelijk aanbod kwam. *Het heeft toch geen zin.* Het was Ben opeens zonneklaar, hoewel het een verre van prettig inzicht was. Cole was namelijk niet meer voor rede vatbaar. Hij hield er idiote ideeën op na en in dat plan was geen plek voor rationele oplossingen. Ze zouden hem nooit zover krijgen dat hij zich zou laten inrekenen en als ze hem straks echt onder druk zouden gaan zetten, zou hij eerst Jacob en vervolgens zichzelf doodschieten.

Ben kon zich geen uitweg uit deze impasse meer voorstellen die níét met bloedvergieten en doden zou eindigen.

Hij merkte dat hij niet meer kon ophouden met rillen. Greene bleef proberen Cole te overreden om de telefoon op te nemen, maar hij had net zo goed een monoloog tegen zichzelf kunnen afsteken in een lege kamer, want er kwam geen enkele reactie.

De onderhandelaar wachtte even en begon toen opnieuw: 'Ik heb Ben Murray gesproken, John. Hij wil dit ook niet. Hij zegt dat hij Steven en jou niet uit elkaar wil trekken. Praat nou even met ons, John. Laten we nou kijken of we...'

De luide stem die vanuit de richting van het kantoor kwam, was duidelijk te verstaan. 'Is Murray daar nu?'

Ben verstijfde bij het horen van Coles stem. Greene aarzelde even. 'Ja, John. Hij is hier ook. wil je hem spreken? Neem de telefoon dan op en...'

'Stuur hem hierheen.'

'Je weet best dat ik dat niet kan doen. Maar je kunt wel met hem prat...'

Iedereen schrok en dook pijlsnel omlaag toen er weer een knal volgde. Nu Ben dichterbij stond, zag hij dat je de lichtflits uit de loop van het geweer dwars door de afzetting heen kon zien. 'Stuur hem hierheen!'

O'Donnell vloekte en Greene slaakte een diepe zucht, maar Ben stond al naast ze voor hij de megafoon weer kon optillen.

'Laat me er maar naartoe gaan.'

'Ik zei dat u daar moest blijven staan!'

'Laat me nou doen wat hij zegt!'

Nog een schot. 'Jullie krijgen vijf minuten van me.'

Ben had Greenes arm omklemd. 'Alsjeblieft! Misschien dat ik met hem kan praten! Wie weet wat hij anders misschien zal doen!'

De onderhandelaar rukte zijn arm los. 'Ik weet heel goed wat hij zal doen als u ernaartoe gaat. Kun jij ervoor zorgen dat hij hier weggaat?' zei hij tegen O'Donnell.

'Dat is mijn zoon daar!' riep Ben en toen hij dat riep wist hij opeens dat dat inderdaad zo was. De brigadier had hem echter al een eindje achteruit getrokken en wenkte een andere agent naderbij. 'Breng hem linea recta terug naar de commandopost.'

De agent pakte Ben stevig bij zijn elleboog en leidde hem door het hek naar buiten. 'Ja, ja, ik kan zelf wel lopen, hoor. Laat me los!' zei Ben, maar de greep van de agent verslapte niet terwijl ze verder liepen. De ambulances waren inderdaad weg, maar de straat lag nog vol haastig weggesmeten materieel en politie-uniformen. Het deed Ben denken aan de restanten van een bijzonder bloederig verlopen straatfeest. In de goot verderop lag een kogelvrij vest dat eruitzag als het lijk van een overreden hond. Verderop lag een eenzame laars, het leer helemaal glanzend en nat. Op sommige plekken was het berijpte asfalt donkergekleurd door iets wat duidelijk geen olie was. Ben vroeg zich opeens af hoe compleet belachelijk het was dat dit allemaal was begonnen met een oud geldkistje en wat vergeelde krantenknipsels.

Toen ze uiteindelijk voor de witte trailer stonden, rilde hij nog erger dan zonet. 'Ik geloof dat ik moet overgeven,' zei hij.

De agent zette een stapje achteruit terwijl Ben steun zocht tegen een lantaarnpaal. Hij hoorde wat gesis uit de mobilofoon, gevolgd door het blikkerige geluid van een stem. De agent antwoordde kortaf, legde zijn hand toen op Bens schouder en vroeg hem of het weer een beetje ging.

'Ja, bijna. Nog heel even.'

'Ga maar naar binnen zodra u zich wat beter voelt. En vraag iemand dan om een kop thee voor u te halen.'

Ben knikte bij wijze van dank, maar keek niet op. De agent liet hem in zijn eentje achter bij de trailer en rende op een drafje terug naar het hek. Ben bleef voorovergebukt staan kijken tot de man uit het zicht was.

Daarna richtte hij zich op en keek schichtig om zich heen.

De activiteiten voor het sloopterrein waren geluwd en overgegaan in gespannen afwachting van wat er zou komen. De agenten bleven veilig verscholen achter hun voertuigen en busjes het hek goed in de gaten houden, wachtend op wat Cole zou doen. Niemand keek dan ook om toen Ben hun kant op liep.

Hij probeerde niet te lang stil te staan bij wat hij aan het doen was en richtte zich op de doorgang die hij even verderop tussen twee politieauto's zag. Hij was bijna bang dat het geluid van zijn eigen gedachtegang de aandacht zou trekken. Hij hoorde dat Greene de megafoon weer had gepakt, maar hij luisterde amper naar wat de onderhandelaar zei. Toen hij voor de doorgang stond, aarzelde hij even. De dichtstbijzijnde agenten stonden slechts een paar meter van hem af. Hij werd nu al verscheurd door twijfel. *Doe het nou maar gewoon.*

Hij liep door.

Hij was al voorbij de auto's, op het open terrein vlak bij de ingang. Hij kon de landrover en de kluwen van autowrakken erachter al door het hek heen zien. Hij liep nu echt in het volle zicht. Hij versnelde zijn pas en deed een schietgebedje. *Geef me nog een paar extra seconden van verwarring.* Zijn schouders spanden zich als vanzelf, ter voorbereiding op de plotselinge uitdaging die hem te wachten stond. Hij had nog geen zes stappen gezet toen het gebeurde.

Maar het voelde als een bevrijding, als het startschot voor een wedstrijd. Hij trok een sprintje naar het hek, terwijl hij achter zich voetstappen en geschreeuw hoorde. Recht voor hem draaiden O'Donnell en Greene zich gelijktijdig om en snelden naar de andere kant van de landrover, waarbij de brigadier zich overduidelijk opmaakte om hem de pas af te snijden. Hij voelde de pijn in zijn keel en borstkas en wist ondertussen een andere agent te ontwijken. En opeens rees daar de half ingestorte barricade van autowrakken voor hem op.

Hij was eigenlijk van plan geweest om erover heen te klimmen op de plek waar de stapel het minst hoog was, waar de auto's er eerder al waren afgevallen, maar hij had nu alleen nog tijd om zich op het dichtstbijzijnde autowrak te werpen. Hij gleed uit over een gladde zijkant en greep snel iets kouds en scherps vast waaraan hij zich omhoog kon trekken. Onder en achter hem hoorde hij nog steeds luid geschreeuw. Iemand pakte hem bij zijn enkel. Hij trok zijn voet met een ruk omhoog en deelde een schop uit. Een luide vloek, maar zijn voet werd wel losgelaten. De auto-onderdelen waren ijzig glad en zaten vol scherpe uitsteeksels. Hij wist boven op het dak van een van de wrakken te klauteren en sprong vandaar over naar een volgende, terwijl hij het eerste wrak door zijn gewicht al voelde kantelen. Terwijl hij verder klom probeerde hij niet te denken aan hoe instabiel alles op elkaar gestapeld was. Achter zich hoorde hij het kabaal van zijn achtervolgers nog steeds, maar hij had het hoogste punt bijna bereikt en riep vervolgens luid: 'Ik ben Ben Murray, ik kom nu jouw kant op!'

Toen hij aan de andere kant half uitglijdend aan de afdaling begon, hoorde hij een dreun en ving een lichtflits op vanuit de richting van het kantoor. *Jezus, wat een klootzak!* Hij verloor zijn grip nu ook echt, gleed uit en viel naar beneden. Hij probeerde er een sprong van te maken en zich af te zetten op het metaal van de carrosserie en belandde met een smak op de gebarsten betonlaag van de oprit. Hij krulde zich meteen op tot een bal en sloeg zijn armen om zijn hoofd heen toen er nog twee schoten volgden.

Alleen gebeurde er niet wat hij had verwacht, want de kogels boorden zich niet in hem. Vlak boven hem klonk het alsof iemand een handvol grind naar de autowrakken had gesmeten. Iemand schreeuwde: 'Achteruit! Achteruit! Terug naar beneden!' en hij zag dat de hele barricade heen en weer begon te schommelen. De overhaaste aftocht van de agenten aan de andere kant veroorzaakte een hels kabaal en hij dacht heel even dat het hele geval boven op hem zou instorten.

En toen was het opeens weer stil.

Hij durfde voorzichtig op te kijken en zag dat hij zich in de schaduw bevond van een autowrak dat op zijn kant lag. Het gevaarte zag er niet al te stabiel uit en hij krabbelde er een eindje vandaan, voor het geval het ding straks alsnog zou omvallen. Zo te voelen had hij meerdere kneuzingen en schaafplekken opgelopen en een van zijn enkels protesteerde toen hij erop ging staan, maar afgezien daarvan mankeerde hij niets ernstigs. Hij wreef over zijn armen om dat ellendige bibberen tegen te gaan, maar hij bleef klappertanden. 'O, shit,' hijgde hij. 'Shit, shit, shit!' De knallen van het geweer denderden nog na in zijn oren. Maar ze waren overduidelijk bedoeld geweest om de politie tegen te houden en niet gericht op hem.

Nee, want Cole wilde hem naar binnen lokken.

Op dat moment hoorde hij Greenes stem opeens, zonder megafoon, vanaf de andere kant van de barricade. 'Murray! MURRAY! Hoort u me?'

'Ja, het gaat wel.' Het kwam er echter als een krakend piepgeluid uit. Hij probeerde zijn stem te verheffen. 'Het gaat wel!'

Uit de korte stilte die volgde, merkte hij hoe opgelucht de onderhandelaar was. 'Oké, blijf dan waar u nu zit. Zoek dekking als er iets geschikts in de buurt is, maar ga níét weg bij die auto's. Blijf zitten waar u zit.'

Ben antwoordde niet. Hij keek de oprit af, naar het donkere gebouw voor hem. Er zaten een paar gaten in de barricade waar de sterke koplampen van de landrover doorheen schenen, maar ze reikten niet ver genoeg. Het kantoorgebouwtje wachtte hem ongenadig en zwijgend op. Ben zette een stap ernaartoe.

'Murray? Meneer Murray!' Hij kon Greenes stem al bijna niet meer horen. 'Verdomme, doe nou geen domme dingen...!'

Hij bleef lopen. Bij elke stap die hij zette, hoorde hij het zachte knarsen van het laagje rijp onder zijn voetzolen. De twee torens van autowrakken aan weerszijden van hem waren eveneens wit uitgeslagen. De lichtvlekken van de koplampen van de landrover vervaagden al snel naarmate hij verder liep en zijn ogen ook aan het donker gewend raakten. Hij zag de autowrakken bleek oplichten in het maanlicht.

Zijn handen waren rauw en verkleumd door de klimpartij. De gewapende agenten leken ook al zo ver weg. Greene riep hem via de megafoon en beval hem terug te komen, maar zelfs dat kwam van heel ver en leek opeens zo onbelangrijk, zoveel minder echt dan zijn eigen voetstappen op het ijzige beton. Het kwam nu op Cole en hem aan. En dat was altijd al zo geweest, besefte hij nu pas.

Hij herinnerde zich nog heel goed dat Keith en hij hier samen hadden gelopen. Hij had daarna zo vaak aan dit autokerkhof gedacht dat hij zich niet kon voorstellen dat hij hier uiteindelijk maar één keer was geweest. Had hij sinds die dag überhaupt nog wel een juiste beslissing genomen?

En nu? Hoe wijs was dit?

Hij voelde zich zo ontzettend kwetsbaar en eenzaam terwijl hij naar het onverlichte gebouwtje liep. Hij wierp een paar keer een ongemakkelijke blik op het vierkante zwarte gat van het raam op de bovenste verdieping. Hij wist inmiddels dat dat de plek was van waaruit geschoten werd. Hij zag nu dat het raam wijd openstond. Hij kon zelf niet naar binnen kijken, maar wist zeker dat Cole hem wel bespiedde. En hem op de korrel had.

Hij rilde ondanks zijn dikke jas. Hij had geen plan of iets en echt geen idee wat hij zou doen als hij eenmaal voor het pand stond. De ex-militair overmeesteren kon hij wel vergeten en hij geloofde evenmin dat Cole zou willen praten, maar misschien dat hij hem kon overreden zich over te geven en Jacob te laten gaan. Hij kon maar één reden bedenken waarom hij Ben hier binnen wilde hebben en hij werd even duizelig van ongeloof over de nabijheid van zijn eigen dood.

Maar hij moest wel.

Jezus, wat ben ik bang! Hij was bijna bij de deur. De schaduw van het pand op de grond voor hem was als een zwart gat. Hij liep door, zich nu helemaal bewust van het open raam vlak boven zijn hoofd. Hij deed zijn best de neiging om sneller te gaan lopen te weerstaan. *Dat gun je hem toch zeker niet.*

Hij zag de ruimte op de begane grond waar Keith en hij met de gezette schroothandelaar hadden gepraat. De inktzwarte gang ernaast was als een opengesperde muil. Ben hield aan het begin ervan even stil. Aan het einde van de gang zat de trap naar de bovenverdieping, waar Cole hem opwachtte. *En Jacob ook. O god, alstublieft, alstublieft!* Het rook hier binnen naar klamme stenen. Hij voelde in zijn broekzak of hij misschien lucifers bij zich had. *Nee dus.* Hij keek om zich heen, om het moment dat hij het pikkedonker moest betreden nog even voor zich uit te kunnen schuiven. In het oosten zag hij al licht aan de horizon gloren en hij bedacht met een schok dat het waarschijnlijk niet lang meer zou duren voordat de zon opging. Hij bleef er nog een tijdje naar staren, draaide zich toen om en liep de gang in.

Omdat hij geen hand voor ogen zag, liep hij op de tast. Hij trapte op een gegeven moment tegen iets hards en deinsde achteruit, toen hij ineens bedacht dat het gewoon de eerste traptrede was. Hij tastte met zijn hand naar de muur en voelde uiteindelijk het koele metaal van de reling. Hij omklemde die en probeerde zijn voeten zo geluidloos mogelijk neer te zetten. Hij kwam al snel uit op een klein trapbordes en sloop in tegengestelde richting verder omhoog. Hij bleef na een tijdje even stilstaan om op adem te komen. Hoog in de muur zat een klein raampje. De ruit was bedekt met een dikke laag stof, maar het was hier niettemin opeens iets minder donker. Hij schuifelde verder omhoog. Hij was bijna boven toen zich vlak voor hem een schim uit de schaduwen losmaakte.

Ben bleef staan. Hij kon Coles gezicht niet zien, maar het geweer dat op zijn borst was gericht des te duidelijker. Wanhopig stak hij zijn hand afwerend uit, maar hij wist al dat het geen enkele zin had.

'Wacht...' zei hij.

Er volgde een brullende lichtflits.

Door de rook uit de loop was alles even wat heiig. Zijn oren tuitten nog na terwijl hij snel herlaadde, onderwijl goed kijkend of het lichaam van de fotograaf nog bewoog. Door de dubbele inslag van de .12 hagelpatronen was hij een eindje naar beneden gevallen en hij lag nu in een rare kreukelhouding op het trapbordes. Toen zijn ogen zich eenmaal hadden hersteld van de lichtflits zag hij de zwarte bloedspetters op de muren en de vloer. Hij bleef nog even staan kijken, klapte het geweer dicht en liep terug naar de kantoorruimte.

Terwijl hij door het vertrek liep lette hij goed op dat hij niet te dicht bij het open raam kwam en ging vervolgens met zijn rug tegen de muur ertegenover staan. Hij pakte de kapotte spiegel die hij in het toilet van de muur had gerukt en kantelde die zodat hij de barricade kon zien. En ja hoor, voorspelbaar als die klojo's waren, zag hij dat ze er inderdaad alweer overheen aan het klimmen waren. Hij zette zich schrap en draaide zich heel snel om, vuurde door het open raam, ditmaal de ene kogel na de andere in plaats van twee tegelijk, zoals bij die klootzak van een fotograaf. Hij dook zo snel mogelijk weer op de grond en sloeg geen acht op de vlijmende pijn in zijn knie, klapte het geweer open, stopte er twee nieuwe patronen in, schoof zittend naar de andere kant van het raam en vuurde nog een paar keer.

Daarna liet hij zich weer op de grond vallen, zijn manke been wat onhandig recht voor zich uitgestrekt. Hij herlaadde met zijn ene hand terwijl hij met de andere de spiegel weer optilde. Hij hoorde geroep en geschreeuw, maar zo te zien waren die eikels voorlopig weer afgedropen. Niet dat hij op deze afstand met die .12 patronen echt goed kon richten en waarschijnlijk was een schot zelfs niet meteen dodelijk, ook niet met 00-hagelpatronen waarmee je op een afstand van drie meter een gat van tien centimeter in een stuk hout van vijf centimeter dik kon jassen, en kutfotografen op een afstand van tweeënhalve meter praktisch doormidden kon schieten, maar je had wel een mooie verspreiding. Hij keek nog een keer heel goed of er niemand aan zijn kant van de barricade was neergekomen en liet de spiegel toen pas zakken.

Hij had met een paar stoelen, pedaalemmers en wat dozen precies bepaald waar de scherpschutters van de politie bij konden en ontweek dat deel van de ruimte dan ook toen hij naar het bureau liep. Dat bureau had hij op zijn kant gezet in het gedeelte waarvan hij zeker wist dat het buiten bereik van de scherpschutters was. Steven zat erachter, opgekruld, zijn ogen stijf dichtgeknepen, met zijn handen tegen zijn oren geklemd. De jongen wiegde zachtjes op en neer. Cole vond het verschrikkelijk dat hij steeds gedwongen werd te schieten.

Hij aaide hem over zijn bol. 'Ssssst. Stil maar, het komt goed. Het komt goed.'

'Geen boem! Geen boem meer!'

Het haar van zijn zoontje voelde onder zijn vingertoppen heel zacht en fijn aan. Hij duwde Stevens handen voorzichtig weg van zijn oren, maar de jongen begon toch meteen heel hard met zijn hoofd te schudden.

'Geen boem!'

'Nog een paar keertjes maar.'

Hij had nog zeven patronen. Zodra hij er nog maar twee had, zou hij die gebruiken om ervoor te zorgen dat die klootzakken hem en zijn zoon niet nog een keer konden scheiden.

Hij bleef zo lang mogelijk zitten, tot hij echt weer even moest gaan kijken en liep snel terug naar het raam, waarbij hij het vlak dat hij had afgebakend zorgvuldig ontweek. Hij pakte de spiegel en zag dat zijn barricade nog intact was. Hij hoopte dat er in ieder geval minstens een paar agenten uitgeschakeld waren toen een deel ervan net was ingestort. Hij had ze zodanig opgestapeld dat het hele geval zodra je er ook maar even naar keek, meteen in elkaar zou donderen. Dat zou genoeg vertraging opleveren en hem voldoende tijd geven als het eindelijk tot die klojo's was doorgedrongen dat ze hem niet konden ompraten. De telefoon beneden rinkelde weer, maar hij sloeg er geen acht op. Hij liep terug naar het bureau. Steven had zijn ogen nog steeds dicht, maar het heen en weer wiegen was iets minder geprononceerd. Cole liet zich op de grond zakken en legde een arm om zijn frêle schouders. Hij pakte een kauwgomstrip, brak die doormidden en gaf Steven een helft. De jongen begon er zonder zijn ogen open te doen op te kauwen.

'Ze gunnen ons geen vrede,' zei Cole terwijl hij neerkeek op het hoofd van zijn zoon. 'Er is niet meer genoeg tijd. Ze weigeren gewoon je met rust te laten.' Hij streek een haarlok uit het gezicht van de jongen, leunde vervolgens met zijn achterhoofd tegen het bureau en keek naar de steeds lichter wordende hemel.

'We waren er bijna. Ik voelde het. Ik ben er al eens eerder vlakbij geweest, maar niet zoals nu. Ik was er destijds in de woestijn ook vlakbij, maar dat had ik toen niet door. Ik begreep het pas na wat er met jou en je moeder is gebeurd. Het lag echt voor het oprapen en nog zag ik het niet. Er was al zoveel... gebroken... Zo verschrikkelijk veel. Alsof het zo bedoeld was, dat het gewoon zo moest zijn, alsof dat normaal was. Maar het was te vroeg. Ik was er nog niet klaar voor. Je moet eerst worden gestaald. Eerst zelf bijna gebroken zijn. En de pijn doorbreekt alles, waardoor je het beter gaat zien. Maar daar moet je wel eerst doorheen, voor je ziet dat het niet gewoon alleen maar rotzooi is en dat mazzel of pech helemaal niet bestaat. Alles past in elkaar en werkt op elkaar in, als één grote machine. Het maakt allemaal deel uit van hetzelfde, van het Patroon.'

Hij kapte zijn eigen gedachtegang af en boog zijn hoofd opzij om beter te kunnen luisteren. Het was buiten doodstil geworden. Hij wendde zich weer tot zijn zoon.

'Dit heeft allemaal een doel. Alles,' vervolgde hij. 'Dat is wat het Patroon is, de reden achter de dingen. Je moet het alleen wel kunnen zien. Wetenschappers zeggen dat alle materie uit hetzelfde is gemaakt, uit allemaal kleine... kleine deeltjes. Ze denken dat ze weten wat het kleinste deeltje is, maar dan komen ze er opeens achter dat er nog iets kleiners bestaat. En dat wil dus zeggen dat jij, ik, deze vloer, dat bureau, dat alles op de een of andere manier met elkaar verbonden is. En als alles dus inderdaad verbonden is, geldt dus ook dat wat er met iemand of iets gebeurt, zelfs al gebeurt dat aan de andere kant van de wereld, dat nog steeds deel uitmaakt van het grotere geheel. Dat het deel uitmaakt van óns. Wij worden er ook door beïnvloed, ook al hebben we dat niet door. Het is zeg maar een soort...'

Hij fronste zijn voorhoofd en vlocht zijn vingers in elkaar.

'Het grijpt als het ware in elkaar, de hele tijd. Alles hangt samen met al het andere. En zolang het patroon synchroon loopt, gaat dat ook goed. Maar soms raakt iets uit de pas en dan...' Hij klemde zijn handen op elkaar en maakte een grote vuist. 'Dan breken dingen. Zoals die autowrakken daarbuiten. Die zijn allemaal min of meer... bevroren.' Hij was wel tevreden met dat laatste woord. 'Het zijn net geluidsopnames. Het Patroon is er, in elk klein onderdeeltje, en als je dat eenmaal kunt zien, zou je ook snappen waarom de dingen die gebeuren ook zo gebeuren. Dan kun je de breuken ook voorkomen. Maar je moet dus wel weten waar en hoe je moet kijken.'

Hij stopte omdat hij de megafoon weer hoorde. Hij duwde zichzelf over de vloer heen naar het raam toe. De hemel was nog een heel stuk lichter geworden. De autowrakken onder hem waren geen berijpte schaduwvlakken meer en hij kon via de spiegel zien dat die klootzakken achter de barricade nog steeds niets deden. *Alleen maar een grote bek, hè.*

Hij ging terug naar het bureau. Steven wiegde weer heen en weer. Cole nam zijn zoon in zijn armen en wiegde met hem mee.

'Toen jij terugkwam, was dat een teken dat ik het bijna door-had. De dingen vielen weer terug op hun plaats, alles was in ba-lans. Zelfs hoe jij bent, maakt er deel van uit. Dat begreep ik eerst niet, maar het is zo. Jij zit hierin gevangen...' Hij wreef zachtjes over het voorhoofd van zijn zoon. 'Jij ziet alles als een patroon. Ik probeer er eentje te zien en jij probeert er juist uit te komen.' Zijn gezicht verstarde.

'Maar ze weigerden ons met rust te laten. Iets meer tijd, dat is het enige wat we nodig hadden. Alleen maar ietsje meer tijd.'

Hij liet zijn hoofd vermoeid achteroverzakken, maar schrok meteen weer door een nieuw geluid van buiten. Hij liep onhan-dig en half gebukt zo snel mogelijk naar het raam om met het spie-geltje te kijken wat er aan de hand was. Er was beweging. De mo-tor van een voertuig kwam brullend tot leven. Meteen daarna voer er een siddering door de barricade van autowrakken. En terwijl hij toekeek, verschoof een van de wrakken, kantelde en viel ver-volgens op de grond. Hij ving een glimp op van een gele mecha-nische arm en op hetzelfde moment spatte de spiegel in zijn hand kapot.

De verlate knal van het schot kwam pas toen de kogel zich in de achtermuur van het vertrek boorde. Cole telde tot tien, ne-geerde het bloeden als gevolg van de rondspattende glasscherven en vuurde zonder te kijken een keer door het open raam. Hij schoof daarna heel snel achteruit voordat iemand hem onder schot kon nemen, nam een andere positie in en vuurde nog een twee-de keer.

Daarna liet hij zich op de grond vallen en stak zijn arm uit om te controleren hoeveel munitie er nog was. *Nog vijf. Nog drie dus voor die schoften.* Op dat moment hoorde hij opeens iets achter zich. Hij klapte het geweer met slechts één patroon erin dicht, draaide zich vliegensvlug om en richtte tegelijkertijd.

De fotograaf stond in de deuropening.

Ben had zich met zijn laatste krachten de trap op gesleept en werd nu voor de tweede keer door Cole onder schot genomen. Hij kon geen stap meer verzetten. Hij had geen idee hoeveel tijd het had gekost om de trap op te komen, of hoe lang hij buiten bewustzijn was geweest. Alles plakte van het bloed en met de binnenkant van zijn rechterelleboog probeerde hij dat wat er nog van zijn linkerhand resteerde, te ondersteunen. Zo nu en dan schoot er zonder enige waarschuwing een verzengende pijn doorheen en dan viel hij weer bijna flauw. Het was die arm die hij zo-even naar Cole had uitgestoken. Het schot van het jachtgeweer had er niet veel van overgelaten, waarna de kogel contact had gemaakt met zijn borstkas.

Je kon door het gerafelde gat in zijn jas het kogelvrije vest zien zitten dat hij eerder van de straat buiten bij het hek had opgeraapt. De bovenste rand, die vlak boven zijn hart zat, was aan flarden geschoten.

Het vest was al beschadigd geweest toen hij het aantrok, vermoedelijk toen de barricade boven op de agenten was ingestort. Ben had zijn jas eroverheen aangetrokken, zodat als Cole op hem zou schieten, hij dat vest niet kon zien en dus niet automatisch op zijn hoofd zou richten. En het was aan die voorzorgsmaatregel van hemzelf te danken dat hij nu nog leefde. Het voelde echter alsof zijn ribben waren geplet en bij elke inademing leek het alsof er iets in zijn borstkas langzaam uitscheurde. Zijn zicht was verre van scherp, door het bloedverlies of doordat hij met zijn hoofd op de betonnen ondergrond was gesmakt.

Hij klampte zich vast aan de deurpost om te voorkomen dat hij onderuit zou gaan en zag Jacob opgekruld achter het bureau zitten. *Godzijdank.* De jongen had zijn ogen stijf dichtgeknepen en Ben herkende de gespannen, verlamde gezichtsuitdrukking van vroeger, als Jacob van streek was of heel erg bang. Ben wist dat het jochie niet doorhad dat hij er was. Hij probeerde iets tegen hem te zeggen, maar er kwam geen geluid uit zijn mond. Hij keek weer in de richting waar Cole stond en het viel hem op, maar zonder dat hij het begreep, dat al het meubilair en de andere voorwerpen in de kamer zodanig waren neergezet dat er voor het raam een vierkant vlak op de vloer was ontstaan.

Cole stond vlak naast die onzichtbare lijn en staarde hem van boven de loop van zijn geweer aan. Die liet hij nu zakken en hij kwam naar hem toe.

Ben zag de loop van het jachtgeweer met een zwaaibeweging steeds dichter bij zijn eigen gezicht komen, maar er viel niet meer aan te ontkomen. Er volgde een explosie van sterretjes in zijn hoofd en een nieuwe pijn die zich bij alle andere voegde. Hij merkte dat hij op de grond viel, maar echt heel helder was het allemaal niet. Hij deed zijn ogen open en zag Coles laarzen vlak voor zich. Hij rolde opzij en keek omhoog. Cole was als een reus die boven hem uittorende. De kolf van het geweer ging tergend langzaam weer omhoog en Ben keek lijdzaam toe hoe de neerwaartse beweging werd ingezet.

'Nee, papa, nee, papa, nee, papa!'

De schreeuw wist door de mist in zijn hoofd door te dringen. Cole keek niet meer naar hem en Ben bewoog zijn hoofd totdat hij Jacob ook zag. Zijn ogen waren open, maar zijn blik schoot schichtig door het vertrek. Zijn hele lijfje wiegde heel snel heen en weer en hij keek overal, maar vooral níét naar de twee mannen.

'Neeneenee!'

'Rustig maar,' zei Cole, maar de jongen begon nog harder heen en weer te schommelen, terwijl hij zijn protest als een mantra bleef opdreunen. Ben ving vaag ergens het schurende kabaal van iets metaligs op. Cole wierp aarzelend een blik op het raam. Er gloorde een grijzig daglicht aan de hemel. Ben trok zich over de vloer naar Jacob toe. Zijn hand gilde het uit, hijzelf ook.

Cole keek van hem naar het raam en weer terug.

Nog meer lawaai buiten. Ben probeerde zichzelf met zijn voetzolen tegen de vloer af te zetten en zo verder te kruipen. Zijn hand liet een slakkenspoor van bloed achter. Hij zag Coles gezicht betrekken. De man duwde de rug van zijn vuist tegen zijn voorhoofd, alsof hij het fijn wilde drukken.

Hij zette een stap naar hem toe. 'Waag het niet bij hem in de buurt te komen!'

Ben duwde zich met een laatste krachtsinspanning nog een stukje naar voren en stak zijn goede arm naar Jacob uit. Hij wist de jammerende jongen, die zijn ogen weer dicht had geknepen, tegen zich aan te drukken. Cole hief het geweer weer.

'Ik zei: weg daar!'

Ben had zijn zoon in zijn armen en staarde omhoog naar Cole. Hij wilde iets zeggen, maar blijkbaar was de inspanning van dat stuk kruipen te veel geweest. Hij hoorde een soort suizen in zijn oren en alles begon wazig te worden. Hij probeerde uit alle macht omhoog te blijven kijken, terwijl Cole het geweer hief en de loop op hen richtte.

Op dat moment piepte de zon boven de muur van het auto-kerkhof uit en het hele vertrek baadde opeens in het licht. Cole kromp ineen door het plotseling erg felle schijnsel. Hij draaide zich om en keek naar de berijpte daken van de autowrakken en naar hoe het licht door die ongelijke vlakken werd verbogen en weerkaatst. Ben zag dat de man een frons op zijn voorhoofd kreeg.

En opeens klaarde zijn gezicht helemaal op.

Hij bleef naar buiten staren en liet het geweer zakken. Ondanks het gesuis in zijn oren kon Ben hem iets horen mompelen: 'Daar... Dat is het...'

Cole draaide zich langzaam naar hen om, als een man die slaap-wandelt. Hij leek zich totaal niet meer bewust van Ben en had al-leen nog maar oog voor Jacob. Van buiten weerklonk een keihard geschraap. Cole wierp een blik over zijn schouder naar het raam. Hij liep naar het geïmproviseerde kordon van meubilair en schoof een van de kapotte stoelen opzij, met dezelfde weloverwogen be-weging als waarmee hij het schroot in de tuin had verplaatst. Hij bleef even stilstaan bij het gat dat hij had gemaakt en hief zijn ge-zicht op naar de zon.

Vervolgens richtte hij zijn blik strak op zijn zoon, hing het ge-weer om zijn schouder en zette een stapje achteruit door het gat heen, het vierkant in.

De explosie volgde nog geen tel later. Ben dook ineen en druk-te Jacob nog dichter tegen zich aan, maar er kwam geen pijn en ook geen klap. Hij durfde na een tijdje voorzichtig weer op te kij-ken.

Cole was door het schot van de scherpschutter een eindje ver-derop terechtgekomen. Hij was in zijn borst geraakt en lag in een rare draai op de grond, zijn ene arm over zich heen gedrapeerd, de andere recht voor zich uitgestrekt, als een parodie op de fitnessoefeningen die hij in de tuin had gedaan. Zijn blik leek gericht op een punt vlak boven Bens hoofd, op iets wat daar heel ver achter lag. De blik was zó indringend dat Ben de neiging voelde zich ook om te draaien en te kijken. Zijn ogen werden echter getrokken naar het bloed dat zich over Coles sweatshirt verspreidde. Onder hem lag al een flinke plas. Op de vloer eromheen zag hij een spetterpatroon van donkere vegen, als hiëroglyfen uit een onbekende taal, die continu veranderden en groter werden naarmate het bloed zich verspreidde.

Jacob jammerde klagelijk. Ben drukte het gezicht van de jongen tegen zijn schouder, omdat hij hem de aanblik van het lijk van zijn vader wilde besparen. Het gonzen in zijn oren zwol aan. Hij liet zijn hoofd achterover tegen de muur zakken en zag een schuine streep zonlicht dwars over het plafond lopen. Er dansten stofvlokjes in de lichtstraal, die doldwaze wervelende patronen vormden. Hij probeerde zich daarop te concentreren, maar was nog bezig de boodschap te ontcijferen toen zijn gezichtsvermogen het begaf.

21

De wesp botste tegen de ruit. De zon scheen door het enorme, op het westen gelegen raam en de studio baadde in het zonlicht. Het raam ernaast was open. Zoe liep erheen en probeerde de wesp door voorzichtig met haar hand te zwaaien daar naartoe te leiden. 'Hup, wegwezen jij.'

Het gezoem werd hoger en luider, tot hij het gat inderdaad vond en wegvloog. 'Stom beest.'

'Je had hem ook gewoon kunnen doodslaan,' zei het meisje, terwijl ze een flesje mineraalwater opendraaide. 'Dat doe ik altijd.'

Zoe keek betrapt. 'Als het een vlieg was geweest, had ik dat ook wel gedaan.'

Ben zei niets. Hij wist dat ze vliegen ook verjoeg, maar liever niet te koop liep met die humanitaire neigingen van haar. Hij zag dat ze hem een vluchtige blik toewierp omdat hij met de lens aan het schutteren was, maar ze vroeg hem niet of hij hulp nodig had. Na een paar valse starten hadden ze allebei vastgesteld dat het hem uiteindelijk altijd wel lukte, hoe lang hij er ook voor nodig had. Soms liepen de fotosessies wat uit, maar tot dusverre had niemand zich daarover beklaagd. De kwaliteit van zijn werk had er ook niet onder geleden.

En hij werd er ook steeds handiger in. In het begin was die prothesehand best lastig geweest, maar hij begon eraan te wennen. Bovendien was het zijn linkerhand, die hij toch alleen maar gebruikte om dingen vast te houden of te ondersteunen. Als je eenmaal van de schok was bekomen bij het zien van al die ingewikkelde metalen stangetjes, draadjes, snoertjes en het kunststof in plaats van normale vingers van vlees en bloed, had het ding zelfs iets esthetisch. Het was echt een kwestie van gewenning. Ze hadden hem bij het aanmeten van de prothese verteld dat er allerlei modellen waren, die er ook anders uitzagen en een kleur hadden waardoor ze wat minder nep leken, maar hij was er niet zo zeker van geweest of hij dat wel wilde. Je kon niet om de kunstmatigheid heen van het ding dat hij nu had en dat maakte het op de een of andere manier oprechter. Hij had zelfs een fotografische studie van zijn linkerhand gemaakt, of althans, van wat er nog van over was, zowel met als zonder prothese. Hij was gaan experimenteren met het effect dat hij destijds bij die verlepte bloemen op het kerkhof had ontdekt. Hij wist nog niet helemaal hoe het eindresultaat eruit zou zien en of hij het ooit aan iemand zou tonen, maar hij wilde het wel doen. Al was het maar voor hemzelf, want het had een therapeutische werking. Omdat het hem dwong vrede te hebben met wat er gebeurd was.

Hèhè! Het was hem eindelijk gelukt de lens eraf te krijgen en er een andere op te draaien. Hij merkte dat Zoe en het fotomodel al zijn bewegingen stiekem nauwlettend volgden. 'Nog vijf minuten en dan beginnen we met de laatste sessie, oké?' zei hij. Hij legde de camera neer en liep naar de bank waar Jacob zat. 'Wil je iets drinken, Jake?'

Jacob schudde van nee en keek niet op van de legpuzzel die op de koffietafel voor hem lag uitgestald. Hij was deze nota bene met de afbeelding naar boven aan het maken. Ben stak zijn prothesehand uit en bewoog zijn vingers vlak voor Jacobs gezicht even heen en weer. Jacob stopte meteen met puzzelen en keek ernaar.

Ben keek op zijn beurt naar zijn zoon. De schoolvakantie was alweer bijna voorbij en hij zou hem hier straks missen in de studio. Hij had zich van tevoren wel even zorgen gemaakt of het niet lastig zou zijn hem erbij te hebben wanneer hij moest fotograferen, maar dat was nergens voor nodig geweest. Hij had zelfs de indruk dat Jacob het best leuk vond, hoewel je dat bij hem natuurlijk nooit echt wist.

Zijn voogdijverzoek was al goedgekeurd toen hij nog in het ziekenhuis had gelegen. De adoptieprocedure liep nog en dat kon ook nog wel een jaartje duren, maar ze hadden hem verzekerd dat hij zich daar geen zorgen over hoefde te maken.

Toch durfde hij er nog niet helemaal gerust op te zijn.

Hij probeerde een puzzelstukje op te pakken, maar dat lukte pas na drie pogingen. Hij gaf het aan Jacob, die het aanpakte en meteen tussen de rest van het stapeltje nog losse stukken teruglegde en een ander uitkoos.

'Wijsneus,' zei Ben. 'Kijk maar uit, jij. Straks zeg ik tegen oma Paterson dat je volgend weekend niet met haar traplift mag spelen.'

Er verscheen een flauw glimlachje om Jacobs mond, maar hij zat met die afwezige blik van hem weer volkomen gebiologeerd naar de prothesehand te staren. Het ding bleef hem mateloos fascineren. Hij stak zijn hand uit om de metalen stangetjes en draadjes voorzichtig aan te raken en volgde de contouren ervan met zijn vingertop. Ben liet zijn nepvingers nog even op en neer gaan. De jongen trok de hand naar zich toe om te kijken. Coles ogen staarden hem vanachter de gespreide metalen vingers aan.

'Ben je zover?' hoorde hij Zoe zeggen.

Ben trok zijn hand voorzichtig los. 'Ja. Ik kom eraan.'

Jacob had zich alweer op de legpuzzel gericht.

DANKWOORD

Dank aan Peter Liver van de South Yorkshire NSPCC en aan Sarah Pimlott voor al hun hulp bij de juridische aspecten; aan Dick Bunting voor de achtergrondkennis over vuurwapens en politiereglementen; aan Rob Quayle van de Rowan School voor alle informatie over autisme en aan Carolyn Mays en Patrick Walsh voor hun hulp en enthousiasme. Maar vooral wil ik hierbij ook mijn ouders, Sheila en Frank Beckett, bedanken voor al hun steun.